Hallier
L'Homme debout

À Emmanuel Macron, président de la République française, debout et en marche en dépit des nombreuses pesanteurs « tricolores », qui a redonné espoir à des millions de Libanais de naissance, d'origine et de cœur ;

et à son épouse Brigitte.

« À grands fracas, je combats avec la lance des mots. »

Erik Axel Karlfeldt (1864-1931), « Le Rêve et la Vie »
Chansons de Fridolin et autres poèmes

« Vivre, c'est s'obstiner à achever un souvenir. »

René Char (1907-1988), *La Parole en archipel*

Maquette :
Caroline Verret

Correction et révision :
Paula Gouveia-Pinheiro

Photo de couverture : *L'Homme qui marche I*, Alberto Giacometti,
Fondation Alberto Giacometti-Stiftung (Zurich, Suisse, 1960).

Édité par NEVA Éditions
ISBN : 978-2-35055-285-9

Jean-Pierre Thiollet

Hallier
L'Homme debout

Éditions

« Cy n'entrez pas hypocrites bigots
Vieux matagots, marmiteux boursouflez. »

François Rabelais (1483 ou 1494-1553),
Gargantua (inscription mise sur la grande porte de Thélème)

« Que quelques caïmans en mal de morales dégoûtantes ne trouvent pas cet
ouvrage à leur goût, peu me chaut. J'en appelle aux hommes de bonne volonté
et, pour que soit bannie toute équivoque, je déclare d'avance et franchement,
sans réticence, une fois pour toutes, à tous les hypocrites d'ici et d'ailleurs,
que je les embrenne [1] aussi intégralement que possible. »

D'après la première préface de *La Guerre des boutons*,
de Louis Pergaud (1882-1915)

_____

(1) Synonyme populaire d'« emmerder ».

« Enfin, j'entrai dans la grande salle aux murs beiges et à la tapisserie début XVIIᵉ, avec des fleurs de Largillierre et une sculpture de Giacometti toute verticale, *L'Homme debout*. Métaphoriquement, c'était peut-être ma propre statue, après avoir fait face aux épreuves sans jamais m'agenouiller. »

Jean-Edern Hallier, *Les Puissances du mal*

Sommaire

Le combat de l'échelle contre le ciel

« Tu apparais, dans ta beauté, à l'horizon du ciel,
Disque vivant qui dispenses la vie...
Alors le double royaume de Haute et de Basse-Égypte est en fête.
L'homme est éveillé, et debout sur ses pieds.
C'est toi qui fais lever les hommes et les blés...
Dès que tu brilles, les plantes et les vivants poussent pour toi. »

Akhénaton, (c.-1371/1365 et c.-1338-1337), *Hymne au soleil*

« Le prétendant de la *vérité* ? Toi ? » – ainsi se moquaient-ils –
« Non ! Fou seulement ! Poète seulement ! »

Friedrich Nietzsche, *Dithyrambes de Dionysos,* traduction d'Henri Albert,
révision de Jean Lacoste, Éditions Robert Laffont, collection « Bouquins »

« Votre fin sera comment ?
– Je voudrais qu'elle soit noble. Je voudrais qu'elle soit droite, debout.
Et je voudrais être enterré debout. Rester comme un squelette
qui défie... Je suis plutôt fier de moi. Après ma mort,
je serai plus aimé que de mon vivant. »

Jean-Edern Hallier, au cours de l'émission intitulée
« À titre provisoire » et diffusée sur France Inter le 12 février 1995

« Ne baissez pas le store ! Je suis bien. Je veux que le soleil me salue. » Derniers mots de Rudolph Valentino. Non de Jean-Edern Hallier, n'allez pas croire... De l'incorrigible vélocipédiste tout-terrain de la côte normande, nul ne connaîtra jamais l'ultime pensée. Les circonstances de sa chute à bicyclette le

12 janvier 1997, dans une rue proche de l'hôtel Normandy à Deauville, et surtout les faits plus ou moins bizarres qui se sont succédé dans les heures après sa mort, laissent place à plus d'une interrogation voire d'une suspicion.

Ce qui est sûr en tout cas, c'est que l'académicien Jean d'Ormesson n'est plus là pour se poser des questions, lui qui, apprenant la nouvelle de la fatidique chute de vélo, s'était demandé s'il ne s'agissait pas d'une nouvelle blague de Jean-Edern... Ce qui est également non moins certain, c'est que l'auteur de *Fin de siècle*, celui qui se définissait lui-même comme poète-romancier-éditeur-libraire-financier-encyclopédiste ne sortira pas de nouveau livre. Hélas, cela ne se produira pas. S'il vivait encore parmi nous, peut-être se serait-il amusé, en pleine crise du coronavirus, à se montrer grand amateur de Corona, à devenir membre de ce club des fumeurs de havanes où, sous la présidence d'André Santini et toutes étiquettes partisanes au vestiaire, s'offrir un cigare cubain peut apparaître comme un moyen voluptueux de saluer la mémoire de Fidel Castro ? Peut-être resterait-il cet instrument capteur d'exception, aux sens toujours en alerte, dont la sensibilité particulière, créée en lui par la vie citadine, était aiguisée par l'atmosphère ?

Il faut croire en la plasticité indéfinie d'un artiste, qui se transforme quand il veut, et qui peut être à la fois une foule, une rue, un café, une brasserie... Des années 1970 jusqu'au milieu des années 1990, Hallier ne s'est pas contenté d'être un fort en frasques, un animateur touche-à-tout de la vie parisienne, une figure à la fois atypique et mondaine : il a été le « casse-pieds » du « système » par excellence, l'ennemi de tout reniement, et une sorte de corsaire-prophète.

Des décennies avant tout le monde, seul le plus souvent mais ujours debout sur le pont des Arts et Lettres, il a en effet pressenti et annoncé les changements profonds de nature à ébranler la société française : l'abaissement du niveau culturel, le triomphe du marketing, l'américanisation, cette colonisation dans les esprits, et le processus de défrancisation, l'asphyxie à la fois sournoise et radicale de la liberté d'expression... N'ayant jamais cru au socialisme, il se posait en résistant de la démocratie socialo-libérale et toute la question fut toujours, pour ce fils et petit-fils de généraux dont les facultés supérieures n'ont pas souvent trouvé leur plein-emploi, de ne pas se rendre... Comme l'écrit Barbey d'Aurevilly, cet autre exemple constant de l'idéalisme personnel, « pour des têtes construites d'une certaine façon militaire, ne jamais se rendre est, à propos de tout, *toute la question*, comme à Waterloo [1] ! »

Comme il avait fait sienne l'interrogation de Henry David Thoreau, « Si je ne suis pas moi, qui le sera [2] ? », il avait décidé très tôt d'être lui. Ce qui impliquait de ne pas se résigner, de faire face comme on dit, tout en ayant le sentiment de la fragilité de l'être vivant et de l'absolue nécessité de ce que le sculpteur Alberto Giacometti appelait « une énergie formidable [3] », pour qu'il puisse tenir debout. Il lui fallait ainsi, en parfait jumeau stellaire de Jean-René Huguenin, se jeter « dans la rue, dans la vie, dans le monde, la tête bien haute et le corps exposé », dès lors que « tout le malheur de l'homme vient peut-être, plutôt, de ce qu'il n'ose pas sortir de sa chambre », recevoir « sans les compter les dons de chaque jour » et ne pas s'occuper de « ceux du lendemain ». L'essentiel n'est-il pas de « rester digne et grand » puisque « la mort est moins mortelle que la bassesse et la lâcheté [4] ».

Croyant dans l'exigence, Hallier a toujours su que le don est une facilité qui se développe avec l'effort et qu'il lui faudrait ne jamais avoir peur d'oser. Il s'est également toujours refusé à être dans la moyenne, c'est-à-dire, comme l'écrivait Octave Mirbeau en son temps, « ce qui flatte, ce qui caresse, ce qui réjouit l'âme bornée du public », « cet abominable niveau, placé entre ce qui est ni tout à fait bon ni tout à fait mauvais et d'où personne ne peut tenter de sortir seulement la tête, sans être vilipendé », « cette démocratie haineuse qui ne permet à aucune aristocratie de s'élever, à aucune supériorité de s'affirmer [5] ». Être torturé par la moyenne ? Jamais de la vie ! Pas question bien sûr de se laisser enfoncer dans la « médiocrité spirituelle » et l'« erreur matérialiste » au nom de la recherche du bien-être, dénoncées par Soljenitsyne dans son fameux discours de Harvard en juin 1978. Comme l'auteur d'*Une journée d'Ivan Denissovitch*, Hallier est un écrivain. Pas un homme politique et encore moins un politicien. Son combat est d'abord littéraire. Celui de la liberté de penser, d'écrire, de publier. Il aimait la France, sa terre, sa langue, ses hommes, ses semblables sans doute beaucoup plus profondément que d'aucuns ne l'ont cru. Il avait de la générosité, savait élargir son cœur, compatir aux souffrances, avoir de l'empathie pour les pauvres acteurs – et actrices ! – qui jouent la tragédie comique ou la comédie tragique de la destinée humaine... C'est d'ailleurs peut-être là en partie le fond même de son génie et l'explication des témoignages de sympathie posthumes. Mais il aimait encore plus l'homme responsable, l'homme debout !

Plus de vingt ans après sa mort, si les goulags et l'esclavage n'ont pas disparu sur notre planète, l'exploitation et l'avilissement de la personne humaine se sont diversifiés sous de nouveaux masques. Le totalitarisme n'appartient pas qu'au XXe siècle. Notre époque connaît l'islamisme et bien d'autres formes de fanatisme ou d'oppression totalitaire. Y compris les plus sournoises parfois.

Mais l'œuvre et le combat de Jean-Edern Hallier font mieux que rester un exemple de refus de la pensée imposée et de l'enfermement idéologique. Ils contribuent à nous armer contre la résignation et le défaitisme. « Cabrons-nous ! » voilà le mot d'ordre qu'ils nous donnent, en référence au cabrer, ce mouvement qui fait se dresser le cheval sur ses membres postérieurs pour se tenir debout ou pour se défendre. Le cas échéant, soyons désarçonnants... Si vous vous cabrez, ce n'est pas pour faire joli, pour vous complaire dans une posture, mais pour résister. Si, par extraordinaire, on vous jette des fleurs, faites-en une couronne. Si l'on vous jette des pierres, n'hésitez pas : grimpez dessus pour vous grandir. Le clown, ce ne sera pas vous mais « cette société monstrueusement cynique et si inconsciemment naïve qui joue le sérieux pour mieux dissimuler sa folie [6] ».

Tellement adepte du « lève-toi et marche [7] », Hallier dormait debout. Il dormait sa vie et se réveillait rarement. Et même à l'intérieur de ce sommeil éveillé, il regardait non seulement avec son œil, mais avec son corps entier. Curieusement, ce borgne avait des yeux partout. Aussi bien pour apprécier « la manière dont les cocotiers poussent inclinés comme s'ils avaient tous été pliés par le même vent » et se montrent ainsi à l'image de « la soumission naturelle de l'homme [8] » que pour observer les « fripouilles », les « voyous », la « chiennerie qui nous entoure ». « Les gens que l'on voit politiquement, culturellement, n'ont plus de convictions : ils n'ont plus que des peurs. Peurs de se tromper d'agenouillement », dénonçait-il en commentateur acide de la vie publique, avant de confier ce qui constituait le « fil conducteur » de toute son existence : « J'essaie d'être un homme debout [9]. »

Malgré ses galères et même si dans les derniers trimestres de sa vie, il lui est arrivé d'éprouver une forme de mélancolie désenchantée et grave, d'afficher une énergie en berne et de trahir une réelle fatigue, il est resté « l'homme debout », comme le veut la chanson [10]. Au prix d'affres en tous genres et par-delà les tortures morales, il s'est attaché à ne pas déroger aux principes de l'edernisme, cette philosophie de vie humaniste dont l'originalité consiste à tenir la polémique pour l'une des formes de la poésie. « Rester un homme libre, irrévocablement aristocratique, rappelle-t-il dans *L'Évangile du fou,* revient à mener une vie de clandestin supérieur. *Larvatus prodeo,* avancer masqué, pour reprendre la devise de Descartes [11]. On reste un fauve parmi les *homo domesticus,* égaré dans la jungle des villes. De très bonne heure, je suis entré dans la résistance. Vaincre, c'est vaincre dans l'infini ; ce qui revient à souffrir dans le fini. N'importe ! Il faut s'accrocher. Le génie, c'est de durer... » S'accrocher pour mieux durer, et donc ne pas se contenter de pratiquer le dandysme du révolté officiel : être un grand révolté intérieur, comme le voulait Jean-René Huguenin [12] et s'appliquer à ne jamais, ne serait-ce que le temps d'un clic, se croire rebelle parce qu'on tapote sur son iPhone, on consomme chez Amazon, on roule en Uber ou l'on sirote chez Starbucks !

Pas question de n'être, pour reprendre les mots de René Huyghe dans son *Dialogue avec le visible,* qu'un « spectateur », « un engrenage emboîté sur la roue motrice » de cette « civilisation de l'image » qui « envahit, occupe la personne comme un terrain conquis », ne laisse plus « le temps d'examiner et d'assimiler » et « impose son rythme autoritaire ». Il faut se battre et être acteur. Quitte à passer pour un fou ou un illuminé.

Pour Hallier, il faut même se battre jusqu'au bout puisque les plus grands hommes, en littérature comme à la guerre, sont ceux qui capitulent en dernier. Bien sûr, la postérité qui déjoue volontiers les pronostics les mieux établis tranchera. Elle l'a d'ailleurs déjà fait puisque Jean-Edern est encore présent dans certaines mémoires après plus d'une année d'absence... Mais qu'importe. Il s'agit avant tout de faire partie de ces hommes modernes, évoqués par Armand Gatti, « grands surmenés à paroles d'oiseaux nocturnes », « satellites habités », rêveurs endormis sur des sacs d'outils, qui trouvent dans les mots « des être-bouée sur une mer de reflets », qu'ils doivent, à défaut de savoir vivre en haute mer, utiliser pour entamer l'ascension poétique, et chaque jour poursuivre « le combat de l'échelle contre le ciel [13] ».

Qui pourrait donc être surpris que le 6 mars 1996, pour évoquer Jean-Edern Hallier qui venait de sortir de son bureau, le journaliste et essayiste Louis Pauwels n'ait pas hésité devant son nouveau visiteur [14] à appeler le cardinal de Retz à la rescousse et à le citer : « Chez lui, le ciel et l'enfer s'enchevêtrent dans un style d'une intensité parfois – trop souvent ? – sublime » ?

« Dans ce monde qui s'effondre et se dissout, il faut plus que jamais vivre debout ; Profiter de la moindre lumière ; Rester maître de ses passions comme de sa fatigue, de ses démons comme des élans de son cœur. »
Jean-René Huguenin (1936-1962), *Journal*

« La plus grande victoire de l'existence ne consiste pas à ne jamais tomber, mais à se relever après chaque chute. »
Nelson Mandela (1918-2013), *Un long chemin vers la liberté*

« Brave Jean-Edern, j'entends la Renommée
Parler bien haut de ton illustre nom,
De tes vertus elle-même charmée
Pour les chanter a pris son meilleur ton
Ton tre lon ton ton, etc. »

Adapté du couplet d'une chanson de Gabriel de Guilleragues
(Gabriel Joseph de Lavergne, comte de Guilleragues,
dit, 1628-1685), 1667

---

(1) « Le rideau cramoisi », *Les Diaboliques.*

(2) Henry David Thoreau, *De la marche.*

(3) Célèbre pour ses personnages filiformes, Alberto Giacometti consi-dérait avant tout l'homme debout comme un homme en marche, avec dignité et sensibilité.

(4) Jean-René Huguenin, *Journal,* lundi 15 octobre 1956.

(5) Octave Mirbeau (1848-1917), « Le Pillage », *La France,* 31 octobre 1884.

(6) Salvador Dalí, *Pensées et anecdotes.*

(7) Saint Jean, XI, 3, cf. *L'Évangile du fou,* p. 405.

(8) Hallier, *Journal d'outre-tombe,* 22 décembre 1995.

(9) Au cours de l'émission intitulée « À titre provisoire » et diffusée sur France Inter le 12 février 1995.

(10) « Un homme debout », paroles de Sylvain Hagopian, musique de Jean-Pascal Anziani, chanson interprétée par Claudio Capéo (Claudio Ruccolo, dit).

(11) René Descartes, *Méditations métaphysiques :* « De même que les comédiens, attentifs à couvrir le rouge qui leur monte au front, se vêtent de leur rôle, de même au moment de monter sur la scène du monde, où je ne me suis tenu jusqu'ici qu'en spectateur, je m'avance masqué *(larvatus prodeo)...* »

(12) Jean-René Huguenin, *Journal (1955-1962),* mercredi 11 janvier 1956 : « Le révolté officiel, le dandy, sale espèce de nos jours – passe encore à l'époque de Rimbaud, mais aujourd'hui, les vraies, les grandes révoltes doivent être silencieuses et toutes intérieures. »

(13) Armand Gatti (1924-2017), *Comme battements d'ailes. Poésie 1961-1999.*

(14) Jean Bothorel, *Nous avons fait l'amour, vous allez faire la guerre : Journal.*

Jean-Edern Hallier, alias Jean-Edern Alien, sautant en parachute sur un plateau improvisé d'« Apostrophes », sous haute surveillance et sous le regard de Bernard Pivot en gilet pareballes.

Extrait d'une planche à l'encre de Chine du dessinateur Pétillon (René Pétillon, dit, 1945-2018), dans l'album *Jack Palmer, Les Disparus d'Apostrophes,* paru chez Dargaud en 1982.

« Relevez-vous. Un peu de dignité, messieurs dames… »

« La vérité est comme le soleil : elle fait tout voir
et ne se laisse pas regarder. »

Victor Hugo (1802-1885), *Tas de pierres*

« Remords de la Légion d'honneur
Tumeur de la fonction urbaine
Don Quichotte du crève-cœur
Poète, vos papiers ! »

Léo Ferré (1916-1993), « Poète… vos papiers ! »

« Les lumières bleues dansent sur les terrasses
Et les étangs reflètent leurs lumières
Le jour ne vient pas, ça me fait peur
Pourtant je ressens du bonheur
Plus jamais ouvrir de porte
Verser une larme
Vers… l'intérieur
Comm' si la Terre penchait… »

Christophe (Daniel Bevilacqua, dit, 1945-2020),
« Comm' si la Terre penchait »

S'il y a bien dans le ciel une constellation d'étoiles qui forment
une sorte de cheval, de centaure tirant à l'arc, nommée le
Sagittaire, Hallier n'est pas né sous ce signe du zodiaque.

Barbey d'Aurevilly non plus. Pourtant, l'un et l'autre ont cette caractéristique commune de le mettre partout et, dans ce monde souvent inepte, ennuyeux et vulgaire, d'aimer à lancer leur flèche à tout. Le second y a gagné l'un de ses surnoms, et le premier s'en est fait une solide réputation. Consciemment ou pas, Jean-Edern semble avoir suivi le conseil de Jean Cau dans *Le Chevalier, la Mort et le Diable :* « Il y a toujours une route. (...) Prends ce sentier que personne n'emprunte. "Je vais me perdre !" Te perdre *où ? Par rapport à quelle borne ?* Arrête de dire des sottises. Dès que tu seras engagé sur cette voie, c'est toi qui es la flèche et la direction. Tu ne suis pas l'exemple. Tu es l'exemple. Voici l'unique devoir du chevalier. Toujours, en soi et hors de soi, affirmer l'exemple. »

Comme trace irréfutable de son activité d'archer littéraire et gage de postérité, Hallier est parvenu à laisser derrière lui une étagère de livres et de nombreux articles. À la fin des années 1970, il pensait – à tort, comme la suite l'a démontré – que l'essentiel de ses œuvres serait posthume. « Peut-être parce que je suis trop occupé à vivre ou au nom de quelque obscure timidité, précisait-il [1]. J'immerge. Je coule au fond de l'océan mes trésors ou mes blocs de béton. Je suis aussi un animal des grands fonds. »

Aujourd'hui, dans le domaine littéraire qui est le sien, Hallier fait un peu figure d'exception : il échappe à cette règle couramment admise qui veut qu'après leur mort, les artistes traversent un plus ou moins long purgatoire avant de se rappeler parfois à la mémoire des vivants. Il n'a pourtant reçu ni médaille ni prix, mais il a toujours su que la véritable récompense, ce n'est pas de recevoir un prix, c'est de durer... Plus de vingt ans après sa disparition, l'essayiste et romancier – tout autant que l'homme, fantasque et sémillant – continue sinon de fasciner du moins de piquer la curiosité et de susciter les pensées du jour...

Quelle aurait été la réaction du Chateau(très)briand de la République des Lettres à tous les événements de notre époque ? Lui, l'auteur d'une fameuse *Lettre ouverte au colin froid*, trouverait-il quelque amusement à observer que l'ancien président de la République française Valéry Giscard d'Estaing se voit accuser d'être à plus de 90 printemps un incorrigible chasseur libidineux aux mains baladeuses ? Écrirait-il une « Lettre ouverte au lapin chaud » ? Pas sûr du tout en fait qu'une société d'édition française lui en passerait commande… À moins, pour faire bonne mesure commerciale, qu'elle prenne l'initiative d'associer d'autres noms au projet, de Dominique Strauss-Kahn à Pierre Joxe, en passant notamment par Jacques Chirac, Monsieur « Cinq minutes douche comprise », et François Hollande, le scootériste casqué de l'Élysée amateur de trapèze volant amoureux rue du Cirque… Avec sa devise « Liberté, Égalité, Sensualité », la French Playboy République a tellement de politiciens à la hauteur de sa légendaire réputation !

Comment Hallier réagirait-il face aux chaînes de télé-blabla en continu ? Peut-être se souviendrait-il du regard prémonitoire porté par son ami Jean Dutourd : « Le bavardage de la télévision [2] a remplacé le silence des espaces infinis, pour alimenter l'angoisse [3]. » À moins qu'il ne soit tenté de reprendre les mots d'Octave Mirbeau pour rappeler que « ceux qui se taisent disent plus de choses que ceux qui parlent tout le temps [4] » ?

À coup sûr, il ne ferait pas partie des *has been* de la télévision française et se démarquerait de ces commentateurs-journalistes-éditorialistes septua-octo-nonagénaires, bavards briscards ventousés aux plateaux télé, qui viennent sans pudeur débattre de la réforme des retraites sur LCI, surnommée avant la pandémie du Covid-19 « l'Ehpad du PAF [5] », et étaler à longueur d'antenne leur méconnaissance souvent abyssale de la France contemporaine…

Comment aurait-il perçu la pitoyable mascarade des César 2020 où des femmes comme Fanny Ardant, Brigitte Bardot et Mathilde Seigner furent conspuées pour avoir refusé de participer au lynchage public dont était l'objet Roman Polanski, le réalisateur du film *J'accuse* récipiendaire du César du meilleur réalisateur ? Devant les bassesses et la vulgarité d'une cérémonie transformée en cour de justice parallèle, soumise à la tyrannie des groupes de pression, peut-être aurait-il eu le réflexe de se tenir en retrait tout en lançant : « Relevez-vous. Un peu de dignité, messieurs dames... » ?

Coronavirus ou pas, les soirées à juste titre mémorables se font rares à Paris, et Allen Ginsberg n'est plus là, debout sur une table, pour entreprendre d'exorciser Hallier, comme il le fit en juin 1965 à l'occasion d'une séance dans un grand restaurant du 7ᵉ arrondissement, avec les agitateurs les plus radicaux de l'avant-garde littéraire américaine, en tapant sur une cymbale et en « proférant des paroles cabalistiques sous le regard effaré de la clientèle ». En bon centenaire de la Beat Generation, Lawrence Ferlinghetti n'est plus là non plus « pour réciter sa nouvelle pièce de théâtre, *Nancy,* dont le texte tient en une seule phrase : "Nancy, ice-cream", répétée une nuit entière... [6] »

Alors, en découvrant dans le *Canard enchaîné* et *L'Obs* l'information selon laquelle Jack Lang aurait reçu des costumes « à prix d'or » pour un montant de près de 600 000 euros, Jean-Edern jouerait-il les imprécateurs pour fustiger la délicate alliance entre pourriture morale et élégance vestimentaire ?

Condamné, en tant que directeur de *L'Idiot international,* à verser à ce même Jack Lang des sommes démesurées pour diffamation et injures, il aurait beau jeu de sauter sur l'occasion. Mais, magnanime, sans méchanceté [7], conscient que « le bois dont est fait l'homme est si courbe qu'on ne saurait rien y

tailler de bien droit [8] », il pourrait se contenter de rappeler qu'il est des individus si abominablement corrompus – jusqu'à la moelle de l'os – qu'ils parviennent à pervertir tout ce qu'ils touchent… Au point de dissuader les portiers des Enfers de les accueillir !

Sans doute ne lui faudrait-il pas beaucoup de flair pour mesurer également la triomphale ampleur de la puanteur de certains Gallimardiers de l'édition reconvertis dans la papeterie. Une fois encore, il s'appliquerait, comme Barbey d'Aurevilly, à ne pas troubler outre mesure « ces dormeurs que le tonnerre réveillera de leurs songes, et trop tard, car le tonnerre est un rieur cruel pour les sots qui ne peuvent porter le vin du succès et qui ronflent dans leur petite Capoue de deux jours, s'imaginant que tout est à merveille et d'une stabilité éternelle, parce qu'ils ont des positions et de l'argent [9] ! » N'empêche. Ce n'est pas parce que la France est, en littérature, « le pays d'élection des valeurs fiduciaires », comme le dénonçait Julien Gracq [10], qu'il se ferait une raison… Des connivences et complaisances du misérable petit milieu germanopratin, il pourrait refaire le tour. Ici, c'est un certain Neuhoff et son initiative de dénoncer, escarbille dans l'œil et fiel misogyne aux lèvres, l'insignifiance du cinéma français… à l'exception notable d'un film de Frédéric Beigbeder qui, avec ses confrères du jury Renaudot, vient de lui remettre le prix de l'essai… Pour ciseler la boucle des légers conflits d'intérêts, le jury Renaudot compte même parmi ses membres Jérôme Garcin, le producteur-animateur du « Masque et la Plume », l'émission de fossiles de France Inter [11] où MM. Beigbeder et Neuhoff sont chroniqueurs ! Là, c'est un certain Tesson, aimablement surnommé le « Montesquiou des steppes mongoles », qui, dans la médiocrité autosatisfaite de ses élans lyriques aphorismants et prétentieux d'aventurier griffé Cerruti 1881 et filigrané Gallimard, a vraiment mérité de gagner en 2019 le prix Renaudot... D'autant qu'il est de surcroît le rejeton d'un authentique grand seigneur de la presse française et président du jury du prix Interallié dont M. Neuhoff est membre ! Fermez le ban : à ce degré, ce n'est plus de l'entre-soi mais du « pour soi ». De l'ultra-confiné d'avant-crise coronavirale. La sympathie bienveillante de Hallier pour Philippe Tesson ne l'aurait évidemment pas empêché d'être dupe... Là encore, c'est le vieux copinage de l'odieux-visuel qui fait écran lorsque tel audimateur de second plan omet de préciser que la fille de M. Mitterrand qu'il invite sur le plateau de l'émission « De quoi j'me mêle », sur l'une des chaînes de « Télé-Bolloré » (C8), est chroniqueuse dans son autre émission « Ça balance à Paris » sur Paris Première.

Connivences et complaisances

Sans doute aussi Hallier constaterait-il, sans s'en réjouir, que sa prophétie s'est réalisée : plus d'un journal n'est même plus l'ombre de son reflet et, dans l'univers médiatique, l'effort d'investigation véritable fait figure d'exception. Ce n'est pas que la Vérité n'a pas bonne presse, c'est qu'elle n'a plus presse du tout.

Le temps de *L'Idiot international* est plus que loin. Tout à fait révolu. Au début des années 1990, en pleine guerre du Golfe, cette publication eut pourtant son acmé. Avec une belle collection de contributions, dont celles de Patrick Besson, Jean Cau, Michel Déon, Jean Dutourd, Michel Houellebecq, Jacques Laurent, Édouard Limonov, Philippe Muray, Alain Soral, Frédéric Taddeï, Jacques Vergès... La ligne éditoriale de ce ferment de désordre créateur, à coups de fulgurances impétueuses entre chien et loup, de virevoltages vodkaïques et d'engueulades sans lendemain, se voulait résolument provocatrice. Toujours dans l'excès, jamais dans la demi-mesure ou pire la nuance. Les titres sonnaient le tocsin ou l'hallali, les paragraphes semblaient s'élever comme les volutes de la tradition soufie des derviches tourneurs et renvoyer au néant l'esprit de lourdeur corsetée et routinière des *Figaro, Libération* et autre *Monde…* À force d'avoir du caractère, les caractères avaient du style. De la profondeur souvent aussi. Les bonnes plumes ont tendance à écrire « mieux le vrai que le faux », comme en était déjà persuadée Anne Dacier en son temps, « parce que le vrai saisit et frappe davantage, et que l'esprit frappé d'un objet réel, le rend avec plus de force… [12] » Revendiquée, la liberté de ton était immanquablement perceptible à la lecture. Mais elle relevait d'une vraie démesure et d'une forme de folie, qui faisaient du journal la cible d'attaques tout aussi démesurées et de condamnations à la sévérité inouïe. Dans les tempêtes, considérant qu'un homme digne de ce nom ne se met à genoux que pour prier et se doit de rester debout jusqu'au dernier soupir, Jean-Edern gardait le cap. Coûte que coûte, puisqu'« il y a certainement à être fou un plaisir que seuls les fous connaissent [13] », il se servait de son titre de presse donquichottesque comme d'un bouclier pour mener campagne, comme ce fut le cas en 1989 devant l'ambassade d'Iran à Paris où il distribua en personne sous forme de livre-journal *Les Versets sataniques* de Salman Rushdie qu'aucun éditeur ne voulait prendre le risque de publier.

Prétendre, comme il le faisait, repenser l'ordre établi depuis des lustres en « disruptant » le système, afin de tenter de mieux répondre aux attentes des générations d'êtres humains à venir, serait aujourd'hui tout bonnement hérétique. Il y aurait boycott pour cause de mal-pensance. Il n'y a plus de place pour les Voltaire, Léon Bloy ou Jean-Edern Hallier qui seraient de nos jours, avec d'autres auteurs de pamphlets, les pensionnaires tout désignés et attitrés de la 17e chambre correctionnelle…

Quand des journaux télévisés qui représentent 50 % de part de marché débutent par une information du genre « On cultive le myosotis en Basse-Provence », que la télé-météo assène, avant et après que les pubs « pièges à cons » s'enchaînent, « L'été, il fait chaud », « L'hiver, il fait froid », seul le filet d'encre tiède permet de vivre à peu près en paix et les talk-shows se doivent d'être des spectacles sans danger ni « folie de bravoure », comme disait Barbey d'Aurevilly [14]. Les « nuanceurs » sont les bienvenus et les fanatiques de l'action, eux, sont exclus. Jacques Perret a eu beau prévenir que « le chemin du diable est toujours tapissé de nuances » et que la nuance est « l'ébauche du mensonge et le baume de l'erreur ». De nuance en nuance, les « cuistots » de la « tambouille » médiatique en sont arrivés à nuancer le soufre pour qu'il soit humé comme verveine avant de s'endormir... Comme le pressentait Jean-René Huguenin dans son *Journal,* toute notre vie n'est-elle pas devenue « au fond l'histoire d'une révolte étouffée, d'une exigence rentrée », « le drame de ce quelque chose qui voulait jaillir et jamais ne l'a pu ». Aujourd'hui, il est préférable de prendre congé de ce monde à la Tolstoï, sans finir sa phrase : « La vérité est que... Je m'inquiète beaucoup de ce qu'ils... »

De toute façon, devenu octogénaire, Hallier prendrait-il toujours plaisir à agacer, à prêter le flanc aux insultes par ses apparentes incohérences et ses étourdissantes « trouvailles » ? Serait-il encore du genre à se balader en col roulé en plein mois de juin pour ne pas être reconnu ? Il aurait peut-être, tout simplement, des troubles de mémoire. Par exemple, il lui arriverait de s'intéresser à de jolies et pulpeuses créatures féminines, mais il ne se souviendrait plus pourquoi... En revanche, bien sûr, il n'oublierait pas son nom, Jean-Edern Hallier. Le nom, comme l'écrit Barbey d'Aurevilly dans *L'Ensorcelée,* « ce dernier soupir qui reste des choses ! »

« Relevez-vous. Un peu de dignité, messieurs dames... »

« La vie est une tempête, mon ami ; il faut s'accoutumer à tenir la mer. »

Alfred de Vigny (1797-1863), *Chatterton*

« Il dit que les prières nous sauvent
Et qu'il ne se met plus à genoux. »

Raphaël (Raphaël Haroche, dit), « Les Salines », chanson
interprétée par Alain Bashung (1947-2009)

« Il est assez mal vu de nos jours par ici d'avoir pour compagnons
des gens qui sont sous terre. Si le monde a raison,
c'est bien doux d'avoir tort... »

Bernard Dimey (1931-1981), « J'ai trois amis »

---

(1) Dans son autoportrait audiovisuel diffusé au cours de l'émission « L'homme en question. Jean-Edern Hallier » sur France 3, le 9 juillet 1978.

(2) Mot librement actualisé par l'auteur.

(3) Jean Dutourd, *Carnet d'un émigré*.

(4) Octave Mirbeau, *Les Affaires sont les affaires*.

(5) Paysage audiovisuel français.

(6) Jean-Luc Barré, *Dominique de Roux : le provocateur.*

(7) Faisant partie des personnalités écoutées dans le cadre de l'« affaire des écoutes de l'Élysée », Paul-Loup Sulitzer a témoigné en justice que Jean-Edern n'était pas un esprit « méchant ». « Jean-Edern Hallier était un provocateur très fort, a-t-il déclaré, mais ce n'était en aucun cas quelqu'un de méchant. » En dépit de graves problèmes de santé dus à un récent accident, Paul-Loup Sulitzer, dont les livres ont été traduits en des dizaines de langues et vendus à dizaines de millions d'exemplaires, avait tenu à se déplacer pour effectuer cette déposition le 7 février 2005 devant le tribunal correctionnel de Paris.

(8) Emmanuel Kant, *Idée d'une histoire universelle au point de vue cosmopolitique,* VIII, 23.

(9) Jules Barbey d'Aurevilly, dans une lettre à Trebutien datée du 20 janvier 1854.

(10) Julien Gracq, *La Littérature à l'estomac.*

(11) « Le Masque et la Plume », dont le premier numéro remonte à 1955, est l'une des plus anciennes émissions de la radio française. Longtemps diffusée en direct et animée par François-Régis Bastide puis Pierre Bouteiller, elle connut ses heures les plus glorieuses dans les années 1960-1970, grâce notamment à la collaboration de critiques comme Georges Charensol, Georges Sadoul et Matthieu Galey. Animée depuis 1989 par Jérôme Garcin, elle est désormais enregistrée et outre qu'elle semble très amoindrie en raison des accusations de copinage et de connivence, son aura tend à relever d'un passé de plus en plus lointain.

(12) Anne Dacier (1645-1722), *Des causes de la corruption du goût* (ouvrage généralement attribué à tort à son mari André Dacier).

(13) John Dryden (1631-1700), *Le Moine espagnol,* II, 1.

(14) Expression rapportée dans *Impressions et souvenirs,* de Charles Buet.

Emmanuel Macron aux prises avec les innombrables pesanteurs françaises, y compris au sein du mouvement En Marche.

Dessin de Kak paru dans le quotidien *L'Opinion* des 5 et 6 juin 2020.

La France démasquée

« Tout homme qui dirige, qui fait quelque chose, a contre
lui ceux qui voudraient faire la même chose, ceux qui font
précisément le contraire, et surtout la grande armée des
gens, beaucoup plus sévères, qui ne font rien. »

Jules Claretie (1840-1913), *La Vie à Paris*

« La vraie question est : comment ce pays (la France) est arrivé
dans un tel état que l'on préfère écouter les gens qui ne
savent pas que plutôt ceux qui savent ? »

Didier Raoult, *La Provence*, 21 mars 2020

« Après 2015, (…) l'Europe, dépendante et asservie,
sera à la merci des intempéries, des épidémies et des
hystéries de ses lointains fournisseurs. »

Jean-Claude Martinez, *Demain 2021* (ouvrage paru en mars 2004)

« Les Français sont versatiles, ils ont besoin de guillotiner
Louis XVI tous les cinq ans. C'est l'inconscient collectif de la
nation. C'est dommage. » Ce qu'il écrivait dans *Le Mauvais
esprit* en 1985, Hallier le réécrirait sans doute mot pour mot
de nos jours. Victime récurrente de son passé et de ses travers
historiques, la France, après avoir fait un pas vers l'avenir en
élisant Emmanuel Macron chef de l'État en 2017, va-t-elle revenir s'asseoir dans son passé ? C'est probablement la question
essentielle qui se pose après la crise du coronavirus en 2020.
Grèves en mode reconductible, manifestations en tout genre,
mouvement des « gilets jaunes », l'un des plus subversifs de la

Ve République en raison notamment de la participation de
« black blocs », « Macron-bashing » incessant d'une opposition
irresponsable sous le feu nourri des plus puissants médias,
incendie de la cathédrale Notre-Dame de Paris, Brexit,
Covid-19… Rien n'aura été épargné au nouveau président de
la République française qui a eu le redoutable privilège d'héri-
ter de plusieurs décennies de gestion, au mieux approximative
au pire désastreuse, des affaires d'un État victime du pillage
méthodique et insidieux de son territoire par les apparatchiks
des partis RPR-LR, PS, UDI, Nouveau Centre et *tutti quanti.*

C'est d'ailleurs pourquoi Hallier refuserait vraisemblablement
de se montrer trop critique à son égard. Il était bien placé pour
avoir perçu combien les responsables de la situation de la
France sont, d'abord et avant tout, ceux et celles qui non seulement n'ont pas entrepris les réformes structurelles dont le
pays avait – et a – tant besoin, mais encore ont tout fait pour
qu'elles ne soient pas initiées et mises en œuvre. Les anciens
partis de « gauche », de « droite » et du « centre », ont été, trop
et pendant trop longtemps, anticoncurrence et antijeunes pour
ne pas se retrouver désormais complètement en porte-à-faux
et passibles de sanctions d'autant plus durables que les crimes
antijeunes qu'ils ont commis ont un caractère inexpiable.

Fort éloignée de la droite généreuse et éclairée dont voulait
bien, à l'occasion, se réclamer Hallier, une droite odieuse,
égoïste à un degré inouï, s'est mise à nu par son attitude en
2014 lors des semestres qui ont précédé la promulgation de
l'historique loi Macron. Elle s'est fait pour au moins trois ou
quatre décennies, de manière *a priori* irrémédiable, des adversaires inconditionnels par dizaines de milliers, et non des
moindres parfois. Fissurée de toutes parts, discréditée par les
ignominies de M. Mitterrand et l'impéritie flagrante de

M. Hollande, la « gauche » n'existe plus qu'en mode fragmentaire et sur des écrans de télévision où la vie politique se réduit à des jeux de mots d'éditorialistes en date limite de péremption plus que dépassée et à des manœuvres en forme de joutes de chevalerie moyenâgeuse… Quant au vieux « centre » du « Vichysme en temps de paix », comme disait Alexandre Sanguinetti, il ne constitue plus qu'un petit granulat de traîtrises et d'hypocrisies bien françaises, sur fond d'intérêts qui guident et font office de convictions.

À la différence de ses prédécesseurs, Emmanuel Macron n'a pas promis la lune. Il n'a pas non plus prétendu jouer les magiciens, se comparer à David Copperfield ou à Bertran Lotth du Futuroscope. Il a seulement expliqué – et consigné par écrit dans son livre intitulé *Révolution* – ce qu'il ferait pour remettre le pays d'aplomb et le redresser. En dépit des obstacles mis sur son chemin, il a réussi à « boucler » des dossiers qui paraissaient avoir un caractère aussi insoluble qu'interminable (à l'exemple de celui de Notre-Dame-des-Landes) et à se lancer dans des réformes importantes (suppression de la taxe d'habitation, disparition du tirage au sort à l'université, fin du *numerus clausus* et rénovation des études médicales, refonte du baccalauréat, SNCF, instauration du prélèvement fiscal à la source…).

Du plan pauvreté à la nouvelle législation du travail en passant par le plan « reste à charge zéro » pour les soins dentaires, auditifs et optiques fondamentaux, la modernisation de Bercy et les mesures en faveur de l'apprentissage, de nombreux chantiers ont été mis en œuvre et se traduisent d'ores et déjà par des évolutions significatives.

Cependant, la pandémie du coronavirus au premier semestre 2020 – secousse de magnitude 9 et plus à l'échelle de Richter des turbulences politiques, aux méga-incidences économiques et sociales –, a de toute évidence constitué une « nouvelle donne ». Le chef de l'État et le gouvernement français ne peuvent plus pratiquer qu'une « gestion de crise » jusqu'à l'élection présidentielle d'avril-mai 2022. Avec tout ce que cela implique de sang-froid et de courage face à des opposants qui ratiocinent dans le vide et ressassent leurs aigreurs.

Là encore, il est tout à fait plausible que Hallier se garderait de jouer les « y a qu'à faut qu'on » et de jeter des tombereaux de pierres tombales à des gouvernants qui ont su, par-delà les critiques aussi instantanées que frénétiques, rester debout, se montrer crédibles et faire preuve de persuasion pour lever des fonds à des niveaux vertigineux, mettre en œuvre très vite des plans de soutien et de relance colossaux [1], parfois uniques au monde [2] et réussir à faire face… à une situation exceptionnelle, de caractère séculaire. Avec une série impressionnante de données réfrigérantes : un virus inconnu, très contagieux et sournois, une Organisation mondiale de la santé défaillante, des dirigeants chinois en zone rouge de crédibilité et ne pouvant donc que susciter la plus grande défiance [3], une Union européenne à 27 voix discordantes au pupitre, devenue sourde et muette, des comités de médecins partagés tant sur les risques que sur les mesures à prendre et s'« abritant » au petit bonheur la chance sous leurs parapluies troués [4], des institutions soudain dépassées et réduites à l'impuissance, des lobbys à l'opportunisme tentaculaire, des économistes transformés en chirurgiens, invitant avec leurs graphiques en forme de scalpels et leurs bistouris ébréchés, à opérer à merveille sur le mort et à martyriser le vif, comme disait déjà Chamfort en son temps dans ses *Maximes et pensées,* des opposants politiques de piètre envergure, stériles et bornés, des élus locaux prompts à vouloir émerger de leur fréquente et insondable médiocrité pour fuir leurs responsabilités, faire n'importe quoi ou s'assurer que leurs intérêts personnels priment sur l'intérêt général, des escrocs de tout poil aux aguets, des aventuriers magouilleurs en tout genre et autres profiteurs en puissance, et, bien sûr, plus de 67 millions de Français volontiers réfractaires à protéger...

Peut-être Jean-Edern Hallier aurait-il salué les phrases qu'a prononcées le Premier ministre français Édouard Philippe, qui sont à l'honneur de la politique et méritent, en tout cas, d'être mises à son crédit : « J'essaye d'être lucide sur les difficultés que nous avons à affronter, sur les quelques périls que nous avons encore à contourner ou dépasser, a-t-il déclaré le 2 avril 2020 à l'antenne de TF1. Plus qu'optimiste ou pessimiste, j'essaie d'être concentré. J'ai toujours au fond de moi la volonté farouche d'avancer, de prendre des décisions qui sont parfois très difficiles. En ayant conscience que je les prends sur le fondement d'informations qui sont parfois contradictoires, souvent incomplètes, et qu'il peut donc m'arriver de me tromper. » À l'Assemblée nationale, le même Édouard Philippe aura quelques semaines plus tard, le 28 avril 2020, des mots tout aussi mémorables : « J'ai été frappé depuis le début de cette crise par le nombre de commentateurs ayant une vision parfaitement claire de ce qu'il aurait fallu faire selon eux à chaque instant. La modernité les a souvent fait passer du Café du commerce à certains plateaux de télévision. Les courbes d'audiences y gagnent ce que la convivialité des bistrots y perd. Mais je ne crois pas que cela grandisse le débat public. »

Certes, les élections municipales de 2020 en France sont venues, elles, dégrader l'image de la politique. Issues d'une erreur collective de la sphère politicienne, commise sous la pression du Sénat, de l'Association des maires de France et des chefs de partis, elles ont révélé l'ampleur de la perte de légitimité des élus. Le premier tour de scrutin s'est déroulé dans des conditions anormales et, au niveau national, seuls 44,6 % des électeurs inscrits ont voté, soit près de 20 points de moins qu'en 2014... permettant 30 000 élections au premier tour, avec ou sans campagne, la « prime au sortant », quel que soit le parti politique du maire sortant, a pris des proportions démesurées [5]. En est résulté un simulacre de démocratie, une démocratie au rabais, souillée et déliquescente, un fiasco sans appel.

Après les différents mouvements sociaux de 2018-2019, ces élections municipales en 2020 auraient dû représenter l'un des grands rites républicains et donner une bonne image de « l'archipel politique et social français ». Hélas ! Il n'en a rien été. Bien au contraire, et elles n'ont pas été annulées, comme elles auraient dû l'être. Le milieu politique français – tous bords confondus – ne s'est guère embarrassé de scrupules pour « tordre » le Droit ou s'asseoir sur lui. Mais l'Histoire prouve que ce type de prise de risque n'est ni l'exemple dont le peuple a besoin ni la lumière qui l'exalte : il se paie parfois, à terme, d'un prix très élevé...

Il suffisait pourtant de se rendre dans des bureaux de vote transformés en vestibules de blocs opératoires pour vite comprendre que le scrutin n'avait rien de sincère, au sens juridique du terme. Seuls les obligés des petits roitelets locaux sont venus signer les registres... Sous le regard vigilant des vigies de secteurs. En certains endroits, le visiteur pouvait songer à ce qu'il avait entendu enfant au sujet des consultations populaires en Allemagne de l'Est, en Roumanie ou en Bulgarie... Étrange impression. L'organisation du deuxième tour fut une nouvelle fois l'occasion de « tordre le Droit » et de le bafouer.

Endormis sur l'oreiller de leurs mandats antérieurs[6], des milliers de « coronamaires », ayant souvent atteint ou dépassé l'âge autorisé pour exercer une activité professionnelle, se croient bien installés sur des terrains sourdement minés par l'abstention et par leur propre insignifiance. Ils ne sont que pathétiques petites baudruches, empressées à récriminer tout en occupant les places et en espérant tirer profit du « système » par-derrière[7], souvent dépourvues de colonne vertébrale politique[8] et toujours prêtes à jouer les montgolfières quand il fait soleil et à revenir dare-dare sur, ou mieux sous, terre dès que la tempête se lève... Un cortège d'encombrants coûteux, inutiles et vains[9]. Mais la France sans masque, ou plutôt démasquée, ne se doit-elle pas d'être, avec ses 645 000 mandats électifs[10], la détentrice d'un triple record européen : celui du nombre de collectivités locales, celui du nombre d'habitants par commune, le plus bas qui soit, et celui du ratio de collectivités pour 1 000 habitants le plus extravagant qui puisse être... ?

Elle est sans doute un paradis pour celui qui jouit de l'onction médiatique, bénéficie d'un Goncourt de connivence ou d'un Renaudot de complaisance sans avoir jamais eu besoin de gagner sa vie et se ressource dans sa présomptueuse connerie entre le boulevard du Montparnasse, la rue des Saint-Pères et l'île Saint-Louis. Mais pour les autres, oui, pour tous les autres ou presque, les pouilleux de la forêt de Bondy, les éclopés de Saint-Étienne ou de Roubaix, les indécrottables « sans-culottes » du Haut-Poitou, les lambdas, les numéros de la Sécurité sociale et autres allocataires de la CAF[11], elle est une zone où les moments de répit, de plaisir, d'agrément et de bonheur s'inscrivent dans un enchevêtrement de difficultés en tout genre, un océan de complexité et de précarité, miné par quatre décennies d'incurie et écumé par des politiciens professionnels.

Pas sûr finalement que Hallier serait heureux de revivre en France, ce territoire où tout changement semble constituer un bouleversement qui s'apparente à un tsunami, où toute personne sérieuse qui s'efforce de se prêter à une activité avec rigueur, à quelque niveau que ce soit, est immanquablement confondue avec quelqu'un qui se prend au sérieux, où dès que vous vous entendez dire « il n'y a aucun souci », « il n'y a aucun problème », vous pouvez être, hélas, à peu près certain d'en avoir très vite plus d'un... Et où si l'on vous serine « Notre priorité est votre satisfaction » dans une messagerie téléphonique, vous avez probablement gagné le gros lot des dysfonctionnements en tout genre, dont vous serez bien sûr à l'origine pour n'avoir pas su cliquer au bon endroit ou au bon moment sur l'écran de votre ordinateur. Humour français quand tu nous tiens !

Dans les années 1970, la France était connue pour sa « fantaisie ». Dans l'industrie, quand vous commandiez 100 pièces, vous preniez le risque de n'en recevoir que 98 ou 99... C'est ce qui a, en partie, fait le triomphe de l'Allemagne et du Japon. C'est peut-être aussi ce qui a contribué au succès de la vision stratégique et du sens commercial de Carlos Ghosn, qui fit de Renault-Nissan le premier groupe automobile du monde, sans fermeture d'une seule usine et avec un cours de Bourse enviable. Résultat plus que périlleux pour qui a le tort rédhibitoire d'être libanais, donc trouble, et d'aimer Versailles, ce qui est encore plus trouble...

De nos jours, la situation s'est clarifiée et le tri s'est opéré. Les gouvernances sont vertueuses, les Français croient toujours dur comme fonte au miracle... et la « fantaisie » subsiste. En particulier pour les touristes qui ont le bon goût de s'aventurer à Paris et de découvrir que des musées ou monuments natio-

naux peuvent être fermés pour cause de « mouvement social ».
Mais cela, c'était avant... Avant que la peste soit du choléravirus
bien sûr !

« L'essentiel, c'est de râler. Ça fait bon genre. »

Dialogue de Michel Audiard, extrait du film *Mélodie en sous-sol*,
de Henri Verneuil, avec Jean Gabin et Alain Delon

« Le miracle est, avec la vigne, l'une des principales
cultures de la France. »

Pierre Daninos, *Les Carnets du major Thompson*

« Nous entrerons dans la carrière,
Quand nos aînés n'y seront plus ;
Nous y trouverons leur poussière
Et la trace de leurs vertus. (Bis)
Bien moins jaloux de leur survivre
Que de partager leur cercueil
Nous aurons le sublime orgueil
De les venger ou de les suivre. »

Septième couplet dit « couplet des Enfants » attribué à Louis Du Bois
(Louis-François Du Bois, dit, 1773-1855) ou à l'abbé Antoine Pessonneaux
(1761-1835), ajouté aux couplets de « La Marseillaise » de Rouget de
Lisle (Claude Joseph Rouget, dit de Lisle, dit, 1760-1836), chanté
pour la première fois à la fête civique du 14 octobre 1792 et inséré
par Serge Gainsbourg (Lucien Ginsburg, dit, 1928-1991) dans sa
version reggae de l'hymne national français (appelé d'abord
Chant de guerre pour l'armée du Rhin) en 1979

---

(1) Comme celui qui a permis l'instauration du chômage partiel indem-
nisé dont ont bénéficié près de 13 millions de salariés entre mars et
juin 2020.

(2) Comme celui concernant le secteur très fragilisé de l'activité culturelle, qui a prolongé l'indemnisation des artistes et techniciens intermittents du spectacle jusqu'à la fin du mois d'août 2021.

(3) Forts de la complaisance de l'Organisation mondiale de la santé, les pouvoirs publics chinois ont, semble-t-il, beaucoup tardé à informer de l'existence de l'épidémie puis à fournir des données non vérifiables... Dans un pays où il faut montrer « patte jaune » pour être admis comme « correspondant » accrédité d'un média occidental, où la propagande fait office de journalisme et où les rares représentants d'organes de presse étrangers peuvent être expulsés sur-le-champ à titre préventif, la chauve-souris, le pangolin et l'humble commerçant d'un marché en plein air ne peuvent qu'avoir bon dos. Leur drame, c'est de n'avoir ni Me Isabelle Coutant-Peyre ni aucun autre avocat pour les défendre... Rien ni personne.

(4) Durant la crise du coronavirus défilèrent sur les écrans de télévision les docteurs qui s'efforçaient de masquer leur propre ignorance sous un flux de paroles et faisaient songer à leurs confrères des comédies de Molière...

(5) Deux exemples entre mille : à Angers (150 000 habitants) et Châtellerault (30 000 habitants) où le taux de participation fut de 34,25 % et de 33,48 %, les maires sortants ont été réélus dès le premier tour... Mais quelle peut bien être leur légitimité avec respectivement moins de 20 % et moins de 17 % du corps électoral derrière eux ?

(6) En France, le nombre de mandats municipaux n'est pas plafonné comme il serait sans doute souhaitable qu'il le soit afin d'éviter l'« appropriation » abusive d'une ville (l'expression « ma ville » en est généralement le symptôme...) et d'autres dérives malsaines, parfois très préjudiciables.

(7) En France, les maires des communes de plus de 15 000 habitants ont souvent des enjeux de revenus liés à leur élection qui vont très largement au-delà de leur modeste indemnité de fonction.

(8) Cf. le cas exemplaire de M. Gérard Collomb, qui, tristement accroché à soixante-treize ans aux bras d'un fauteuil d'élu local lyonnais, n'a pas hésité en 2020 à trahir la République en marche pour faire alliance avec le parti LR (Les Républicains) et justifier ainsi l'idée nauséeuse que de nombreux Français se font à juste titre du vieux jeu politicien combinard...

(9) En 2020, la crise du coronavirus a montré combien les préfectures savaient plutôt bien faire fonction publique.
Pour avoir une idée de l'accablante « simili-gestion » de certaines collectivités par des élus locaux en France, il suffit de consulter les quotidiens régionaux... Un petit exemple parmi une multitude d'autres : à la sortie

du confinement, durant tout l'été 2020, l'« agglo du Grand Châtellerault »
– 85 000 habitants dans 47 communes, soit le cinquième des habitants
du département de la Vienne – n'a été en mesure d'ouvrir qu'une seule
piscine sur les cinq qu'elle est censée gérer (« Une seule piscine ouverte
cet été dans toute l'agglo », *Centre-Presse,* Denys Frétier, 5 juin 2020).
Situé dans une commune de 1 300 habitants, à près de 20 kilomètres de
Châtellerault, cet équipement offre un bassin de 7,50 mètres de large...
Confiée à 1 président et 15 vice-présidents, tous rétribués, la « gouvernance » de l'« agglo du Grand Châtellerault » représente, à elle seule,
pour les contribuables une charge financière annuelle de l'ordre du demi-
million d'euros...

(10) Soit 1 élu pour 104 habitants, contre 1 pour 500 outre-Rhin et
1 pour 2 600 outre-Manche...

(11) Caisse d'allocations familiales.

« Éructez, mais tournez les pages. »

Jean-Edern Hallier, *Bréviaire pour une jeunesse déracinée*

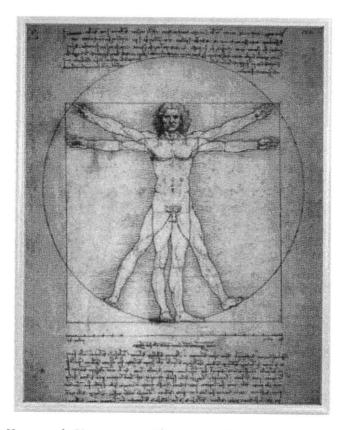

Homme de Vitruve, par Léonard de Vinci.

L'Homme de Vitruve est le nom simplifié donné au dessin intitulé en réalité « Étude des proportions du corps humain selon Vitruve » et réalisé par Léonard de Vinci en 1492.

Considéré comme l'un des chefs-d'œuvre du maître, ce dessin à la plume et à l'encre, avec des touches d'aquarelle, représente l'Homme Parfait, dans deux positions, jambes jointes et jambes écartées, bras tendus et bras levés. Le cercle et le carré sont des formes géométriques jugées parfaites pendant la Renaissance, où l'humain occupe désormais une place centrale.

Vers une nouvelle Renaissance ?

« Autant ne pas se faire d'illusions, les gens n'ont rien à se dire,
ils ne se parlent que de leurs peines à eux chacun, c'est entendu.
Chacun pour soi, la terre pour tous. »

Louis-Ferdinand Céline (1894-1961), *Voyage au bout de la nuit*

« Croyez ceux qui cherchent la vérité, doutez de ceux qui la trouvent. »

André Gide (1869-1951), *Ainsi soit-il ou Les jeux sont faits*

« Avez-vous mesuré le temps ?
Avez-vous mesuré le vent ?
Avez-vous mesuré la nuit
La vie ?
Viens avec moi mon vieux pays
Le jour se lève, levons nos rêves aussi. »

Emily Loizeau, *Viens avec moi mon vieux pays*

« Le monde occidental est un abcès gorgé de pus. Chirurgien inspiré, j'y plonge un bistouri purificateur ! » Ce que René Pétillon, l'auteur de bandes dessinées, faisait dire à un certain Jean-Edern Alien, alias Jean-Edern Hallier, quand il l'imaginait au début des années 1980 sautant en parachute sur un plateau improvisé de l'émission littéraire « Apostrophes [1] » reste-t-il d'actualité ? Plus que jamais ! La crise du coronavirus aura au moins eu cette vertu de le démontrer avec un certain éclat. La tristesse devant les centaines de milliers de morts, de toutes conditions et en tous lieux [2] et la compassion pour leurs entourages proches et leurs familles ne sauraient occulter certains constats, aussi ulcérants soient-ils. Dans son allocution télévisée du 12 mars 2020, suivie par 25 millions de Français, Emmanuel Macron l'a d'ailleurs souligné avec force : « Il nous faudra demain tirer les leçons du moment que nous traversons, interroger le modèle de développement dans lequel s'est engagé notre monde depuis des décennies et qui dévoile ses failles au grand jour, interroger les faiblesses de nos démocraties. » « Il est des biens et des services qui doivent être placés en dehors des lois du marché, a-t-il également déclaré. La santé gratuite sans condition de revenu, de parcours ou de profession, notre État-providence, ne sont pas des coûts ou des charges mais des biens précieux, des atouts indispensables quand le destin frappe. »

En France, après les mois de confinement qui ont éprouvé tant les entreprises que les particuliers, l'activité a repris et beaucoup de signes semblent annoncer le redressement des esprits. Mais la crise du coronavirus se réduira-t-elle à un épisode en trois temps, résumés en trois mots. L'anesthésie, d'une part, qui a pris une tournure générale grâce aux puissants plans de soutien à l'économie et autres dispositifs d'accompagnement sociaux déployés par le gouvernement d'Édouard Philippe. L'amnésie, d'autre part, sur les airs bien connus d'« Au bal masqué, ohé, ohé ! (…) Je fais ce qui me plaît, me plaît (…) Aujourd'hui j'embrasse qui je veux, je veux (…) Aujourd'hui tout est permis [3] ! » ou de « Vacances, j'oublie tout ! Plus rien à faire du tout. Je m'envoie en l'air, ça s'est super. Folie légère. C'est fou [4] ! » Le cerveau occidental est ainsi fait, de toute façon, qu'« il porte peu d'attention aux catastrophes lentes [5] ». L'hypocrisie enfin, cette grande spécialité tricolore et hélas à peu près universelle où l'imposture allant de pair avec le double jeu et le jésuitisme, permet, la main sur le cœur, de faire semblant de prendre la mesure d'un événement et de n'en retenir aucune leçon? À cette question, peut-être la plus cruciale qui soit, un début de réponse a sans doute été fourni par la bouche de Bruno Le Maire : « Qui peut penser une seconde, a en effet fait observer le ministre français de l'Économie, que le monde ne changera pas après une crise de cette ampleur? Pour le pire : montée des nationalismes, poussée des régimes autoritaires, affaiblissement des Occidentaux au profit de la Chine. Ou pour le meilleur : mise en place d'une gouvernance mondiale plus efficace, comme cela avait été le cas après la Seconde guerre mondiale. À nous de nous battre pour le meilleur. Notre responsabilité à tous est historique [6]. »

De fait, nul ne saurait lui donner tort : une crise qui s'inscrit dans l'Histoire met forcément en jeu une responsabilité à la fois lourde et générale, c'est-à-dire à quelque niveau que ce soit. Elle peut se révéler à la fois un risque... et une chance. Comme aime à dire Warren Buffett, le milliardaire américain, « c'est quand la marée se retire que l'on voit qui se baigne nu ». Mais c'est aussi quand la marée se retire et que le monde semble trembler sur le bord de l'abîme que c'est, à coup sûr, pour reprendre les mots d'Antonin Artaud dans *Les Cenci*, « le moment de tout essayer » et de lutter pour que se produise une renaissance, artistique, politique, économique et sociale. Les meilleurs historiens sont là pour le confirmer : les renaissances se sont toujours inscrites dans des environnements difficiles, dans les époques de crise.

Cependant, Hallier n'aurait pas été le dernier à suggérer que dresser une sorte de « cahier des charges » inhérent à l'« état des lieux » devrait s'imposer avant toute chose... Car la France constitue – de longue date – une zone un peu particulière. Les historiens, si volontiers mésestimés à notre époque, ont beau jeu d'emblée de rappeler le contenu de la lettre que Turgot adressa en 1774 à Louis XVI : « Point de banqueroute, point d'augmentation d'impôts, point d'emprunt. Pour remplir ces trois points, il n'y a qu'un moyen : c'est de réduire la dépense au-dessous de la recette. » Or, depuis 1974, l'État français dépense chaque année plus qu'il encaisse ! C'est là une donnée souvent passée sous silence et ignorée d'un large public, mais indiscutable et à proprement parler capitale, avec des incidences de tout ordre de plus en plus récurrentes et, à terme, fatales. Dès à présent, au bout de deux générations de ce régime infernal et en dépit des efforts des gouvernements d'Édouard Philippe entre 2017 et 2020, la France est un pays déchu et corrompu. Pour en prendre la mesure, il suffit d'avoir la curiosité d'observer ce qui a pu se produire au Conseil d'État, en pleine période de confinement... On y vit ainsi Mme Christine Maugüé rendre et signer une ordonnance du Conseil d'État dans le cadre d'un référé dont l'une des parties était le Conseil supérieur du notariat français. Or, c'est cette même dame qui était également, en toute discrétion mais de manière irréfutable, la présidente de la Caisse de retraite et de prévoyance des clercs et employés de notaires (CRPCEN). Afin de préserver ses rémunérations et tous les avantages en nature qu'elle tenait de ses fonctions de la CRPCEN, elle avait tout intérêt à ce que les ressources de la CRPCEN soient maintenues à leur niveau le plus élevé et à rendre sa décision en conséquence... Cerise griotte sur le gros gâteau, il n'y avait en principe aucun risque que ce trafic d'influence soit rendu public par un très hypothétique Hercule Poirot de l'information puisque cette même dame était aussi... la présidente du Conseil supérieur de l'Agence France-Presse !

À ce petit jeu de la voyoucratie de haut vol, la défiance a amplement de quoi se généraliser dans tout le territoire français et les discours des politiciens risquent fort de vite sonner creux... N'empêche. Quelle déchéance pour l'AFP! Avec son lot d'ignominies commises durant l'Occupation, le cas du Conseil d'État français est suffisamment connu des historiens pour qu'il n'ait pas lieu, lui, de trop surprendre.

Comme la confiance – ce principal liant de toute société, loin devant l'argent – est ce qu'il y a de plus difficile à gagner et de plus facile à perdre [7], il va donc falloir, pour qu'un renouveau salutaire se produise, en reprenant les mots de Victor Hugo dans *Les Misérables*, « beaucoup tenter, braver, persister, prendre à bras-le-corps le destin, étonner la catastrophe par le peu de peur qu'elle nous fait... tenir bon, tenir tête ». Mais aussi se refuser à seulement consommer et produire, faire preuve d'initiative, de créativité, d'imagination, dans un contexte où un peu plus de respect allant de pair avec davantage de bienveillance serait bienvenu...

S'agissant des économies qui pourraient être réalisées, les « pistes » sont nombreuses et ne nécessitent pas de nommer une commission d'enquête. Comme le dit si bien Jean Guitton dans son *Journal*, « nommer une commission d'enquête qui multiplie les perspectives et l'information, cela uniformise, égalise et dilue et dissout, on ne sait plus, on ne voit plus rien. Il n'y a plus d'acteurs, plus de pensées, plus de coupables [8] ». Inutile aussi d'infliger le rituel sempiternel de la technocratie en France : une annonce, une mission, un rapport, des décisions à soupeser... et des réformes à enterrer! *A fortiori* si, par extraordinaire, elles ont un caractère structurel! Inutile enfin de laisser tous les incompétents de « pseudo-droite » et de

« pseudo-gauche » se livrer à leurs scènes d'opposition aussi factices que lassantes [9].

Essayons plutôt, pour une fois, de nous extraire du climat émotionnel – et passionnel – des diktats de l'instantané [10] dans lesquels se fait la politique ou ce qui en tient lieu, sans la moindre analyse du passé ni évaluation des conséquences futures. Tentons de jouer cartes sur table et de nous refuser le « bonheur du masque »... La partie en vaut la peine. En France, il existe près d'un demi-millier d'« agences nationales de... ». Certaines ont leur raison d'être et mériteraient même d'être dotées de davantage de moyens. Mais d'autres, fort nombreuses, ne se justifient en rien, pour un coût global annuel qui se chiffre en dizaines de milliards d'euros... En finir avec les charges engendrées depuis un demi-siècle par les 348 sénateurs français, trois fois trop nombreux pour le travail qu'ils effectuent, se traduirait par des coupes budgétaires non moins significatives. De même, se contenter de 90 départements et d'une demi-douzaine de régions devrait aussi permettre d'alléger les dépenses d'une dizaine de milliards d'euros. Appointer moins de préfets et surtout moins d'ambassadeurs pourrait également avoir d'heureuses incidences. Il existe 180 pays et territoires dans le monde, mais la France rétribue et entretient... 300 ambassadeurs ! Les coûts faramineux engendrés par cette folie somptuaire sont tels que même les sénateurs, pourtant familiers des notes salées, en toussent au point de s'en offusquer, c'est dire [11] !

Comme l'écrit Sven Lindqvist dans *Exterminez toutes ces brutes !,* « ce ne sont pas les informations qui nous font défaut. Ce qui manque, c'est le courage de comprendre ce que nous savons et d'en tirer les conséquences. » Toutes les conséquences et au risque de déplaire.

Emmanuel Macron, qui devrait être candidat à sa réélection à la présidence de la République en 2022, a sans doute ce courage. Il l'a démontré en 2014 lors des interminables débats qui ont précédé la promulgation de la loi qui porte son nom et marque le début du XXIᵉ siècle en France. Il a également prouvé par la suite qu'il avait su choisir de bons Premiers ministres en les personnes d'Édouard Philippe et de Jean Castex, et que, depuis 2017, Bruno Le Maire et plusieurs autres membres du gouvernement pouvaient justifier plus d'un éloge – ou à tout le moins, le respect de leurs détracteurs. Enfin, fait rare dans l'historique des présidents de la République, il semble très conscient de ne pouvoir prétendre subsister dans les mémoires que pour un moment de sa vie, et « en même temps », il paraît avoir la volonté de faire quelque chose qui subsiste, de faire coïncider son passage avec les aspirations substantielles, profondes et silencieuses, de millions de citoyens.

Mais dans la France de l'après-2022, l'ensemble du personnel politique, les dirigeants économiques, les acteurs sociaux, les journalistes auront-ils « cette colonne vertébrale de responsabilité, d'éthique politique, d'esprit critique, d'exigence et de rigueur intellectuelle et morale, bref la vertu au sens romain du terme » dont Laurent Cohen-Tanugi se préoccupait de la carence en 2015 dans son essai *What's wrong with France?*

Pour l'heure, il y a vraiment lieu de s'interroger. Le spectacle offert en France par les leaders syndicaux reste caricatural et Hallier serait sans doute amusé d'observer que rien ne change depuis qu'il nous a quittés... Le « patron » de la CGT (Confédération générale du travail) n'a pas seulement un look à la Germinal. Quand il n'est pas ligoté dans le linceul d'une idéologie dépassée, il demeure prisonnier des habitudes prises, ces « fils d'araignée plus solides qu'une corde », comme dit un proverbe chinois. Paraissant ne connaître que le mot « grève », il se montre incapable de tenir un discours pragmatique, nova-teur et constructif. C'est dommage. Quant au « patron » du Medef, il n'a pas seulement un nom à particule. Il est le « mec plus ultra » du féodalisme en mode Haut-Poitou, estampillé Alphonse de Poitiers. Lui qui se proclamait spécialiste de l'entreprise éthique a fait tomber le masque lors de la crise du coronavirus. Tenant des propos inopportuns et parfaitement déplacés, qui montraient à quel point l'Argent primait à ses yeux sur la Santé et la Vie [12], il prouva peut-être combien il faisait partie de cette « classe des Ayant, des Possédant, de ces Grands (...) qui sont le contraire des petits dans toutes les épo-pées populaires », pour reprendre les mots amènes de Jean Guitton [13]. Mais sa morgue inouïe et son cynisme implacable n'ont fait que le rendre indigne de la mémoire d'Adrien Treuille [14], son estimable aïeul qui n'est plus de ce monde pour lui rappeler que posséder des hectares par milliers et collectionner des châteaux à la demi-douzaine en famille dans le Haut-Poitou ne constituent en rien un antidote à la bêtise... Dommage, là encore.

Côté personnel politique, le « tableau de chasse » ne semble guère plus reluisant. Quand M. Damien Abad, le président du groupe LR à l'Assemblée nationale, s'exprime devant les dépu-tés LR et M. Retailleau, le président du groupe LR au Sénat, est-il soucieux de promouvoir des idées pour réformer le ter-ritoire français et améliorer le sort de ses habitants ? Pas le moins du monde ! Il ne vise qu'à lancer une entreprise de démolition pour le plus grand profit de ses amis auditeurs : « On peut arriver, leur déclare-t-il en fin piqueur-conspirateur, à déstabiliser le gouvernement si on arrive à chasser en meute, Sénat et Assemblée nationale ensemble [15]. » Découvrir sou-dain que Griveaux est le pluriel de grivois n'est pas non plus de nature à réjouir [16] ! « Aux livres, citoyens ! » s'écrierait peut-être Hallier en observant qu'à peu près n'importe quel « pantin » passant à la télévision, ce chewing-gum de l'œil comme disent les Américains, se verrait bien propulsé à l'Élysée et qu'un ex-député de la République en marche en mal de publicité a pu annoncer sa candidature à la présidentielle en insérant dans sa « ligne politique » l'audimateur Cyril Hanouna et l'ancien garde du corps reconverti dans les prestations de services en tout genre Alexandre Benalla.

Le drame français, c'est aussi l'extrême « focalisation sur soi ». Que la crise du coronavirus soit venue renforcer la pertinence de la célèbre formule du doyen Carbonnier : « La forteresse d'un individu, c'est sa maison [17]. » Fort bien. Mais de là à en perdre le réflexe fondamental qui consiste à toujours se mettre, en toute circonstance et en tout lieu, à la place de l'autre et à ne considérer que son propre point de vue [18], il y a un seuil qui ne saurait être franchi sans conséquences lourdes…

Le drame français, c'est enfin ce constat que des individus de toute une classe d'âge – nés entre 1945 et 1960 – ne veulent pas céder leurs places et pratiquent souvent l'égoïsme générationnel dans sa forme la plus abominable. S'obstinant à vouloir exercer des fonctions et jouer des rôles qui ne sont plus de leur âge, ils semblent avoir oublié l'histoire – très appréciée des amateurs d'humour en demi-teinte – de ce politicien qui disait à l'un de ses « amis » : « Si vous vous apercevez un jour que je baisse et que je cherche à m'accrocher, je vous demande comme un service de m'en avertir aussitôt car j'aimerais mieux me coller une balle dans la tête. » Et l'autre de répondre ce simple mot : « Feu ! »

L'horreur absolue qui constitue cet aveuglement ne peut offrir que la garantie du désastre… De là l'éloignement d'un nombre croissant de citoyens du processus dit démocratique au sein d'une République confisquée.

Comment ne pas être inquiet face à « un "système" dominé par des mandarins » – dans les arcanes politiciens comme dans ceux du pouvoir médical, mais pas seulement… – « passés maîtres dans l'art de tout verrouiller ? Un "système" où Paris regarde la province avec condescendance. Un "système" où l'esprit de caste nivelle, impitoyable, les initiatives originales et disruptives. Un "système" où, comme dans bien d'autres corps de l'État républicain, l'esprit de cour l'emporte sur l'esprit de service. » et où les dérives sont légion… Comment ne pas être effrayé qu'un « excentrique » comme Didier Raoult puisse courir le risque de payer cher « le prix d'avoir commis la pire des fautes dans une France médicale figée à l'image du pays : celle de rester, lui, le "ponte" de la Canebière, en marge du système, voire d'oser l'affronter [19] » ? Comment ne pas être médusé quand Mme Cresson, qui fut Premier ministre durant une dizaine de mois au tout début des années 1990, continue, à plus de quatre-vingt-cinq ans, à avoir secrétaire particulier et assistante, et se déplace depuis trois décennies – et jusqu'à la fin de sa vie – avec « véhicule de fonction » et chauffeur, le tout bien sûr aux frais des contribuables ? Quand on sait le désastre qu'a représenté – en particulier pour la gent féminine – le passage de l'ancienne maîtresse de M. Mitterrand à Matignon et la teneur des propos particulièrement indignes qu'elle a tenus à cette époque, il est permis de mesurer, outre la corruption d'un territoire, la gravité de l'injure et l'ampleur du mépris à l'égard des jeunes générations qui y vivent ou y survivent…

Qu'on se rassure : la jeunesse française s'est habituée à être abusée et offensée… Elle l'est lorsqu'elle est soumise à l'influence d'un pouvoir télévisuel, sans doute plus dangereuse que bien d'autres menaces pour la liberté [20]. Elle l'est aussi, d'une certaine manière, quand, à l'Assemblée nationale, des députés qui représentent moins de 1 % des électeurs inscrits déposent plus de 19 000 amendements sans trouver le temps de lire un projet de réforme ou, quand, au Palais du Luxembourg, certains s'ennuient tellement qu'ils s'amusent à inventer des lois qui ne servent à rien... Un exemple ? M. Hervé Marseille fait partie de ces sénateurs qui n'en sont pas à une ânerie près. Tout le microcosme médiatico-politique le sait sauf lui... Mais quelques semaines avant la mesure de confinement de mars 2020, il a tenu, boursouflé de sa suffisance, à faire plus fort que d'ordinaire : il a cru soudain avoir l'illumination du commissaire Bourrel dans « Les cinq dernières minutes [21] ». « Mais, c'est bien sûr ! Il faut que les villages redeviennent des lieux de naissance... » En clair, il s'agissait de pouvoir inscrire les naissances dans le lieu où l'on habite et non dans celui où l'on accouche... La belle affaire ! Voilà qui méritait bien que sa proposition de loi soit débattue et adoptée : une réforme aussi fondamentale témoignait d'une fine perception des préoccupations des Français et des enjeux du moment !

En fait, les sénateurs font souvent honte mais n'en ont cure. Dès qu'ils sont mis en cause, ils invoquent l'antiparlementarisme sans avoir conscience qu'ils sont en grande partie à l'origine du discrédit qui rend le personnel politique français de moins en moins fréquentable. Cependant, l'un des leurs, comme M. Marseille, mérite des encouragements. Il ne saurait s'arrêter en si bon chemin : comme l'âge n'est qu'une vulgaire et déplaisante construction sociale, il devrait initier une proposition de loi destinée à l'abattre, qui prévoirait ceci : « À tout moment, tout citoyen français pourra choisir l'âge qui est le sien et exiger la rectification de son état civil. » Nul doute que les membres de la commission des lois au Sénat s'empresse-raient de donner un avis favorable...

Trêve de billevesée et autre divagation! Ne rêvons pas trop... Le jour n'est pas venu où la sphère politico-médiatique se remettra en question, où les pessimistes ne seront plus des optimistes bien informés, où la jeunesse cessera d'être humi-liée, insultée, injuriée... Et où une partie d'entre elle se ruera dans les librairies en hurlant qu'elle veut du Hallier « parce que c'est d'la marque!... » Qu'importe. Pas question de succomber, de rompre, de plier les genoux. Le monde est du côté de ceux qui sont debout, et il faut croire en la jeunesse afin qu'elle secoue les chaînes d'une « civilisation » périmée, qu'elle ose ce que d'autres n'ont pas eu le courage d'entreprendre et qu'elle puisse renouer avec l'Espérance.

Même si, sous le faible vernis de moralité dont il enduit sa peau, l'être humain d'aujourd'hui est, hélas, le sauvage qu'il a tou-jours été, et même si le temps est un « élastique en béton [22] », les années passent, les belles œuvres demeurent... Et l'avenir reste à construire. Alors adieu, Jean-Edern, reviens! Et vivement qu'une nouvelle aube se lève!

« Les conservateurs sont ainsi. Il faut qu'ils conservent. Ils conserveraient le coronavirus s'ils pouvaient. »

Adapté d'Octave Mirbeau,
« Encore M. Méline », *Le Figaro,* 13 avril 1891

« Peut-être qu'un jour, on découvrira que la bêtise n'est rien d'autre qu'un virus. »

Attribué à Jacques Sternberg (1923-2006)

« Le major se tait un moment puis il dit :
– Je pourrais vous montrer là-bas, en territoire nord-coréen, une cage de pigeons voyageurs. On dit qu'ils leur ont appris à voler seulement sur les baraques vertes, les baraques communistes et à éviter les bleues, les baraques capitalistes.
Il se tait un moment pour voir l'effet que nous produit cette nouvelle. Puis il ajoute :
– Mais je ne vous emmènerai pas voir parce que ce n'est pas vrai.
Il a été prouvé que les pigeons ne pouvaient pas reconnaître les couleurs. Et puis il pleut. Allons prendre le thé. »

Alberto Moravia (1907-1990), *La Révolution culturelle de Mao*

---

(1) Dans son album intitulé *Jack Palmer, Les Disparus d'Apostrophes* et paru chez Dargaud en 1982.

(2) Y compris à bord des bâtiments militaires des marines nationales. Comme ce fut le cas du porte-avions américain à propulsion nucléaire *Theodore-Roosevelt,* où 500 marins furent infectés, et du porte-avions français à mi-temps *Charles-de-Gaulle* (la France dispose en effet de cet unique porte-avions, qui reste à quai pour travaux six mois sur douze) où près de 1 100 marins furent testés positifs au Covid-19.

(3) « Le Bal masqué », paroles de Daniel Vangarde (Daniel Bangalter, dit), musique de Jean Kluger, chanson interprétée par le groupe La Compagnie Créole.

(4) « Vacances j'oublie tout », chanson composée en 1982 et interprétée par le groupe français Élégance, paroles et musique de Patrick Bourges et Pierre Zito (arrangements de François Feldman).

(5) Stéphane Foucart, « Réchauffement et Covid-19, même combat », *Le Monde,* 15-16 mars 2020.

(6) Dans un entretien accordé en mars 2020 au *Figaro.*

(7) Quand les temps sont paisibles, la confiance dans le dévouement, la compétence et l'altruisme est monnaie courante. En revanche, quand une crise comme celle du coronavirus survient et que se pose le problème de la vie ou de la mort, les repères voient leur fiabilité s'effondrer à la vitesse de la lumière, la gentillesse n'est plus de mise et la plus belle des façades a tôt fait de se fissurer ou de voler en éclats...

(8) Jean Guitton (1901-1999) rapporte également dans son *Journal* ce conseil que lui avait donné un inspecteur général et président d'un jury d'agrégation dont il faisait partie : « Mon cher Guitton, vous ne ferez jamais carrière, vous ne savez pas écrire en style administratif. – Comment ? – Mais c'est très simple : vous dites une chose dans une première phrase. Puis, vous passez à la ligne et vous laissez entendre, dans la phrase suivante, le contraire de ce que vous avez dit dans la première. »

(9) Jean Dutourd rappelait déjà dans son *Carnet d'un émigré* ce que « droite et gauche signifiaient dans un monde qui, *grosso modo,* resterait toujours semblable à lui-même. Un homme né en 1820 savait que, lorsqu'il aurait soixante ou quatre-vingts ans, les choses seraient semblables à ce qu'elles étaient lorsqu'il avait vingt ans, c'est-à-dire que l'on continuerait à se déplacer dans des voitures tirées par des chevaux, on s'éclairerait à la bougie ou au gaz, et que les vieilles institutions n'auraient pas bougé. Le monde ne changeait pas : il fallait donc changer la vie (...). Aujourd'hui, l'avenir ne dépend plus de la volonté des hommes, mais d'un certain engrenage scientifique. En d'autres termes, l'avenir n'est plus individuel, mais collectif. »

(10) Cette civilisation de l'instantané n'a, à dire vrai, rien de nouveau... « Nous sommes dans un temps où tout se hâte, se divulgue, et où la parole n'attend pas, écrivait Sainte-Beuve en 1834, dans ses *Portraits contemporains* (Chateaubriand). L'événement d'hier est déjà de la chronique, de la poésie ou de l'histoire ; l'œuvre de demain s'anticipe impatiemment et la curiosité la dévore. On a goûté, le matin, ce qui fait l'objet d'un souvenir, et avant le soir on le raconte, on le chante. »

(11) Dans un rapport cosigné par deux membres de la Commission des finances du Sénat, Vincent Delahaye et Rémi Féraud, et rendu public en septembre 2019, il apparaît que par-delà les impressionnants avantages en nature attachés à leurs fonctions, bon nombre d'ambassadeurs sont bien mieux payés que le président de la République française (soit plus de 15 000 euros brut par mois) et que le budget octroyé au ministère de l'Europe et des Affaires étrangères ne cesse de prendre du volume au point d'avoisiner le milliard d'euros !

(12) Trois jours à peine après le début du confinement, alors que le gouvernement avait proclamé l'état d'urgence sanitaire et que les personnels des hôpitaux et des Ehpad faisaient face à une crise majeure et à des difficultés de tout ordre, M. Geoffroy Roux de Bézieux exhorta les entrepreneurs à impérativement continuer à produire... Dans un entretien publié par *Le Figaro*, il n'hésita pas également à lancer : « Il faudra bien se poser la question tôt ou tard du temps de travail, des jours fériés et des congés payés pour accompagner la reprise »...

(13) Jean Guitton, *Journal.*

(14) Ancien élève de l'École polytechnique, ingénieur aux tabacs, Adrien Treuille (1842-1917) est le dernier entrepreneur privé de la Manufacture d'armes d'État de Châtellerault (de 1889 à 1895). Apprécié et reconnu pour ses compétences et ses qualités humaines, ce commandeur de l'Ordre de Saint Stanislas de Russie devint Comte Romain à titre héréditaire par bref papal du 2 novembre 1897. Il a également été maire d'Availles-en-Châtellerault de 1890 à 1917. L'artère située devant la gare ferroviaire de Châtellerault porte son nom.

(15) Propos tenus devant les députés LR et le président du groupe LR au Sénat, Bruno Retailleau, fin novembre 2019 et rappelés par *Les 4 Vérités Hebdo*, n° 1223, 15 décembre 2019.

(16) Originaire de Russie, Piotr Pavlenski a diffusé en février 2020 une vidéo à caractère pornographique de Benjamin Griveaux, alors candidat à la mairie de Paris, afin de « dénoncer l'hypocrisie des politiques qui mentent à leurs électeurs en imposant le puritanisme à la société, alors qu'ils le méprisent effrontément eux-mêmes ». Le scandale a provoqué le retrait du candidat qui faisait campagne en mettant en avant dans des magazines de large diffusion les « valeurs familiales traditionnelles ». Au sujet de Piotr Pavlenski, Hallier aurait peut-être songé à faire référence à ces vers de Byron : « Il se savait gredin / Mais pensait que ses juges valaient moins encore / Il méprisait en eux l'hypocrisie qui cache / Ce que de plus audacieux font ouvertement. » (*Le Corsaire,* traduction de Jean Pavane).

(17) Jean Carbonnier, *Droit civil.*

(18) « Chacun de nous a sa lunette

Qu'il retourne suivant l'objet :

On voit là-bas ce qui déplaît,

On voit ici ce qu'on souhaite. »

Jean-Pierre Claris de Florian, « Le Chat et la Lunette », *Fables.*

(19) Richard Werly, *Le Temps,* 25 mars 2020.

(20) « On fait croire aux jeunes (et à d'autres) qu'il existe des pêches et des pommes, des stars aux seins proéminents et des clairs de lune gratuits, de l'oxygène à volonté et de l'espace sans passeport, mais ce n'est pas vrai », mettait déjà en garde Raymond Queneau dans *Rendez-vous de juillet.*

(21) Série télévisée où joua notamment Raymond Souplex et qui fut diffusée entre 1958 et 1996.

(22) Jean Schuster, *T'as vu ça d'ta f'nêtre.*

— Il écoute le bruit de la terre...

Dessins de Jacques Faizant (1918-2006), extraits des *Marins*, paru en 1964 aux Éditions Denoël (l'un d'eux a bien sûr été librement adapté).

L'heure des thés :
volutes de Corona juste pour rire

Castigat ridendo mores
(Elle châtie les mœurs en riant)

Attribué à Jean de Santeul (Jean-Baptiste Santeul,
dit Santolius, 1630-1697)[1]

En l'honneur du roi birman Nandabayin (1535-1599 ou 1600 ?), qui, à
en croire certains historiens, serait mort de rire quand un marchand
italien lui apprit que Venise était une République et n'avait pas de roi.

Nul n'est parfait. Hallier aimait, sans trop de modération bien
sûr, la vodka, les jolies femmes, les volutes de Corona, et l'esprit
plus encore, surtout si surgissaient une pointe de drôlerie et
un zeste d'humour. Viscéralement malheureux comme le souligne à juste titre Isabelle Coutant-Peyre qui fut une amie et
l'un de ses avocats, il n'en avait pas moins le sens du glousse-
ment et de la rigolade. Au début des années 1980, autour d'une
bonne table et entouré d'oreilles bienveillantes, il pouvait,
flamboyant, égotique et bouffon, se tire-bouchonner... Sonore
et très identifiable, son rire reste gravé dans la mémoire audi-
tive de ceux et celles qui l'ont côtoyé.

« Les gens de gauche inventent de nouvelles idées...
Quand elles sont usées...
Les gens de droite les adoptent. »

Propos attribués à Mark Twain (1835-1910)

« Tout gouvernement qui vote Pierre pour payer Paul dépend toujours du soutien de Paul. »

Propos attribués à George Bernard Shaw (1856-1950)

« Bêtise humaine. "Humaine" est de trop : il n'y a que les hommes qui soient bêtes. »

Jules Renard (1864-1910), *Journal*

« Pour être efficace, une commission d'enquête ne doit compter que trois membres, dont deux sont absents. »

Propos attribués à Georges Clemenceau (1841-1929)

« L'art de gouverner repose dans un mélange de réformes et de conservatisme...
La prudence excessive est aussi mauvaise que l'excès de témérité. »

Georges Clemenceau, à la tribune du Palais-Bourbon (propos cités par Jean Amadou dans *Vous n'êtes pas obligés de me croire !*)

« Une des règles de la politique est de ne jamais croire une information tant qu'elle n'a pas été officiellement démentie. »

Propos attribués à Aristide Briand (1862-1932)

« La politique est plus dangereuse que la guerre... À la guerre, vous ne pouvez être tué qu'une fois... En politique, plusieurs fois. »

Winston Churchill (1874-1965), dans une conversation avec Harold Begbie

« Celui qui ne supporte pas la plaisanterie, tolère mal la réflexion. »

Sacha Guitry (Alexandre Guitry, dit, 1885-1957), *Toutes réflexions faites*

« Un chameau, c'est un cheval dessiné par une commission d'experts. »

Propos attribués à Francis Blanche (1921-1974)

« Il ne faut pas se fier aux choses qui ne peuvent pas arriver,
car c'est justement celles-là qui arrivent. »

Pierre Dac (André Isaac, dit, 1893-1975), *Y'a du mou dans la corde
à nœuds* (anthologie posthume)

« … l'humour est en route, il n'est jamais arrivé, il va ailleurs, toujours
au-delà. Un juif rencontre un jour un moujik sur la route. "Où vas-tu
comme ça?" demande le moujik au juif. "Je vais à Kiev", répond le juif.
"Comment! Tu vas à Kiev? s'étonne le moujik, mais tu sais que Kiev
est à trente verstes et que tu es tout seul, à pied, sur la route…
Et qu'est-ce que tu vas faire à Kiev?"
– Oh rien, répond le juif, je n'ai rien à y faire, mais je trouverai
bien quelqu'un là-bas pour me ramener…
L'humour ressemble à ce juif sur le chemin en route pour Kiev
où il n'a rien à faire. »

Vladimir Jankélévitch (1903-1985), *Quelque part dans l'inachevé*

« Oui, le peuple français est le peuple le plus intelligent de la terre.
Voilà pourquoi, sans doute, il ne réfléchit pas. »

« Voici que s'avance l'immobilisme et nous ne savons pas
comment l'arrêter. »

« Le centre a le droit de vivre à condition de faire le mort. »

« Sénat : Litanie – Liturgie – Léthargie. »

« Quand on nomme quelqu'un à un poste d'information,
c'est précisément pour qu'il ne donne pas d'information. »

Propos attribués à Edgar Faure (1908-1988)

« L'adulte ne croit pas au Père Noël : il vote. »

Pierre Desproges (1939-1988), *Manuel de savoir-vivre
à l'usage des rustres et des malpolis*

« Monsieur, je vous laisse le choix des armes… L'épée ou le pistolet
à 30 mètres… Qu'est-ce que vous choisissez ? – L'épée… à 30 mètres… »

Dialogue du duo d'humoristes Les Frères ennemis, Teddy Vrignault
(1928 – disparu en 1984 et officiellement mort en 2004)
et André Gaillard (1927-2019)

« Électeurs : heureux mortels qui sont à l'image de certaines femmes
malchanceuses. On leur fait la cour pendant six mois et quand elles ont
dit oui, on les cocufie pendant six ans. »

« Je n'ai jamais vu un homme de l'opposition mettre plus d'une minute
pour juguler la pauvreté et réduire le chômage. »

Jean Amadou (1929-2011), *Journal d'un bouffon* et *Les Pensées*

« Le métier d'homme politique repose sur l'art de se rappeler
périodiquement au bon souvenir de concitoyens dont on tire
ses revenus en écornant les leurs. »

Philippe Bouvard, *Mille et une pensées*

« Rien ne sert de courir si on n'est pas pressé et rien ne sert de marcher
si on n'est pas foutu de se tenir debout. »

Un très ancien proverbe birman [2], rapporté malicieusement
par Pierre Dac

---

(1) Contrairement aux apparences, cette phrase ne vient pas de l'Antiquité mais du poète néolatin français Santeul qui l'écrivit pour un acteur italien, l'Arlequin Dominique (Domenico Giuseppe Biancolelli, dit, 1636-1688), désireux d'inscrire une devise sur le rideau de son théâtre.

(2) La Birmanie n'est pas seulement le pays des rubis. Elle fait partie avec le Vietnam, le Laos et la Thaïlande, de cette partie de l'Asie surnommée le « Triangle d'or » du thé. Situé au nord-est de son territoire, l'État Shan possède et entretient une tradition qui remonte à plusieurs millénaires. Bien que méconnu, il est considéré par de grands amateurs comme le « berceau du thé ».

Voyage, voyage...

« Au-dessus des vieux volcans
Glissent des ailes sous le tapis du vent
Voyage voyage
Edernellement

De nuages en marécages
De vent d'Espagne en pluie d'équateur
Voyage, voyage
Vole dans les hauteurs
Au-dessus des capitales
Des idées fatales, regarde l'océan

Voyage, voyage
Plus loin que la nuit et le jour

Voyage, voyage
Dans l'espace inouï de l'amour. »

Adapté de « Voyage, voyage », chanson (paroles de
Jean-Michel Rivat, musique de Dominique Dubois) interprétée
par Desireless (Claudie Fritsch-Mentrop, dite)

« Le vrai voyageur ne sait pas où il va. »

Proverbe chinois

Jean-Edern Hallier était homme à se lever parisien et à se coucher breton, deauvillois, marocain, corse ou vénitien...

Mais il n'avait rien du grand voyageur comme Blaise Cendrars ou Jorge Luis Borges. Des décennies durant, il a eu des ancrages. Place des Vosges à Paris, l'appartement où, dans les années 1970-1980, il a résidé. Avenue de la Grande-Armée, près de l'Étoile, où, à la fin de sa vie, il a été domicilié. Boulevard du Montparnasse, à La Closerie des Lilas, son « quartier général » de campagne et l'avant-goût du paradis, avec les duos champagne-huîtres, le piano et l'atmosphère impossible à trouver ailleurs au monde… Edern, enfin, dans le Finistère, où se situait son manoir familial. À celles et ceux qui ont fait partie de son entourage ou qui l'ont un peu connu, il n'en a pas moins toujours donné le sentiment justifié d'être en mouvement incessant, de ne pas tenir en place, d'être un homme debout qui marche…

Depuis son enfance, il a été – et c'est sans doute là un fait qui a joué un rôle déterminant – très balloté. Né le 1er mars 1936 à Saint-Germain-en-Laye, il s'est retrouvé en Tunisie, puis en Hongrie, est passé par Vichy, la Roumanie, les Carpates en Bulgarie et Malte, avant de séjourner cinq ans, de 1946 à 1951, aux États-Unis, Arizona, Los Angeles, Beverly Hills… À quinze ans, le voilà à Paris. Terme de son odyssée d'adolescence et haut lieu par excellence pour se préparer à, comme on dit, « faire son trou ». Y compris au lycée Claude-Bernard, près de la porte du Point-du-Jour, tout en s'accordant, de-ci de-là, quelques vacances, en particulier sous le soleil titillant d'Antibes.

À l'âge adulte, il ne s'agira pas de faire son Arthur Cravan, de mener la vie inimitable des hôtels, de vouloir être à Vienne et à Calcutta, de prendre tous les trains et tous les navires, de « forniquer toutes les femmes et bâfrer tous les plats [1] ». Tant pis, chanson bien connue, pour ces dames qui préfèrent l'amour en mer et rêvent de croisière sur un paquebot [2] !

Simplement, les « excursions » pourront prendre une autre dimension. Ce sera le cas en 1973 quand il effectuera un séjour de sept mois en Amérique du Sud qui le marquera et l'inspirera.

Ce sera également le cas, lorsqu'il ira s'exiler en Irlande et y écrira, là encore sept mois durant, de décembre 1979 à juillet 1980, *Fin de siècle,* dans la propriété d'une relation amicale, à Kilfrush Stud Farm.

Par principe, Jean-Edern ne refusera jamais un voyage dans le Maghreb francophone. Avec une prédilection pour le Maroc. Il s'est rendu à Rabat, à Fès, à Marrakech, à Essaouira – jadis Mogador – où, en février 1986, à l'hôtel des Îles, il a conçu sans doute parmi les meilleures pages de *L'Évangile du fou.* Mais c'est peut-être pour la Corse qu'il éprouvera une absolue fascination [3], et pour certain(e)s Corses, la plus vive des considérations et la plus indéfectible des amitiés. De là probablement l'authentique et invariable sincérité de ses relations avec Jean et Xavière Tibéri [4].

Voyager et écrire ! Voilà deux activités souvent marquées par le hasard, où plus d'une fois Jean-Edern n'a eu que la certitude du départ et où ni le voyageur ni l'écrivain ne savait vraiment ce qui lui arriverait en chemin. Le poète a prévenu :

« Tout passe et tout demeure
Mais notre affaire est de passer
De passer en traçant des chemins
Des chemins sur la mer.
Voyageur, le chemin
C'est les traces de tes pas
C'est tout ;
Voyageur, il n'y a pas de chemin,
Le chemin se fait en marchant
Et quand tu regardes en arrière
Tu vois le sentier que jamais
Tu ne dois à nouveau fouler

Voyageur, il n'y a pas de chemin
Rien que des sillages sur la mer [5]. »

Pour Hallier, voyager, écrire ou traduire, c'était d'abord apprendre ou réapprendre à vivre partout. En commençant tout de suite, dès lors que l'avenir ne peut appartenir qu'aux curieux de profession et que s'embarquer sur un mot, c'est courir le risque d'accomplir plus d'un délicieux périple… Voyager revenait aussi à inspirer, à puiser pour *L'Évangile du fou* l'énergie de miser sur l'amour insensé et la sainteté la plus grande de toutes les aventures humaines, à rassembler les ingrédients d'un songe sublime, les montagnes du Hoggar, la marche fantomatique des « hommes bleus », sous le ciel de l'héroïsme et le vent de l'Histoire.

Le voyage pour lui, ce n'était pas arriver, et encore moins embêter les autres une fois qu'il était revenu, c'était partir. C'était l'imprévu de la prochaine escale, le désir jamais comblé de connaître sans cesse autre chose, c'était demain, edernellement demain. Peut-être parce qu'il avait retenu de Montesquieu cette conviction qu'en toute saison, époque ou civilisation, « il y a beaucoup de gens qui payent les chevaux de poste », mais qu'« il y a peu de voyageurs [6] », il considérait le mot « voyage » avec une certaine circonspection et le conjuguait si volontiers avec escapade amoureuse. La volupté n'est-elle pas, comme l'assurait le poète et peintre Malcolm de Chazal, « le plus beau des voyages en place », « le vaste monde dans le chez soi », « le théâtre dans la chambre de bain », « une patinoire d'infinités sur une pointe d'aiguille », « une éternité dans un espace restreint » ?

Dans *Chagrin d'amour,* il y a une petite phrase qui, l'air de rien, en dit long sur la conception hallierienne de la pérégrination en mode troubadour : « Mais je ne voyage point : j'accompagne... »

Allez vous étonner, après cela, que peut-être, l'homme des grandes transgressions réputées bizarres, mythomanes et suicidaires sur l'avant-scène de la vie publique ait pu en toute bonne foi chantonner l'exquise « La Rua Madureira », « je n'oublierai pas pourtant je n'y suis jamais allé [7] ».

N'empêche qu'après son grave accident visuel, ce n'est pas seulement d'avoir « le fil des jours comme unique voyage [8] » qu'il a le malheur de devoir déplorer. Ce qu'il a le plus regretté, comme il l'a confié au micro de France Inter, « c'est de ne plus pouvoir voir certains paysages [9] »...

À la fin de sa vie s'était-il rangé à l'avis de Barbey d'Aurevilly qui, dans *Disjecta membra,* note que « les poètes enfoncent les voyageurs et la réalité, et donnent pour le monde de la portière de la voiture ce mépris sublime qui nous fait garder sardanapalement notre tête sur les coussins » ? Était-il devenu « de ceux qui pensent que la meilleure manière de voir le monde, c'est de le voir à travers les grands poètes » ? Nul ne saurait en être absolument sûr, mais libre à chacun de supputer et même de divaguer...

> « Dites, qu'y a-t-il à gagner dans les voyages lointains ?
> – Cette distance qui fait que le regard s'aiguise et qu'on voit clair,
> cette distance qui fait que les liens se tendent et qu'on aime dur,
> cette clarté qui a nom Détachement. »
>
> Lanza del Vasto (Giuseppe Lanza di Trabia-Branciforte, dit, 1901-1981),
> *Le Pèlerinage aux sources*

« Ce qui sépare le fou du génie c'est que contrairement au fou,
le génie a des idées fixes "qui voyagent". »

Malcolm de Chazal (1902-1981), *Ma révolution*

« Traverser la rivière ou passer la frontière,
La musique sait le faire, elle passe par les airs.
Leliyalel, leliyalel... (...)
On n'est pas d'la géographie,
Y'a pas qu'la terre,
il y a aussi
La mer,
Le ciel,
Et la Voix d'Oum Kalthoum. »

Véronique Soufflet, « La voix d'El Sett » (paroles de Véronique
Soufflet, musique de Jean-Luc Kandyoti et Mohammed Abdel Wahab)

---

(1) Arthur Cravan (Fabian Avenarius Lloyd dit, 1887-1918), *Œuvres.*

(2) « Elle préfère l'amour en mer », paroles de Didier Barbelivien, musique
de Michel Héron (1946-2017). Chanson interprétée par Philippe Lavil,
grand succès au milieu des années 1980.

(3) Un sentiment pleinement justifié selon maints voyageurs et observateurs. « Quiconque a un jour posé le pied en Corse, assurait le chroniqueur Jean Amadou, a été immédiatement conquis. Les calanques de Piana, les maisons perchées de Bonifacio, les villages accrochés à leur piton, le tout pimenté de cet art de vivre de gens qui savent laisser le temps au temps et ne gaspillent pas leur énergie en d'inutiles gesticulations, font qu'il est difficile de ne pas tomber amoureux de cette île... » (*Vous n'êtes pas obligés de me croire*, éditions Robert Laffont).

(4) De nombreux Parisiens ont pu, avec le recul du temps, mesurer combien le bilan des mandats de l'ancien maire de la capitale française de 1995 à 2001, maire du 5e arrondissement de 1983 à 1995 et de 2001 à 2014, justifiait sans doute plus d'éloges que de critiques.

(5) Antonio Machado (1875-1939), « Tout passe ».

Texte d'origine :

« Caminante, son tus huellas
el camino, y nada más ;
caminante, no hay camino :
se hace camino al andar.
Al andar se hace camino,
y al volver la vista atrás
se ve la senda que nunca
se ha de volver a pisar.
Caminante, no hay camino,
sino estelas en la mar. »

(6) Montesquieu (Charles Louis de Secondat, baron de La Brède et de Montesquieu, dit, 1689-1755), dans une lettre à Mgr Cerati du 16 juin 1745.

(7) « La Rua Madureira », chanson (paroles de Nino Ferrer, musique de Nino Ferrer et de Daniel Beretta) interprétée par Nino Ferrer (1934-1998).

(8) Parole de la chanson « Le plat pays » de Jacques Brel (1929-1978).

(9) Émission « À titre provisoire », France Inter, 1995.

« Nuit sans nuit »

« Il n'est si longue nuit qui ne trouve le jour. »
(« The night is long that never finds the day. »)

William Shakespeare (1564-1616), *Macbeth* (Malcolm), acte IV, scène III

« Voici la Nuit, la rêveuse éperdue, avec son cortège au complet d'étoiles,
– et dans la perfection de son indifférence à nos misères,
elle accomplit là-bas son éclat, la Merveilleuse, l'Étrangère au milieu
des hommes ; au-dessus des montagnes et des cimes tant de tristesse
et de magnificence qui se lève... »

Friedrich Hölderlin (1770-1843), *La Nuit*

« C'est la nuit : ô dur destin d'être lumière !
ô soif de l'obscur, ô solitude ! (...)

« Ô homme, prends garde !
Que dit la profonde mi-nuit ?
« Je dormais, je dormais
– De profond rêve je me suis éveillé :
– Le monde est profond
Et plus profond que ne l'a pensé le jour.
Profonde est sa peine – Le plaisir
– plus profond encore que souffrance du cœur :
Ainsi parle la peine : Disparais !
Mais tout plaisir veut éternité
– veut profonde, profonde éternité ! »

Friedrich Nietzsche (1844-1900), *Ainsi parlait Zarathoustra*

Au commencement était la nuit... Premier mot de la première
phrase du premier roman de Hallier, *Les Aventures d'une jeune
fille* : « La nuit est si tiède que le moindre souffle de vent agitant

les feuilles des arbres, ou le frôlement d'ailes d'une chauve-souris ramène toute cette tiédeur sur mon visage sans me soulager pour autant. » Qui pourrait dès lors en douter ? Sans être un fieffé noctambule, l'un de ces oiseaux nocturnes dont Paris s'est longtemps fait une spécialité, Hallier croyait fermement en cette nuit, si profonde, qui ne finit jamais et ne peut être qu'une inconcevable edernité. « La nuit, précise-t-il dans *Le Premier qui dort réveille l'autre*, c'est le contraire du noir, la nuit est naturelle, le noir est anormal. L'une nous donne une vue féline, étincelante et verte ; dans l'ombre, elle décuple les sens. L'autre les mutile. Le noir se courbe et creuse. Il peut même nous arracher les prunelles. » Alors, *Quanno fa notte e 'o sole se ne scenne*[1], célébrons la nuit, ô combien complice de l'edernisme ! Y compris quand on est devenu quasi aveugle, que l'on sait que « le jour ne se lèvera plus jamais » et que l'on en est réduit à poser ses mains sur les paupières de l'inconnue que l'on a dans les bras « tentant de déchiffrer le jour comme l'écriture de braille de l'éblouissement des petits matins » *(Les Puissances du mal)*.

En fait, il nous faut, en « sages élèves de la subversion, tirant la langue sur notre leçon des ténèbres », toujours attendre « qu'il fasse entièrement nuit, nuit sans nuit, la nuit de la conscience illuminée, mais paisible aussi, pour étreindre nos vérités à tâtons, les débusquer toujours, et apprendre à les nommer » *(Chaque matin qui se lève est une leçon de courage)*. Les pensées se montrent toujours plus brillantes, peut-être plus douloureuses aussi, infiniment, mais dans le calme. Elles peuvent se coucher sans bruit sur l'écran ou le papier. Quitte à ce qu'écrire revienne, à en croire les mots de William Faulkner, « à craquer une allumette [...] en plein milieu d'un bois » et à ce que l'on comprenne « combien il y a d'obscurité partout », puisque « la littérature ne sert pas à mieux voir » et « sert seulement à mieux mesurer l'épaisseur de l'ombre ».

La nuit, comme dans le refrain d'Alain Bashung[2], Hallier sans doute mentait. Se mentait à lui-même. Il prenait des trains à travers la plaine. Il mentait effrontément. Il avait dans les bottes des montagnes de questions où subsistaient encore les échos de ses femmes...

N'empêche. Si vous êtes en bonne compagnie, pourquoi ne vous risqueriez-vous pas à partir « au cœur de la nuit, si tant est que la nuit ait un cœur conscient » *(Je rends heureux)* et qu'elle « file doux » *(Chagrin d'amour)* ? Si le cœur vous en dit, vous pourriez aller au Dada, avenue des Ternes, l'un des rares établissements de ce quartier de Paris à être ouvert à des heures indues et où Jean-Edern avait pris l'habitude de se rendre à la fin de sa vie après le tournage des émissions de télévision qu'il animait...

Amateur de conversations au clair de lune, il n'en a pas moins toujours été prévenu : il connaissait l'illusion et la chanson. « Les gens de la nuit sont toujours là quand il faut. Ils vous appellent avec des rires et des bravos[3]. » Il savait donc que cela ne dispense pas le moins du monde de prendre quelques précautions, afin de ne pas se retrouver otage, à trop lire ou relire les poètes :

« Le parfum de la nuit enivre le cœur tendre ;
La fleur qu'on ne voit pas a des baumes plus forts ;
Tout sens est confondu : l'odorat croit entendre ;
Aux inutiles yeux, tous les contours sont morts[4]. »
« Qui ne sait que la nuit a des puissances telles,
Que les femmes y sont, comme les fleurs, plus belles[5]. »

Alors, bien sûr, il s'agit de veiller à ne pas trop se soumettre à l'appel de la « douce Nuit qui marche [6] », à ne pas considérer, comme dans les romans anglais ou les séries de la BBC, que « minuit est la plus belle heure du jour [7] », à ne pas succomber à la tentation du noctambulisme, ce rêve où rien n'existe sinon la poésie...

« Prolonge la nuit, Déesse qui nous brûle !
Éloigne de nous l'Aube aux sandales d'or...
Déjà sur l'étang, les fraîches libellules
Ont pris leur essor
(...)
Nous ne savons pas quelle aurore se lève
Là-bas, apportant l'inconnu dans ses mains,
Nous tremblons devant l'avenir, notre rêve
Craint les lendemains.

Je vois la clarté sous mes paupières closes,
Étreignant en vain la douceur qui me fuit,
Déesse à qui plaît la ruine des roses,
Prolonge la nuit [8] ! »

À titre dérogatoire et exclusif, Jean-Edern, ce borgne devenu quasi aveugle, a-t-il acquis le droit onirique de la prolonger, de la retenir, comme dans la chanson de Charles Aznavour, pour bien se reposer en poète dans son « beau lit silencieux [9] » ? Qu'importe la réponse, si au royaume où il est parti, son corps est poussière et toute nuit devient lumière...

« Les absents soufflent et la nuit est dense.
La nuit a la couleur des paupières du mort,
Toute la nuit je fais la nuit. Toute la nuit j'écris.
Mot à mot j'écris la nuit. »

Alejandra Pizarnik (1936-1972), *Œuvre poétique*

« Ce qui fait la nuit en nous peut laisser en nous des étoiles. »

Victor Hugo (1802-1885), *Quatrevingt-treize*

« La nuit n'est jamais complète
Il y a toujours puisque je le dis
Puisque je l'affirme
Au bout du chagrin une fenêtre ouverte
Une fenêtre éclairée. »

Paul Éluard (1895-1952), *Le Phénix* (« Et un sourire »)

---

(1) « Quand il fait nuit et que le soleil se couche », dans « O sole mio » (« Mon Soleil »), la célèbre chanson du poète napolitain Giovanni Capurro sur une musique d'Eduardo Di Capua et Alfredo Mazzucchi, publiée en 1898. Sans doute l'un des airs les plus universellement chantés du XXe siècle.

(2) « La nuit je mens » (1997-1998), paroles d'Alain Bashung et Jean Fauque, musique d'Alain Bashung, Édith Fambuena et Jean-Louis Piérot.

(3) Véronique Sanson, « Vancouver ».

(4) Robert de Montesquiou, *Les Chauves-souris*, « Laus noctis ».

(5) Alfred de Musset, *Premières poésies*, « Portia », I.

(6) Charles Baudelaire, *Les Fleurs du mal.*

(7) Louis-François Marie Bellin de La Liborlière (1774-1847), *La Nuit anglaise* (1799).

(8) Renée Vivien (Pauline-Mary Tarn, dite, surnommée « Sapho 1900 », 1877-1909), *Sapho* (recueil de traductions et d'adaptations des textes de la poétesse grecque Sappho).

(9) « La nuit est toute d'argent bleu,
La nuit est un beau lit silencieux,
La nuit douce, dont les brises vont, une à une,
Effeuiller les grands lys dardés au clair de lune. »
Émile Verhaeren (1855-1916), « La nuit est un beau lit silencieux », *Les Heures claires.*

L'or du temps

« L'herbe dites-vous
Ne fait aucun bruit pour pousser
L'enfant pour grandir
Le temps pour passer
Vous n'avez vraiment pas l'oreille fine. »

Pierre Albert-Birot (1876-1967), *110 gouttes de poésie*

« Tu es déjà éteint, mon frère, avant de subir l'extinction,
et tu n'es rien avant même d'être annihilé.
Tu es une illusion dans une illusion et un néant dans un néant. »

Ahmad Al-Alawî (1869-1934), dans un poème extrait de
Al-Minah al-Quddûsiyah (« Les très saintes inspirations ou l'éveil de la
conscience »), cité par Martin Lings dans *Un saint soufi du XXᵉ siècle :
le Cheikh Ahmad Al-Alawî* et par Jean Biès dans *Les Grands Initiés
du XXᵉ siècle*

« Nous sommes tous au fond d'un enfer dont chaque
instant est un miracle. »

Emil Michel Cioran (1911-1995), *Pensées étranglées*

N'aurait-il pas été écrivain que Jean-Edern Hallier serait peut-
être devenu un grand ingénieur du temps... Du temps qui
passe, du temps qu'il fait. Il a eu en effet très tôt une conscience
aiguë de cette notion qui rendait compte de son implication
dans le monde et des rapports qui en découlaient entre les
générations, avec le passé et l'avenir. Dès l'adolescence, il
semble avoir pressenti que l'univers dans lequel il évoluait, tel

qu'il le connaissait, était voué à disparition, ne serait-ce que parce que ceux et celles qui paraissaient l'animer, allaient inéluctablement disparaître... Ce soupçon intime n'a fait que croître et s'épanouir. Si bien que parvenu à l'âge adulte, Hallier a déjà le sentiment bien ancré que tout individu, quel qu'il soit, n'est qu'un passager de la vie et que l'existence d'un être humain n'est que l'addition des journées qui s'appellent toutes « aujourd'hui ». La seule journée à s'appeler « demain » étant bien sûr celle qui lui est inconnue... Dans ces conditions, pas une minute, ni même une seconde, à perdre ! Sans la moindre équivoque, l'avenir ne peut s'envisager que quand il est passé. Les modes défilent si vite, tout s'use et se délite avec une rapidité si effrayante ! Il faut écrire, à la hâte pour garder le giclement et le mouvement, et publier dare-dare des chroniques dans *La Parisienne,* la timide et éphémère revue des Hussards, des notes de lecture dans *Les Cahiers de la République,* un premier roman avant ses vingt-huit printemps, *Les Aventures d'une jeune fille...* Pas question pour autant de jouer les esclaves martyrisés baudelairiens. Il ne faut pas hésiter à s'enivrer de vin, de poésie ou de vertu. À votre guise ! Spleen de Paris quand il vous tient !

Au diable les atermoiements qui ne sont trop souvent que préludes aux renoncements. À la trappe le plan, la composition, le cadre scolaire. Il suffit, pour faire un ouvrage, d'avoir l'idée du tout pour que tout se tienne, que les chapitres s'appellent, les paragraphes de même, et même les phrases dans un paragraphe. Le tout sera présent partout... Malheur bien sûr à qui se proclame détenteur d'un pouvoir qui défie l'épreuve du temps, mais Jean-Edern le crie haut et fort : « Qui ne risque rien, ou ne s'arroge point tel droit en un temps décisif de sa vie, manque alors de tout perdre, et son faible souffle résigné ne se mêlera plus aux grandes turbulences naturelles de l'air [1]. »

À se mettre *illico presto* au volant d'une Lamborghini de la destinée littéraire et à confondre « le cadran du compte-tours avec l'avancée réelle sur les chemins du temps », l'exercice, comme l'enjeu et le péril, se révèlent d'envergure. Faire paraître des livres tels que *Chagrin d'amour* ou *Le Premier qui dort réveille l'autre,* c'est assumer « des références esthétiques » qui n'ont rien à voir avec celles qui ont communément cours, pratiquer la digression, se jouer de la chronologie, s'exposer à relever de la « pleine démence archaïque [2] » et donc admettre que le texte soit un jaillissement vital, qu'il échappe à la raison, qu'il déraisonne...

Il y a danger à sortir du rail, y compris pour le meilleur des trains littéraires à grande vitesse, mais il s'agit de tenir bon, de ne pas basculer. Toujours debout. Malgré tout, quelles que soient les perturbations, les épreuves ou les léthargiques pesanteurs de l'atmosphère environnante, et y compris bien sûr quand on n'a pas le prix Goncourt et qu'on a sa Vespa pour aller droit devant [3].

Dans *Chaque matin qui se lève est une leçon de courage,* il ne manque pas d'en témoigner. « Pour les grands oiseaux de proie de notre espèce, vautours se rassasiant de la charogne des peuples, confie-t-il, les temps présents auront été durs, je vous le dis. Plus de guerre, plus de révolution, plus de résistance ; un cortège de désillusions ininterrompues aura accompagné notre montée vers l'âge d'homme. » Il ne le sait que trop : même si « rien ne dure qu'à la fin on endure », « on ne peut vieillir indéfiniment "Petit Prince" sans se faire salement cogner sur la tête [4] ».

Le bonheur, cela aurait peut-être consisté à ce que les chiffres de l'horloge s'arrêtent de changer sur l'écran. Bonheur impossible donc et Hallier a toujours été – le témoignage d'Isabelle

Coutant-Peyre qui fut une amie et l'un de ses avocats le confirme dans *Hallier, Edernellement vôtre* – foncièrement malheureux.

Le feu du temps le dévorait, mais il était ce feu et c'est au pas, ou plutôt au pas de charge, qu'il se mettait, en homme souvent plus entravé et angoissé qu'il n'y paraissait, à avancer. Il avait pour principe de ne jamais, comme on dit, « laisser le temps au temps » car il sentait, plus ou moins confusément, qu'il en profiterait trop... Il avait fait sienne cette injonction : l'instant, le moment, cet éclat d'éternité, cette promesse du maintenant ou jamais, il nous faut l'attraper ou disparaître ! Vladimir Jankélévitch n'a-t-il pas suffisamment prévenu ? « S'il disposait d'un temps infini, écrit-il dans *L'Aventure, l'Ennui, le Sérieux*, l'homme resterait stérile, et l'action aurait tôt fait de s'endormir dans une passivité végétative pompeusement baptisée "éternité". Sur cette lancée, le plus monstrueux des supplices serait bien d'être condamné à ne jamais mourir. »

Hallier, dans la course au quotidien, ce n'était pas l'argent qui l'attirait. Il ne conjurait pas l'inexorable progression de l'échéance de la mort par une provisoire et illusoire possession. Simplement, il ne voulait pas laisser passer l'instant. Histoire de ne jamais devenir ni vieux ni sage, comme dans « Pas vieillir, pas mourir », la chanson d'Henri Tachan. Il donnait le sentiment qu'il souhaitait voir s'il y avait une limite, là-bas, au bout de la rue, et s'il pouvait faire mieux si possible, déplacer l'horizon...

C'était sa manière à lui de vivre dans le présent, sans anticipations ni retours en arrière, puisqu'il percevait plus ou moins obscurément que le passé n'est rien d'autre que la substance dont le temps est fait et que celui-ci ne peut que se transformer aussitôt en passé... Qu'importe que le présent puisse, à en croire Jorge Luis Borges, être « indéfini », quand « le futur n'a de réalité qu'en tant qu'espoir présent » et que « le passé n'a de réalité qu'en tant que souvenir présent [5] ».

Au plus profond de sa structure mentale, sans attendre le surgissement d'un coronavirus, Hallier a toujours eu cette lucidité, beaucoup moins banale qu'il n'y paraît : la condition de l'être humain est celle du fantôme. Chaque acte accompli peut être le dernier. Chaque visage est à la merci de se dissiper comme dans un songe. Tout se révèle infime, instable, évanescent, à la fois aléatoire et irrécupérable, et donc aussi pathétique que précieux.

Lié intimement à son époque, matérialiste et absurde, où tant d'individus, à force de se croire éternels, oublient si volontiers qu'ils sont des morts qui conversent avec des morts, Jean-Edern se savait modelé par le temps, indivisible de ce qu'on pourrait appeler la « mesure-temps ». Au point de confier à sa fille Ariane : « Ton père aura tout dilapidé pour tenter de recueillir, au crible de ses instants privilégiés, l'or du temps. Car aujourd'hui, il faut aller le chercher loin. Dans la vase de l'Europe, filons et pépites se sont taris. Alors, il faut changer de continent. Là-bas, au soleil couchant, vois comme cet or est orangé... » *(Chagrin d'amour).*

« Dans les deux poids-démesure de la balance commerciale, insistait-il dans ses *Fulgurances,* c'est l'or du temps qui pèse le plus lourd. »

« Tous mes biens pour un instant. »
Derniers mots d'Élisabeth Iʳᵉ d'Angleterre (1533-1603)

« Le temps passe même dans les souvenirs. »

Louise de Vilmorin (1902-1969), *Carnets*

« Faire mieux si possible, ce qui est toujours possible. »

François Constantin (1788-1854), dans une lettre à Jacques-Barthélemy,
petit-fils de Jean-Marc Vacheron datée du 5 juillet 1819.
Devise de Vacheron & Constantin, la prestigieuse manufacture suisse
de montres et d'horloges, fondée en 1755 par Jean-Marc Vacheron

---

(1) *Le Grand Écrivain.*

(2) Pour reprendre les formulations de Hallier, à l'occasion d'un entretien publié dans le premier numéro du magazine *L'Égoïste* et reproduit dans *Chaque matin qui se lève est une leçon de courage.*

(3) En 1986, l'année où il publie *L'Évangile du fou,* n'obtient pas le prix Goncourt et projette une nouvelle candidature à l'Académie française, Hallier ne se contente pas de se vêtir d'une chemise couleur laitue lors de réceptions du Quai de Conti : il pose en tenue d'académicien dans des publicités pour le scooter de marque Vespa (groupe Piaggio). Avec comme messages : « Je mettrai le mot Vespa dans le dictionnaire » ou « J'ai pas le prix, j'ai ma Vespa ». Une initiative facétieuse qui aurait contribué à l'interdire de fauteuil sous la Coupole, mais que le châtelleraudais Rodolphe Salis aurait sans aucun doute applaudie à tout rompre ! Dans les années 1880, en son célèbre cabaret du Chat noir, les serveurs étaient en « habit vert », le costume des académiciens, qui n'appréciaient pas du tout la blague... Pourtant, si l'on en croit la Roxane écrivain chère à Jacques Chazot dans *À nous deux les femmes,* chez ces messieurs du Quai de Conti, « l'habit est bien ce qui reste le plus vert ! »

(4) *L'Évangile du fou.*

(5) Jorge Luis Borges, *Fictions.*

Une si belle
« langue archipel »…

> « Tu ne dois plus mourir depuis qu'il a chanté,
> Car le verbe est debout hors du temps méprisable,
> Et ce qui fut pensé dure en l'éternité. »
>
> Edmond Haraucourt (1857-1941), *Héro et Léandre*, acte III

> « Le pire laxisme commence par l'inattention au verbe écrit ou
> parlé (…) Écrire, c'est se battre. Notre langue est un adversaire et
> un allié. Encore une fois, il s'agit de *résistance*. »
>
> Max-Pol Fouchet (1913-1980), *Fontaines de mes jours*

> « Je rêve d'une langue dont les mots, comme des poings,
> fracasseraient les mâchoires. »
>
> Emil Michel Cioran, *Pensées étranglées*

De la langue française, Jean-Edern Hallier a eu tout au long de sa vie une passion dévorante. Non qu'il eût le chauvinisme chevillé au corps et qu'il fût tenté de faire sien l'avis d'Arthur Schopenhauer qui claironnait qu'« aucune prose ne se lit aussi aisément et aussi agréablement que la prose française » et que « l'écrivain français enchaîne ses pensées dans l'ordre le plus logique et en général le plus naturel [1] ». Mais il avait ce côté Anatole France qui considère que « la langue française est une femme » et que « cette femme est si belle, si fière, si modeste, si hardie, si touchante, si voluptueuse, si chaste, si noble, si familière, si folle, si sage, qu'on l'aime de toute son âme, et qu'on n'est jamais tenté de lui être infidèle [2] ».

Hallier en était parfaitement conscient : la langue française n'a rien de sacré et n'a pas non plus – tant s'en faut – le monopole du style. Il n'avait que faire de l'orgueil national et de titres universels de mérite plus ou moins mythiques. Comme Pierre Daninos, il avait mesuré combien « le temps est loin où Boileau écrivait : "Enfin Malherbe vint, et, le premier en France, d'un mot mis en sa place enseigna le pouvoir" ». Il n'ignorait pas non plus qu'« aujourd'hui, les mots ne tiennent plus en leur place », que « le pouvoir lui-même les fait valser » et que « s'ils reviennent là où ils auraient dû rester, ils ont tellement changé qu'ils ne veulent plus dire ce qu'ils disaient ». Oui, il le savait, lui aussi : « Le langage a tellement rétréci au ramage que ramage – jadis manière de s'exprimer – n'exprime plus rien. C'est le même pays, et c'est la même langue, mais ce n'est plus le même langage [3]. »

Cependant, il avait la conviction que les Français, ce « peuple européen de la culture par excellence [4] », ont en partage leur langue, le premier trésor commun, à la fois leur socle et leur phare : ce qui les a faits et ce qui les distingue, nourri aussi par la vitalité de plusieurs belles langues régionales. Si bien qu'il estimait, de son propre aveu, « n'avoir d'autre planche de salut que cette vieille planche pourrie de la langue française [5] », qui lui apparaissait, pour reprendre les mots de H. Leivick [6], sinon comme le « plus beau degré de la liberté », du moins comme « la seule arme contre le monde et l'ordre établi ».

« Ma patrie, c'est la langue française », disait Albert Camus. Jean-Edern Hallier, qui n'aimait pas l'auteur du *Mythe de Sisyphe*, avait-il ce patriotisme linguistique et littéraire ? Dans une certaine mesure et il l'a maintes fois démontré, en particulier quand il n'hésita pas à lancer sur un plateau de télévision : « La langue française, c'est pour moi ce que la trompette est à Miles Davis [7] ! » Avec lui, cette bataille linguistique apparaissait comme l'une des meilleures manières pour les intellectuels de servir la République. Il y avait – et il y a encore – fort à faire.

Défense et illustration des auteurs

Historiquement, la promotion du français a toujours été assurée par le pouvoir, qu'il soit monarchique ou républicain. Sous le règne de Saint Louis ou de Philippe le Bel comme sous la présidence de Raymond Poincaré ou de Charles de Gaulle, elle n'a jamais rien eu d'anodin. François Ier le démontra fort bien quand il prit la décision d'exclure, par son fameux édit de Villers-Cotterets de 1539, toute autre langue que le français de l'usage de justice. Mais au fil des siècles, la défense de cet héritage linguistique et du prestige de l'État est également passée – il importe de le rappeler et de le souligner à l'époque des chaînes de télé-blabla et de l'amnésie virale – par des auteurs [8]. Peu importe qu'ils soient tombés dans l'oubli ou qu'ils aient commis, de-ci de-là, dans leur fol enthousiasme, quelques excès. Comme celui, bien connu, de Rivarol qui, en 1783, dans son *Discours sur l'universalité de la langue française,* est allé jusqu'à lancer son fameux et mythique « Ce qui n'est pas clair n'est pas français »…

Par principe, Hallier faisait infiniment plus confiance aux auteurs – au sens fort du terme – qu'au pouvoir politique et à ses « corps constitués » pour assurer la défense de la langue française. Un Jean-Louis Guez de Balzac, dont l'action lui valut le surnom, peut-être un peu abusif, de « restaurateur de la langue française [9] », méritait plus la considération que tel monarque aux édits parfois convulsifs… De même, un Étiemble,

« ce bel esprit irritant, indomptable et précis (...) successi-
vement proche des *Temps modernes* et de la *NRF* », lui était
beaucoup plus sympathique et estimable qu'un quelconque
« Haut comité »... Au point d'écrire à son sujet : « Comme la
meilleure défense de la langue française, c'est l'attaque, il a
lancé le franglais – et à lui tout seul, il vaut mille fois toutes les
institutions larmoyantes qui prétendent défendre notre
langue [10]. »

Pour autant, l'auteur du *Premier qui dort réveille l'autre* restait
lucide. Il connaissait les limites vite atteintes du chauvinisme
linguistique et les atouts d'idiomes peu étudiés ou peu appré-
ciés. À l'exemple de l'albanais qui, avec le grec, le latin et l'arménien, fait partie des plus anciennes langues d'Europe. Comme
Ismaïl Kadaré aime à juste titre l'indiquer, l'albanais, « aussi
précis que l'allemand, est capable de dire en quelques mots ce
qui demanderait plusieurs pages en français [11] ».

Jean-Edern n'était pas tendre avec ces « écrivains » qui ne font
que « pisser la copie » et dont la langue dont ils remplissent
leurs pages, dépourvue de toute saveur, ne présente pas le
moindre intérêt. Il fut pionnier dans sa dénonciation de la sous-
culture journalistique et du fonctionnement grégaire des
médias, avec leurs déplorables conséquences. Des idées qui
ont fait leur chemin et sont volontiers reprises. « Les médias
chassent en meute, écrit ainsi Jean-Michel Delacomptée dans
Notre langue française. Qu'un ouvrage fasse la une, bon ou mauvais, tous accourent. Le panurgisme fait l'événement. Il crée le
succès, dont dépend la notoriété, qui décide de la qualité. Ou
c'est l'inverse, la notoriété crée le succès, sans égard pour la
qualité. Le nom tient lieu de mérite, le "vu à la télé" remplace
le génie. Des œuvres banales passent pour des joyaux, des
auteurs honorables pour des prodiges. »

L'une des plus apprises et utilisées

Aujourd'hui, plus de vingt ans après la mort de Hallier, qu'advient-il du français ? À en croire diverses études concordantes, au moins trois Français sur quatre considèrent leur langue comme la première composante de l'identité française. Sans nécessairement avoir conscience qu'elle est, après l'anglais, la seconde langue la plus apprise dans le monde, et la quatrième la plus utilisée sur Internet.

Les lycées français à l'étranger – cette « colonne vertébrale » de l'enseignement du français [12] – accueillent 350 000 jeunes dans 500 établissements. Quelles que soient les incidences de la crise du coronavirus, ils devraient avoir vocation à en accueillir le double afin de répondre à une demande croissante.

« Le français s'est émancipé de la France, a pu déclarer Emmanuel Macron dans son mémorable discours du 20 mars 2018, lors de la Journée internationale de la francophonie. Il est devenu cette langue monde, cette langue archipel. »

Après avoir rappelé qu'« une langue permet des libertés, mais qu'elle n'existe pas si l'on n'accepte pas de se soumettre à des règles », le président de la République française s'est fait le chantre d'une francophonie plurielle : « il ne s'agit pas, a-t-il souligné, de vouloir imposer le français comme la deuxième ou la troisième langue dominante, mais d'être le chef de file d'un combat planétaire pour le pluralisme des langues, des cultures, des idées ». Probable que Jean-Edern aurait fait plus que souscrire. Il se serait même réjoui, lui, l'ami de Jean d'Ormesson qui, à longueur de pages, se plaisait à mettre en perspective la singularité de la situation : « (le pays France) a été pendant des siècles le plus fort, le plus riche, le plus séduisant.

Il se retrouve appauvri et bougon. Tout semble se déglinguer de partout. Sa langue surtout, son bien le plus précieux, qui brillait de mille feux et régnait sur l'Europe qui régnait sur le monde, se défait de jour en jour. Confucius le savait déjà à l'époque de Platon et de Sophocle : il faut prendre garde aux mots. Une langue qui faiblit, c'est un pays qui vacille [13]. »

Observation d'autant plus cruciale que Hallier avait de surcroît le sentiment récurrent que le problème de la France, c'est... la France elle-même et qu'il était impossible de ne pas souscrire aux propos de l'écrivain Alain Mabanckou quand il déclare : « La France a toujours vécu avec cette bonne conscience d'une langue française en bonne santé, d'une histoire de France vaillante. Les théories les plus rassurantes pour la société française sont fondées sur la vanité. Mais une langue française, une culture française qui ne regarde que dans l'œuf le petit cocon, est une culture d'enfermement [14]. »

S'il n'allait pas, comme Friedrich Nietzsche en son temps [15], jusqu'à ne croire qu'à la culture française et à tenir que tout ce qui, en dehors d'elle, se décore en Europe du nom de « culture », commet une méprise, Hallier était tout de même un grand amoureux de la civilisation française. Il ne se résignait pas à perdre le sens d'une hiérarchie des valeurs, des pensées, du goût, tout ce qui définit l'ensemble de caractères communs à une société humaine. Il aspirait non à une noblesse de privilège ou de nouveaux riches, de « people » ou de « stars », mais à la noblesse de l'esprit, de l'esprit libre libéré de l'instinct grégaire. Pour lui, cette noblesse se trouvait dans l'esprit français, avec la mauvaise humeur et le panache qui vont avec, dans les Lumières françaises et l'art de l'aphorisme des grands moralistes comme La Bruyère, La Rochefoucauld, Vauvenargues... C'est dire combien il appréciait au plus haut point la capacité à émettre des pensées remarquables sous une forme compacte, à déployer une poétique, un véritable art stylistique, tout en demeurant un moraliste puissant. Oui, il s'en était fait un principe essentiel : la noblesse doit avant tout résider dans l'esprit critique, l'insolence française et le refus de l'abêtissement religieux. Dans la vitesse d'esprit, le goût pour le style, l'intérêt pour le texte, la langue, mais aussi pour l'humour...

Hallier est un auteur qui se veut français et l'assume, et surtout qui croit dans la littérature. Sans doute un peu parce qu'il la perçoit comme une composante essentielle de la volonté des Français de ne pas demeurer « à l'état d'ensemble inconstitué de peuples désunis » pour reprendre la formule de Jacques Julliard [16].

Mais son malheur, comme aurait peut-être dit Jean Cau dans un nouveau volume de ses *Réflexions dures sur une époque molle,* c'est que si Jean-Edern parlait couramment la vérité, personne ne le comprenait car il usait d'une langue morte... Du moins en avait-il quelquefois la désolante impression.

Ambition prométhéenne

Sa langue, c'était un souffle, une voix qui parlait et pouvait changer à chaque instant. Il s'agissait pour lui de restituer ce qui était de l'ordre d'une parole intérieure, de trouver dans l'écriture une forme qui ne trahisse pas trop ce qu'il entendait...

La rhétorique creuse des politiciens, très peu pour lui. Le lexique du PC en mode Macintosh ou HP itou, parce que c'est bien connu, comme la Hongrie, le petit monde informatique a une langue qui lui est propre, à cette différence près qu'en restant assez longtemps avec des Hongrois, on a quelque chance de finir par comprendre de quoi il retourne ! Aurait-il entendu à table un baragoin « branché » en jet continu, à base de « peer to peer », de « changement de scope », de « prototypage », « pointligne », « référendant » et autre « team building », que sans attendre la fin de la « check-list », il n'aurait sans doute pas tardé à lancer à haute et distincte voix : « L'addition s'il vous plaît ! » Sans nécessairement être en mesure de la régler... Qu'importe.

Pour lui, le langage, ce théâtre dont les mots sont les acteurs pour reprendre la formule de Brunetière, ne pouvait que relever de la création esthétique. Et c'est pourquoi il se montrait vindicatif à l'encontre de certains dérapages commis par de « vraies-fausses » élites culturelles. « Ce qui est grave, pestait-il, ce ne sont pas Sulitzer et les autres, il y en a toujours eu, il y en aura toujours, mais le pourrissement par le haut – l'absence de rigueur des éditions Gallimard, les traductions fautives de Heidegger ou directement de l'anglais des romans japonais de Mishima, la disparition des directeurs littéraires, le "traduidu", l'effroyable français rapporté d'un Bianciotti... [17] »

Lui qui, très tôt, a fait partie des littérateurs les plus prometteurs, et pas seulement pour avoir, à l'âge de quinze ans, connu Cocteau ou publié à vingt ans des chroniques dans une revue comme *La Parisienne,* estimait avoir acquis le droit de pouvoir dire, comme la poète Béatrice Libert :

« Je couche avec les mots,
passion incestueuse et belle !
N'est-ce pas là, dit-on
ma langue maternelle [18] ? »

Ce qui faisait l'écrivain Hallier, c'est qu'au clavier de sa machine à écrire électrique Olympia comme de son quart de queue

Pleyel, il jouissait, par sa main, de sa langue… cette merveille de subtilité musicale.

En oubliait-il pour autant les discours fameux de Renan [19] ? En aucune façon. Simplement, il habitait infiniment moins un pays qu'une langue, car il considérait, en artiste-poète, que « la langue, par la culture qu'elle véhicule, est l'âme et le cœur d'un peuple, son ossature mentale [20] »… Sa démarche paraît avoir été un peu comparable à celle que décrit Rafael Sánchez Ferlosio [21] dans *La Forja de un plumífero* : il s'est d'abord engagé dans la « prose », c'est-à-dire la *bella página* [la belle page], puis s'est « amusé » avec la parole, avant finalement de trouver la langue, de l'inventer, y compris dans des écrits non littéraires. Il ne s'est agi en aucune façon pour lui de changer le sens des mots, de produire la confusion et l'obscurité, car il savait, pour avoir retenu la leçon de Rivarol, que « changer le sens des mots, c'est déplacer les meubles dans la maison d'un aveugle ». En réalité, il s'était rallié à l'intuition valérienne que le « chef-d'œuvre littéraire de la France est peut-être sa prose abstraite [22], dont la pareille ne se trouve nulle part [23] » et à cette idée que le génie français ne tient qu'à quelques écrivains par siècle. Une ambition prométhéenne qu'il avait osé faire sienne.

« Les insectes et les poissons restent muets. L'oiseau chante. (…) L'homme a la langue distincte, la parole nette et lumineuse, la clarté du verbe. »
Jules Michelet, *L'Amour* (Livre Ier, chapitre 1, « De la femme »)

« Qui délivre le mot, délivre la pensée. »
Victor Hugo, « Réponse à un acte d'accusation », *Les Contemplations*

> « Le texte n'est pas écrit dans une langue ou une autre,
> il EST sa langue. »
>
> Hoda Barakat, *Le Monde,* 26 juillet 2019 (propos
> recueillis par Christophe Ayad)

---

(1) Arthur Schopenhauer (1788-1860), « Pensées et fragments », *Caractères des différents peuples,* traduction de Jean Bourdeau.

(2) *Propos d'Anatole France* (recueillis par Paul Gsell), « Les matinées de la Villa Saïd ».

(3) Pierre Daninos (1913-2005), *La France prise aux mots.*

(4) Hermann von Keyserling (1880-1946), « La France », *Analyse spectrale de l'Europe,* traduction Alzir Hella et Olivier Bournac, Éditions Stock.

(5) « Ainsi, à la naissance de la littérature, pour qui tenterait de la confondre aux premiers dévoilements de sa propre enfance, estimant pour lors n'avoir d'autre planche de salut que cette vieille planche pourrie de la langue française, où rebondir vers l'infini devient de plus en plus malaisé, je choisis la fausse confidence tellement intensément ressentie comme vraie et, pourquoi pas, véridique. » *Le Grand Écrivain.*

(6) H. Leivick (Halpern Leivick, dit, 1888-1962), *Dans les bagnes du tsar,* traduction du yiddish par Rachel Ertel, L'Antilope, 2019.

(7) « Bouillon de culture », émission diffusée sur Antenne 2 le 26 avril 1992.

(8) Du grand érudit Gilles Ménage (*Les Origines de la langue fran-çoise,* 1650) – qui ne saurait être en rien rattaché à son homonyme du xxᵉ siècle, l'un des vils hommes de main du gangster Mitterrand – à l'abbé de Condillac (*Essai sur l'origine des connaissances humaines,* 1746), en passant par Jean Desmarets de Saint-Sorlin (*Défense de la poésie et de la langue françoise,* 1675), Bernard Lamy (*La Rhétorique ou l'Art de parler,* 1675), François Charpentier (*De l'excellence de la langue françoise,* 1683), César-Pierre Richelet (*Dictionnaire françois,* 1680), Antoine Fure-tière (*Dictionnaire universel,* 1684), Fénelon (*Réflexions sur la grammaire, la rhétorique, la poétique et l'histoire [Lettre à l'Académie],* 1714), l'abbé Gabriel Girard (*Les Vrais Principes de la langue françoise,* 1747) ou l'abbé Charles Batteux (*Lettres sur la phrase françoise comparée avec la phrase latine,* 1748).

(9) Jean-Louis Guez de Balzac (1597-1654), évoqué par Molière dans *Les Femmes savantes.*

(10) *L'Idiot international,* décembre 1993, puis « Dictionnaire de la litté-rature française », *Le Refus ou la Leçon des ténèbres.*

(11) *Le Monde,* 9 août 2019. Après avoir comparé plusieurs traductions de *Macbeth,* Kadaré assure également avoir « constaté que l'albanaise est la meilleure, ce que les experts de Shakespeare ne contestent pas. C'est une langue qui conjugue les trésors du latin avec ceux des langues cel-tiques, voilà son secret. »

(12) Expression utilisée par Emmanuel Macron sous la coupole de l'Académie française le 20 mars 2018, lors de la Journée internationale de la francophonie.

(13) Jean d'Ormesson (1925-2017), *Je dirai malgré tout que cette vie fut belle.* En écho à Platon qui dans *La République* prévenait déjà que « la per-version de la cité commence par la fraude des mots ».

(14) *Le Monde,* 23 mars 2017.

(15) Friedrich Nietzsche (1844-1900), cité par Mᵐᵉ Förster-Nietzsche dans la préface de la traduction allemande de *La Philosophie de Nietzsche* par Henri Lichtenberger :
« Je ne crois qu'à la culture française, et tiens que tout ce qui, en dehors d'elle, se décore en Europe du nom de "culture", commet une méprise. De la culture allemande, inutile de parler… Les quelques cas de haute culture qu'on rencontre en Allemagne sont tous de provenance française. »

(16) Jacques Julliard, « Notre langue française », *Le Figaro,* 5 mars 2018.

(17) « Journal intime », *L'Éventail,* septembre-octobre 1987.

(18) Béatrice Libert, *La Passagère* (L'orbe bleu).

(19) Ernest Renan, dans sa conférence donnée à la Sorbonne en 1882 (préface à *Discours et conférences* [Qu'est-ce qu'une nation?], paru en 1887) : « Ce qui constitue une nation, ce n'est pas de parler la même langue ou d'appartenir au même groupe ethnographique, c'est d'avoir fait ensemble de grandes choses dans le passé et de vouloir en faire encore dans l'avenir. »

Dès le début de la guerre franco-allemande de 1870, l'historien Fustel de Coulanges avait d'ailleurs contribué à fixer cette idée que « ce qui distingue les nations, ce n'est ni la race, ni la langue ». « Les hommes sentent dans leur cœur, écrivait-il dans un texte intitulé "L'Alsace est-elle allemande ou française?" qu'ils sont un même peuple lorsqu'ils ont une communauté d'idées, d'intérêts, d'affections, de souvenirs et d'espérances. Voilà ce qui fait la patrie. »

(20) Phrase attribuée à Frédéric Mistral (1830-1914).

(21) Rafael Sánchez Ferlosio (1927-2019).

(22) Sous réserve qu'elle soit illuminée de poésie. Pour Hallier, la « prose » ne doit pas être prosaïque mais poétique.

(23) Paul Valéry (1871-1945), *Regards sur le monde actuel.*

« Tout semblait réglé quand, la veille,
il y eut un dernier pépin.

– Puis-je emmener un copain ? demandai-je.

– Qui ?

– Don Quichotte, enfin Pedro, répondis-je,
les yeux dans mon assiette.

– Ce traîne-savates, ce vilain petit Espagnol tout sale.
En plus il sent mauvais, je ne comprends pas pourquoi tu
le fréquentes, laissa tomber mon père.

Ma mère surenchérissait sèchement parce qu'en devinant
tout, elle avait dû prendre aussi mon petit camarade
en grippe espagnole.

– Tu n'emmèneras pas Don Quichotte,
il n'est pas de ton milieu.

Elle venait de lâcher son grand mot, mon milieu, son milieu,
le nôtre. L'empire du Milieu au mystérieux protocole
d'une Chine grande-bourgeoise, l'ennemie héréditaire
de l'empire des songes. »

Jean-Edern Hallier, *L'Évangile du fou*

L'Évangile du fou : un Don Quichotte français

> « On ne trouve guère dans un livre que ce qu'on y met.
> Mais dans les beaux livres, l'esprit trouve une place
> où il peut mettre beaucoup de choses. »
>
> Joseph Joubert (1754-1824), *Pensées* (Titre XXIII, « Des qualités
> de l'écrivain et des compositions littéraires »)

> « Tout homme qui ne se croit pas du génie n'a pas de talent. »
>
> Edmond de Goncourt (1822-1896), *Journal*

> « … il faut prendre soin de tout ce qui a un grain sur cette planète :
> la pellicule, le papier, la peau, les dingues. »
>
> Mathieu Terence, *Filles de rêve*

Chef-d'œuvre, pas chef-d'œuvre… Comme disait l'humoriste française Sylvie Joly dans l'un de ses plus célèbres sketchs. Chef-d'œuvre ? Une parcelle, une trace de génie ? On s'incline, on lit. Tout le monde lit. Les grands-parents, les parents, les adolescents. Pas chef-d'œuvre ? Pas trace de génie ? On ignore, on passe outre. Vulgairement, on s'en tape !

Si *L'Évangile du fou* mérite une attention particulière, c'est peut-être parce qu'il n'a rien d'un Goncourt de complaisance ou d'un Renaudot de connivence, et encore moins d'un manuel. Il est vraiment un livre. Et pas n'importe lequel. Une construction à l'architecture complexe, qui tient debout, avec son propre équilibre, ou plutôt son propre équilibre-déséquilibre. Un objet d'exploration littéraire aux multiples facettes, inclassable, où Hallier exalte les vertus du paroxysme et en assume tous les risques... Bref, une fresque syntaxique expressionniste écrite par un enragé qui, à grands coups de fulgurances en forme de piolets, se lance à la conquête de sommets, toujours plus hauts, toujours plus fous, et multiplie, avec la conscience d'une immense liberté, les apnées parfois débridées mais toujours contrôlées. « Les plus beaux chefs-d'œuvre, disait Anatole France[1] sont à tiroirs. On y glisse tout ce qu'on veut. Ils s'élargissent, s'enflent, se distendent à mesure qu'ils se font. »

En découle un hymne d'autant plus singulier qu'il est d'emblée triple. Hymne à une mère décédée que l'auteur – il l'affirme haut et fort – n'aimait pas. Hymne également à Charles de Foucauld, cet officier de cavalerie qui, rayé des cadres de l'armée française pour indiscipline, étudia l'islam et effectua un long voyage dans des contrées désertiques avant de prononcer ses vœux monastiques. Hymne enfin à une aventure amoureuse qui se love en Corse, à une mystérieuse Diane...

Très vite, cet hymne en trois D se traduit par un enchâssement de récits pluriels, celui où le narrateur raconte, celui qu'il écrit malgré lui, dans les décombres de sa bibliothèque partie en fumée, celui des autres, celui de Charles de Foucauld lui-même, l'explorateur au passé de jouisseur impénitent, le géographe au savoir de linguiste érudit, l'ermite du plateau de l'Assekrem ou de Tamanrasset, dans le Hoggar où il vécut en ascète, dans une maison en pierre et terre séchée... Le tout romancé avec une certaine drôlerie et au risque délibéré de plonger dans « l'abîme universel du soi », selon la formule d'Harold Bloom, le critique littéraire américain.

L'évocation a de quoi troubler, tant elle peut paraître farfelue, ubuesque et difficile à comprendre parfois. Elle se devait d'être iconoclaste : elle l'est, à force de mêler journal intime, essai philosophico-politique, biographie et même autobiographie dès lors que les origines familiales du personnage et de l'auteur sont proches et que leurs aspirations vers l'absolu tendent à se confondre... « L'alphabet des romanciers, avait prévenu Jules Barbey d'Aurevilly, dans sa préface de la première édition des *Diaboliques,* c'est la vie de tous ceux qui eurent des passions et des aventures, et il ne s'agit que de combiner, avec la discrétion d'un art profond, les lettres de cet alphabet-là. »

Hallier a lui-même fourni quelques-unes des clés de son entreprise littéraire. En particulier dans *Les Puissances du mal,* où il confie qu'il a pu écrire à Calvi « l'un de ses plus beaux romans ». « Je combinais à la russe le récit et la pensée, explique-t-il. Je n'aimais pas le récit psychologique à la française, le petit roman *NRF* des années 1930, cette dégénérescence fade et bien trouvée de l'*Adolphe* de Benjamin Constant, du *Dominique* de Fromentin, ou de l'*Obermann* de Senancour. Ajoutez-y un peu de Stendhal, et un zeste des *Affinités électives* de Goethe, secouez le shaker, vous aurez toujours le même cocktail un peu mièvre et doux amer. Je n'aimais pas non plus le pot-bouille naturaliste. » Ce qu'il voulait, assure-t-il, c'était « raviver la légende française, avec son héroïsme et ses valeurs », « en faire une sorte d'opéra-comique grandiose entre les dunes du Sahara et les bottes de cuir du cadre à Saumur. » « Du moins, c'est ce que je voulais... », reconnaît-il, avant de souligner : « Aucun de mes romans n'a été ce que j'ai voulu au départ. Ils ont tous bifurqué en cours de route, glissé sur les étranges peaux de bananes des analogies et des associations d'idées inopinées. »

Autre aveu, toujours dans *Les Puissances du mal* : « Je pédale dans la semoule pour expliquer mon art romanesque. N'est-il pas assez fort pour se suffire à lui-même ? Mon incapacité à créer des personnages m'accable. En fait, je deviens un merveilleux romancier dès qu'il s'agit de parler des femmes. Je les aime. C'est pourquoi je sais les rendre inoubliables, à condition d'avoir couché avec elles, bien sûr. Une goutte de sperme est une page de moins, déclarait stupidement Flaubert. Quoi de plus absurde. Le sperme, c'est l'encre de la volupté. Les couilles du bon écrivain sont des encriers remplis à ras bord, prêts à déborder au plus profond du vélin charnel, ce pur japon des ex-libris de la jouissance. »

Oui, « il faut aller au plus profond du plus haut ». Jean Guitton aimait à citer cette parole de Bergson qui paraît parfaitement s'appliquer à l'intuition des artistes, du moins des plus grands d'entre eux. Dans *L'Évangile du fou,* publié en 1986, Hallier est-il bien allé au plus profond du plus haut ? Ce qui est sûr en tout cas, c'est qu'en plus d'une page admirable, il a essayé. Il a eu cette continuité avec lui-même de tenter, de chercher, de se confronter à ce suprême échec que l'art est toujours. Si bien que l'œuvre, plus qu'une autre, marque peut-être sa naissance en tant qu'artiste et constitue moins une réponse qu'une interpellation. Qu'importent dans ces conditions les longueurs et le pathos qui semblent la gâcher, les innombrables références, en tout genre, qui la parsèment et peuvent rendre sa lecture rebutante. « En toute chose, ce qu'on appelle la perfection est sans intérêt, tranchait Paul Léautaud dans son *Journal littéraire.* La perfection n'a pas de personnalité. » Qu'importent également les scrogneugneu, les harpies et autres pom-pom girls de la critique littéraire incapables de rendre hommage à la créativité, la vraie, qui ne crée pas à partir de rien mais paie sa dette au passé à coups d'aménagements, de distorsions voire de trahisons... Comme le notait George Sand dans *François le Champi*, « les chefs-d'œuvre ne sont jamais que des tentatives heureuses ». De surcroît ô combien mystérieuses, ce qui ajoute à leur charme et contribue à les rendre impérissables... « Il n'est en art, disait Georges Braque, qu'une chose qui vaille : celle que l'on ne peut expliquer. »

À coup sûr, *L'Évangile du fou* fait partie de ces livres dont certains lecteurs ne devraient pas s'imaginer mourir avant d'en connaître le contenu. Préfèrent-ils reporter la découverte pour ne pas se rapprocher du moment de leur mort ? C'est leur droit le plus souverain. Mais ils passent à côté du Don Quichotte français, des combats « cervantesques » contre les moulins à vent, des assauts de style d'un trublion génial, hissé sur son cheval de bataille aux ruades lyriques et aux élans dévastateurs...

Perdu dans un siècle d'avance, Hallier portait sa confiance en la vie comme un cierge. Il cherchait à trouver en lui, dans les plus sombres épreuves, le fil d'Ariane qui le ramènerait vers la lumière. Il voulait aussi profiter de cette histoire de famille, de « nos familles », comme il le répétait, pour rejoindre les hommes du désert, les « hommes bleus », et aller là où souffle la brise – tant qu'il y a de la brise, il y a de la vie, pardi ! – ou plutôt passer de l'autre côté du vent... Lisons ou relisons son *Évangile :* « Sortis du pays de la soif et de la peur, c'étaient les hommes bleus – en qui coulait le sang bleu des sables, le plus pur sang aristocratique. C'était la cinquième race de l'humanité, après les Blancs, les Noirs, les Jaunes et les Rouges. Quand ils surgissaient au sommet des dunes, ils faisaient leur fameuse peur bleue. Leur légende d'invincibilité était telle qu'il leur suffisait d'apparaître pour avoir déjà vaincu...

Pauvres touaregs, fiévreux, enrubannés de noir, maquillés, déguenillés et efféminés. Fins de races épuisées, voilées comme les femmes, leurs razzias de misères semaient pourtant la panique chez les harratins, les cultivateurs noirs, et les trafiquants arabes. Aussitôt qu'ils se mettaient à réciter leurs poèmes homériques, à la lisière des bordjs, dans le vent de sable montant, tout le monde détalait.

C'était de très grands vents sur toutes les faces du monde. De très grands vents, par le monde, qui n'avaient ni air, ni gîte. Qui n'avaient garde, ni mesure et nous laissaient hommes de paille sur leur aire. Oui, de très grands vents sur toutes les faces des vivants. »

Ainsi en quelques centaines de pages a pu s'accomplir la promesse que Hallier avait faite à sa mère d'écrire la vie de ce Père de Foucauld, cet *Évangile* edernel dédicacé à une mystérieuse et divine Edwige – un *mi* bémol accroché au bras d'un *fa* dièse si près du *sol* mais toujours disposé à donner le *la* ! Notre Cervantès ne se sera certes pas vu décerner la Légion d'honneur en récompense. Il aurait pu s'en falloir de peu pourtant, d'un mot seulement, comme il le raconta en 1987 dans son *Journal intime* [2] : « Midi, je passe par l'entrée de service du ministre de la Culture – comme les maîtresses des rois, dis-je à François Léotard.

– Si vous voulez la Légion d'honneur, me dit-il, vous n'avez qu'un mot à dire.

Je lui réponds en ouvrant mon *Évangile du fou* à la dernière page : "Foucauld, exclu de tout, même de son petit coin d'infini potager.

Tout le monde n'a pas la chance de tomber si bas, en une pareille abjection, que ce bouc émissaire auréolé de néant, somptueusement exclu d'une société qui, même après sa mort, trouverait encore le moyen de bafouer sa mémoire. C'était bien, c'était la preuve que son cadavre bougeait encore, qu'il restait vivant en nous, c'est-à-dire déshonoré. Tel est le statut que vous confère la grandeur véritable. Puissé-je connaître le même destin ; qu'on crache sur ma tombe ; et quand on n'aura plus assez de salive pour dire tout le mal qu'il fallait penser de moi, qu'on m'oublie.

J'appartiens à la race de ceux qui ne sont rien et dont toute la passion, pour rester des hommes libres, ne sera employée qu'à n'être rien jusqu'à la fin. Alors je dormirai tranquille, apaisé, revenu de toutes mes fièvres." Quand je m'arrêtai de lire, il me regarda, il ne me proposa plus rien. Il avait compris... »

Alors au diable la crainte du burlesque, de la critique assassine, de l'outrance et de l'égotisme ! Fi donc de l'avis éventuellement réservé des Pères blancs, les successeurs du Père de Foucauld, et des discours réprobateurs ou moralisateurs [3] ! Vive la générosité, la sensibilité, l'audace visionnaire. Il ne reste plus qu'à admirer, se laisser emporter par la magie des mots, par un récit qui est un feu d'artifice toutes les trois lignes et courir le risque d'éblouissements récurrents pour accéder à des sommets de l'imagination poétique appliquée au roman... Ne vouloir rien admirer, appliquer la méthode critique à la littérature, comme met en garde Jean Dutourd dans son *Carnet d'un émigré*, ne serait-ce pas « typique de la pensée des petits-bourgeois et de la pensée des prolétaires, successeurs des petits-bourgeois » ?

Jean-Edern peut désormais reposer tranquille, « apaisé, revenu de toutes ses "fièvres", de ses "vanités insupportables", et de ses "défis gratuits" ». Car il a laissé un grand livre qui l'autorise à lancer dans un éclat de rire à Sacha Guitry s'il le rencontre au paradis des écrivains : « Ma mère avait raison ! »

> « L'artiste, et c'est en quoi il se distingue du commun des mortels, offre en pâture aux sarcasmes non seulement son physique et son moral, mais son œuvre. »
>
> Somerset Maugham (1874-1965), *L'Envoûté* (*The Moon and Sixpence*, chapitre 1, traduction de Mme Émile-R. Blanchet, Éditions de France)

> « Rien n'est faux comme la critique dénigrante qui cherche les faiblesses de la vie d'un écrivain pour avilir ses livres et son message. Sa vraie vie, c'est son œuvre, ses écrits. Ils sont ce qu'il a voulu. Tout le reste peut n'être que ce qu'il a subi. »
>
> Jean Guéhenno (Marcel-Jules-Marie Guéhenno, dit, 1890-1978), *Carnets du vieil écrivain*

> « Un livre, cela se dévore et se hume, c'est un parfum qui est une *nourriture*, une odeur qui est un incendie. »
>
> Hubert Juin (1926-1987), *Le Double et la Doublure*

---

(1) *Propos d'Anatole France* (recueillis par Paul Gsell), « Les matinées de la Villa Saïd ».

(2) « Journal intime », *L'Éventail*, n° 13, septembre-octobre 1987.

(3) « La morale, c'est beau dans les livres, aimait à rappeler Jean Yanne dans ses *Pensées, répliques, textes et anecdotes*, mais pas dans le business. Les gens admirent le Père de Foucauld, saint François d'Assise et sainte Thérèse de l'Enfant-Jésus, on leur sait gré d'avoir traversé le monde en laissant derrière eux un sillage de pureté, mais ceux qui, à longueur de journée, vantent leurs mérites, ne se seraient pour rien au monde associés avec eux pour ouvrir une boutique de confection. »

« Vies et légendes de Jean-Edern Hallier [1] »

par Philippe Sollers

« Dans cinquante-six ans, en 2032, donc, Jean-Edern Hallier aura l'âge qu'a aujourd'hui son père : quatre-vingt-seize ans. Toujours bon pied bon œil, il apparaîtra tous les jours à La Closerie des Lilas ou chez Lipp, commandera son quart de Vichy d'une voix forte, sera entouré immédiatement de jeunes gens prématurément vieillis et de modèles féminins éphémères. Les revues de l'époque publieront, tous les mois, un choix d'aphorismes de lui, seules quelques rares personnes se souviendront peut-être qu'un certain Cioran, vers la fin du XXe siècle, pouvait en ciseler de semblables, jugés, à l'époque, d'une profondeur vertigineuse et d'une forme parfaite. Exemple, entre mille : "Ce matin, le soleil s'est remis à briller. Une fois de plus, j'ai été frappé par l'inutilité éclatante de son existence." Hallier, prodigue de récits et d'anecdotes, fascinera son auditoire adolescent, qui connaîtra par cœur des passages entiers de *Fin de siècle* ou de *L'Évangile du fou*. Ses anciens ennemis auront disparu, ses amis aussi. Sa légende, à travers cinq ou six présidents de l'ancien régime, fera l'objet de rééditions soignées, carnets, correspondance, albums de photos, vidéocassettes. Il aura décidé, cette année-là, de lancer une jeune poétesse débutante, blonde, ravissante, et d'une grande perversité. Pour la centième fois, il sera attaqué, avec violence, par l'organe clandestin des transsexuels. Il ne portera pas plainte. *Le Figaro* et *L'Humanité* seront indignés. L'Académie française publiera un communiqué antiterroriste très ferme.

L'Évangile du fou, incontestablement son chef-d'œuvre, sera analysé dans toutes les universités de la RIF (République islamique française). Entre-temps, on est en effet passé de Cioran au Coran. Le début de *L'Évangile,* "le manuscrit de ma mère morte", est d'ailleurs, depuis longtemps, un classique. Avec une froide désinvolture, qui n'exclut pas les élans sentimentaux, Hallier y décrit le malentendu fondamental de son enfance, peut-être de toute enfance. Une mère idéale, fantasmée, aristocratique, une mère réelle aux origines tenues longtemps secrètes (c'est l'un des suspenses du livre) et qu'il ne découvre que sur son lit de mort. Il ne l'a jamais embrassée de sa vie, brusquement c'est la révélation mystique. Remarquez le parallélisme inversé avec Proust. Cette mère lui disant souvent : "Fais ton Foucauld !" Ici donc apparaît le Père de Foucauld, le missionnaire du désert, dont les manifestations surnaturelles ont commencé vers la fin des années 1980, à la grande surprise des observateurs. Foucauld, longtemps oublié pendant le règne des philosophes – on murmure même qu'un penseur des années 1960 aurait essayé d'emprunter son nom –, sera à nouveau au cœur des préoccupations militaires et spirituelles. La République islamique verra en lui un pont acceptable vers les chrétiens. Hallier, dont les connaissances intuitives n'ont pas besoin de lourdeurs érudites, a encore une fois visé juste. La vie rêvée, romancée, galopante de Foucauld est une bande dessinée de haut vol. Dans *L'Évangile,* roman qui mêle constamment le sérieux pathétique et la bouffonnerie rapide, on apprend en réalité la motivation sexuelle profonde de ce presque saint. Une intense masturbation au moyen de figues, d'abord ; une pulsion irrésistible homosexuelle ensuite (curieusement, ces détails, pourtant les plus savoureux du livre, ne sont pas évoqués par

le compte rendu enthousiaste du *Figaro Magazine* d'alors).
Hallier n'y va pas de main morte. Qui aime bien châtie bien :
les catholiques français en prennent pour leur grade, les jeunes
filles catholiques étant décrites comme "ayant toujours de gros
derrières". Rétrospectivement, on s'étonne de la mansuétude
dont a fait preuve, à l'époque, l'archevêché de Paris. Le chris-
tianisme était-il plus tolérant que l'islam ? Quelques-uns le
prétendent vicieusement encore, mais l'essentiel n'est pas là.
L'Évangile nous apporte la preuve brûlante que, dans les années
de décomposition accélérée de l'Occident, un auteur, au moins,
pressentait le grand retour du désert comme lieu central de la
métaphysique. Qui oserait, aujourd'hui, ne pas être frappé par
la justesse de cette prophétie ?

Hallier a toujours été un grand amoureux. Un de ses aphorismes célèbres, avec son fameux "Patrie, Famille, Travail", est,
on s'en souvient : "Je ne sais qu'écrire et caresser les femmes."
L'Évangile ne fait pas exception à cette règle d'or : une aventure
passionnée avec l'arrière-petite-fille de Foucauld se déroule en
Corse, au cours d'un été meurtrier. Sa passion des femmes
entraîne même Hallier à des rapports physiques acrobatiques
dans les vagues (moment d'émotion intense : le thème revient
régulièrement chez Hallier, comme l'a remarqué Michael
Hursowicz dans son admirable *Hallier et l'aquatique féminine*,
Beyrouth, 1999).

Comme souvent dans l'œuvre de Hallier, cette aventure finit
mal. Comme souvent aussi, Hallier en profite pour glisser
quelques confidences troubles sur ses goûts véritables. Cette
plasticité lui a valu, on le sait, l'indulgence de la censure qui
s'était émue, d'abord, de formules qui pouvaient laisser croire
à des convictions racistes chez cet auteur. On sait que l'ayatol-
lah Khomeini lui-même – paix sur lui ! que son nom soit béni ! –

avait fait justice de cette accusation. "J'ai lu *L'Évangile du fou*. Ce jeune homme a bien du talent" (Sa Sainteté Khomeini, *Derniers propos,* Téhéran, 1990). Étant donné, par ailleurs, le secret dévoilé par Hallier sur les origines de sa mère, aucune charge sérieuse n'a été retenue à l'Ouest contre lui.

L'Évangile du fou a été publié à la rentrée de 1986. C'était hier. Aucun autre ouvrage ne pouvait être mis en comparaison avec cette réussite complète. Les Archives sont d'ailleurs muettes sur les autres publications de cette période. Tant mieux. Hallier est grand. Allah nous protège. L'Esprit veille sans fin dans le tourbillon du temps. »

« Je ne savais à peu près rien d'elle, sinon qu'elle avait été la première épouse de mon père, et qu'elle était morte à vingt ans, de l'épidémie qui avait ravagé Paris pendant la guerre de 14-18, la grippe espagnole [2]. »

Jean-Edern Hallier, *L'Évangile du fou*

---

(1) Article paru dans *Le Nouvel Observateur,* dans la rubrique « Les romans de la rentrée », le 26 septembre 1986.

(2) La pandémie grippale connue sous le nom de « grippe espagnole » qui contribua beaucoup à entraîner la signature de l'armistice du 11 novembre 1918 a fait, selon les historiens, entre 20 millions et 100 millions de morts (principalement en Inde et en Chine), soit jusqu'à 5 % de la population mondiale de l'époque. Très injuste, son appellation est due au fait que l'Espagne – non impliquée dans la Première guerre mondiale – fut le seul pays à publier librement les informations concernant cette épidémie.

À l'issue de ses deux années de service militaire, le grand-père de l'auteur de cet ouvrage, Émilien Thiollet, fut mobilisé de 1914 à 1918. Médaillé militaire et croix de guerre, il participa notamment à la bataille de Verdun où il servit comme brancardier. Non gazé grièvement ni mutilé, il fut réquisitionné par l'armée jusqu'à fin 1919 pour faire face à la pandémie dite de « grippe espagnole ». Il put regagner son Poitou natal après sept ans d'absence et devint par la suite, de 1940 à 1965, maire de Champigny-le-Sec. C'est grâce à lui que son petit-fils eut, dès son plus jeune âge et pour la première fois, connaissance de l'existence de la « grippe espagnole » et de l'effroyable tragédie que constitua le génocide arménien.

Jean-Edern Hallier « croqué » par Georges Moustaki (1934-2013).

Abécédaire hallierien

> « C'est simple : tout ce qui a une forme finit par disparaître,
> mais certaines pensées laissent des traces éternelles. »
>
> Haruki Murakami, *Au sud de la frontière, à l'ouest du soleil*

Les réflexions et aphorismes contenus dans cet abécédaire s'inscrivent dans le prolongement de trois précédents recueils, publiés dans *Hallier, l'Edernel jeune homme, Hallier ou l'Edernité en marche* et *Hallier, Edernellement vôtre*. À lire « à sauts et à gambades » comme disait Montaigne...

Amazone

« Car cette mer douce, sous l'astre blanc est l'un des plus effroyables pièges qui se puissent concevoir – pour l'esprit s'entend, puisque les pires risques physiques peuvent toujours se conjuguer. Quelle est cette mer ? Elle a nom Amazone. »

(Chagrin d'amour)

Amérique

« L'ennemie publique du monde entier. »

(dans l'éditorial de *L'Idiot international* du 16 janvier 1991)

Amérique du Sud

« "Et qu'est-ce que l'Amérique du Sud ?" Je te répondrai : un voyage dont on ne revient pas. »

(Chagrin d'amour)

Amour

« "Je n'aime que les commencements", écrivait Madame de Staël. La vie m'a fait corriger sa formule. Aujourd'hui, j'écrirais : "Je n'aime que les agonies, les rémissions. Seuls les ultimes sursauts m'importent. L'amour vrai n'est qu'un effet de la mémoire." »

(Les Puissances du mal)

« Reste l'amour, à notre révolution des solitudes. J'ai si passionnément cru à l'amour que j'ai cru qu'il pourrait se substituer à Dieu. Je me trompais. »

(Bréviaire pour une jeunesse déracinée)

« J'aime. La preuve : toute mon œuvre a été écrite par de l'encre sympathique. »

(Le Refus ou la Leçon des ténèbres)

« La mesure de l'amour, c'est d'aimer sans mesure. »

(L'Évangile du fou)

Argent

« Pour les initiés, les austères théologiens de l'argent, les manipulateurs hautains, les riches et fils de riches, la voie de la fortune est toujours royale. Ils savent tous que l'argent en tant que tel n'existe pas. Ce n'est que la philosophie souveraine du pouvoir moderne. Sa pratique élitaire est réservée à quelques-uns : pareils aux cardinaux, ils ne croient pas en Dieu, mais ils officient pour sa foi. Aux autres de jalouser, de se lancer en de formidables et médiocres batailles de gagne-petit pour le conquérir et ne jamais le détenir. »

(Chagrin d'amour)

Aristocratie

« Entre des conjoints, pas de scène de ménage. Ni cris, ni coups, ni gifles, ni larmes – ou bien elles coulent sur des visages figés de gel et silencieux. Le bruit, c'est la vulgarité par excellence. On tolère juste ce qui est feutré – ou sous-entendu, allusif. Toute dispute se solde par un éloignement idéologique : c'est l'occasion idéale d'une séparation de corps. On fait chambre à part, ou bien les couverts des époux sont installés aux deux extrémités de la table. Ainsi, puisqu'on se fait un devoir de ne jamais parler haut, se déploie, s'étend sans fin le chuchotement des choses incomprises, des nuances balbutiées, ou des allusions impénétrables. La tradition des diplomates d'Ancien Régime y est pleinement retrouvée. Toutes les affaires de famille sont réglées, comme on dit : in petto. »

(Fin de siècle)

« Sur mes armoiries on peut lire "Haine ou mépris, tout m'est approbation[1]". Bref, je voudrais appliquer l'aristocratique aigu à tout ce vers quoi tend ma politique. »

(Chaque matin qui se lève est une leçon de courage)

« La forme la plus vivante du politique non fossilisé, sera culturelle, et aristocratique (...), dans la mesure où elle redeviendra l'affaire des meilleurs, sens étymologique d'"aristocratie". Ce que je veux : un socialisme féodal – c'est-à-dire un socialisme sans arbitraire ni oppression, pour éternels enfants, se constituant en autarcie spirituelle, et fondant les données d'une économie sentimentale du quotidien. »

(Chaque matin qui se lève est une leçon de courage)

---

(1) Devise rapportée dans l'émission « Tribunal des flagrants délires », diffusée sur France Inter, le 9 février 1981.

Art

« Les chefs-d'œuvre de l'art ne sont jamais que les épaves naufragées des grandes intelligences. »

(dans son autoportrait diffusé au cours de l'émission « L'homme en question. Jean-Edern Hallier », sur France 3, le 9 juillet 1978)

Beauté

« Si la beauté n'était pas tout ce qui plaît universellement sans concept, je distinguerais la beauté bellâtre latine, un peu molle, qui ne résiste pas à l'âge... – de la beauté hygiénique, en qui se combinent les hormones et la pureté chimérique de la race aryenne, germano-californienne, scandinavo-olympienne, un peu bêtasse... – et enfin de la beauté française. »

(Je rends heureux)

Bourgeoisie

« J'ai changé. C'est tout. Comme Van Gogh, je suis passé du gris aux tournesols. La bourgeoisie, c'est ma Hollande natale. Le passé, c'est le fumier ! Un paysan de l'avenir ne renie jamais un engrais aussi naturel. »

(propos recueillis par Olivier Soufflot de Magny [1929-2004] et reproduits dans *Chaque matin qui se lève est une leçon de courage*)

« Les contradictions au sein de la bourgeoisie ne sont pas moins fortes que celles qui existent au sein du peuple. De même la montée de la nouvelle bourgeoisie se fait au prix d'une formidable bataille ignorée. Car tous les bourgeois, anciens ou nouveaux, ont en commun leur mutisme : ils préservent de minables secrets, minables haines, minables suprématies, ou jalousies. »

(propos recueillis par Olivier Soufflot de Magny et reproduits dans *Chaque matin qui se lève est une leçon de courage*)

Bredin (Jean-Denis)

« Monsieur l'académicien, vous avez fait deux fautes de concordance de temps ! »

(propos tenus le 27 avril 1994 au cours d'une audience judiciaire et cités notamment par Jean-Claude Lamy dans *Hallier, l'idiot insaisissable.* Après une plaidoirie de Jean-Denis Bredin, la présidente du tribunal avait demandé à Hallier s'il avait quelque chose à déclarer. Hallier s'était tourné vers l'avocat en lui disant avec le plus grand calme cette phrase et s'était rassis sous les rires de la salle… Josyane Savigneau, alors journaliste au *Monde,* était défendue par Jean-Denis Bredin qui avait été élu à l'Académie française au fauteuil de Marguerite Yourcenar. L'audience de ce procès devant la première chambre civile du tribunal de Paris est racontée par François Gibault dans son livre intitulé *Libera me*).

Bretagne

« Je suis un homme des ancrages finistériens… Loin de la Bretagne, je suis un étranger. »

(dans un document audio, entendu dans l'émission « Une vie, une œuvre », diffusée sur France Culture, le 28 août 2008)

Buenos Aires

« Buenos Aires, ville trouble, crasseuse, ville inquiétante, distraite, où vous disparaissez sans laisser de trace. Ville de survivants et de marginaux, de morts-vivants et d'immortels, Buenos Aires, je t'aimais, de cette passion trouble des êtres perdus qui ne se retrouvent que dans les cités encore plus perdues qu'eux-mêmes ; malgré les rues rectilignes, les angles droits, des quartiers symétriques, à n'en plus finir, sur des kilomètres d'affilée… (…) Buenos-Aires est une plaine où l'on ne cesse de descendre. »

(Chagrin d'amour)

Bush (George H. W., 1924-2018)

« C'est un esclavagiste. C'est vraiment le type du planteur américain qui bat les esclaves jusqu'au sang et ensuite va lire la Bible à ses enfants… »

(dans l'émission de télévision « Double Jeu » animée par Thierry Ardisson et diffusée sur France 2, le 12 octobre 1991)

Caïnero

« Il se trouve que dans les parages d'Iquitos existe un poisson minuscule, long comme un demi-ongle, mais dont la puissance mythologique est effrayante. Ou vous en mourez, ou il en meurt : ce combat du dedans est sans merci. (…) La douleur qu'il inflige est insupportable, et souvent elle fait mourir avant même qu'un organe vital ne soit sérieusement endommagé. Prenez cette légende comme vous voudrez : le caïnero est aussi ce parasite invisible, sans nom, qui guette tous les hommes à tous les âges de la vie. »

(Chagrin d'amour)

« Car le caïnero est une incurable maladie qui commence avec la maturité et les illusions perdues. On en meurt toujours si l'on ne s'y prend pas à temps pour la vaincre avec rage – la vaincre politiquement et amoureusement. La vaincre par tous les moyens qui nous restent, fussent-ils dérisoirement ceux de l'art. Je veux dire : le grand art, ou la vie dont un fragment soudain détaché de cette nuit d'Amazonie roule dans la main qui se referme, et s'y incruste, bague inaltérable au noir diamant. »

(Chagrin d'amour)

Campagne

« Comme je veux que tu saches tout, je suis parti à la campagne pour me refaire une timidité. Je veux rougir comme autrefois, avoir les joues en jeu, et puis piaffer d'impatience et d'inconnu, comme lorsque nous reprenions possession du domaine dont nous étions les maîtres. »

(Je rends heureux)

Chant

« La voix, j'adore, c'est ce qu'il y a de plus beau dans l'humanité ! »

(au cours de l'émission intitulée « À titre provisoire » et diffusée sur France Inter, le 12 février 1995, après avoir écouté « Charmant oiseau qui sous l'ombrage » (Air de Lora), extrait de *La Perle du Brésil* de Félicien David, chanté par la soprano colorature Élisabeth Vidal)

Chine

« Un Chinois ne s'assimile pas : c'est un Juif universel et sédentaire régnant sur un formidable réseau arachnéen de terres promises, régies par les sociétés secrètes et la loi du retour. »

(Un barbare en Asie du Sud-Est)

« Non, le Chinois n'est pas un envahisseur, il est envahissant. Sur l'étagère, on croit avoir trouvé un seul vase. On en retrouve dix-sept. On ne peut plus mettre rien d'autre. Sur les trottoirs non plus... On est obligé de lui construire des quartiers entiers, ou des villes, de Singapour à Manille, les fameuses Chinatowns. De San Francisco à Madagascar. Au vrai, il se reproduit industriellement, il n'enfante pas, on le clone. D'un vase à l'autre, c'est une enfilade à perte de vue. Ils sont infracassables, sauf au casse-tête chinois, bien entendu. Mais, au-dedans, le Chinois ne laisse jamais l'autre s'emparer de son quant-à-soi. Une vapeur tenace que sa haine de l'Occident, du vieil homme blanc ! Lui a, au moins, la mémoire la plus longue ; les traités infamants de la fin du XIXe siècle, les annexions, les comptoirs de Shanghai ou de Canton avec les Européens lui ont laissé le souvenir cuisant d'une humiliation irréparable. »

(Un barbare en Asie du Sud-Est)

« Qui se vante d'avoir des contrats avec les Chinois signe sa propre perte. Car il enfreint les règles inavouées de la politesse : les affaires doivent rester secrètes si on veut qu'elles aboutissent. Le seul lien entre les hommes, le fil ténu de la parole donnée. Partout où sont les Chinois, c'est là le seul code. »

(Un barbare en Asie du Sud-Est)

« Nous n'avons jamais compris le fond de l'âme chinoise : son mode de pensée, c'est le protocole, et sa philosophie, la politesse. Les murailles de Chine, ce sont surtout d'infranchissables murailles de politesse.

Aussi les Blancs passent-ils pour d'effroyables barbares, d'une grossièreté qui passe les bornes. Le Yankee, c'est Gengis Khan et l'Européen, Attila. Ils ne comprennent rien à la délicatesse des vases Ming, au jade, au celadon, au lotus, à l'aileron de requin, au dégradé des couleurs du ciel et aux fleurs crémeuses de la Chine éternelle. »

(Un barbare en Asie du Sud-Est)

Chirac (Jacques)

« C'est dommage qu'il ait ce côté grand dadais, non ? »

(propos adressés à Valéry Giscard d'Estaing le 20 mai 1996 et rapportés par Jean Bothorel dans *Nous avons fait l'amour, vous allez faire la guerre*)

Clairvoyance

« Avec la clairvoyance, vous serez toujours exclu du cercle des maîtres de la société civile – cette oligarchie secrète, aux connivences frauduleuses, interdisant toute intransigeance enfantine et croyance vraie. Son seul souci : perpétuer les filiations ecclésiastiques des marchands du temple – et leur parvis s'appelle la médiacratie. »

(Chaque matin qui se lève est une leçon de courage)

« Colonnes de Buren »

« En dessous, quand il nous emmena à la lampe de poche pour une promenade nocturne sur la terrasse, ce n'étaient plus les jardins du Palais Royal, mais :

– On dirait les raffineries de Feyzin, dis-je à Léotard [1] en contemplant les colonnes de Von Buren éclairées, beaucoup plus laides encore que je ne l'imaginais, parfaitement à l'unisson du goût des politiciens en matière d'art, pyramides du XXIe siècle d'un Parthénon fluo que dominait une Pythie en robe blanche parmi les invités, appuyée au balcon, Ludmilla Tchérina, vieille Irène Papas recousue en poupée synthétique Pitanguy que les pharaons appelaient déjà maman... »

(« Journal intime », *L'Éventail,* septembre-octobre 1987)

---

(1) François Léotard, alors ministre de la Culture.

Communication

« La télématique dévore tout, et la télécommunication ratisse les restes. Comme son nom l'indique, cette dernière ne saurait utiliser que des agents neutres, des aiguilleurs, des manipulateurs, ou produire des spécialistes en communication – lesquels sont aux amants, pour nos beautés perdues, nos songes cristallisés, ce que seraient de pâles professeurs d'amour débitant des cours de sexualité pour des étudiants arriérés, et de surcroît impuissants. Bref, avec eux, la vraie vie se dissout dans le pur mécanisme, ou la parodie verbeuse. »

(Un barbare en Asie du Sud-Est)

Contradictions

« Il n'est point de véritable œuvre de chair – ou littéraire – qui ne soit l'exaspération insurmontable de ses propres contradictions. C'est parce que je n'aimais pas ma mère que je la pleurais... »

(L'Évangile du fou)

Courage

« ... le courage est aussi une aristocratie – mieux, la pointe la plus avancée de l'intelligence, le ciseau, celui qui permet de changer nos désastres en pierres de taille soudain ; avec lui, nous n'aurons plus à sculpter le néant, mais à laisser les traces tangibles quand bien même seraient-elles provisoires, de la vie. Cela consiste à ne pas savoir avant d'agir mais d'agir pour savoir, et briser tous les apriorismes. À la limite, cela s'appelle même l'irresponsabilité nécessaire. »

(Chaque matin qui se lève est une leçon de courage)

Création

« Il n'y a pas plus de cinq mille lecteurs capables de juger de la qualité d'une œuvre. Création et succès ne coïncident presque jamais. »

(Le Mauvais esprit)

« Ils avaient tous compris le secret du grand art, qui nous expose à toutes les persécutions, les censures, les rejets et les envols de pigeons écarlates tonnant autour de la pensée : comme en dessin, créer c'est détruire. Plus c'est détruit, plus c'est fort – et plus c'est vrai. »

(L'Évangile du fou)

Culture

« Toute culture est alliance de l'enracinement et du vagabondage. De l'errance. Mousse sur la pierre qui roule ou trop pointue, poinçon qui s'enfonce dans la chair trop tendre. Entre peau et cuir, cire et matrice. »

(dans son autoportrait diffusé au cours de l'émission « L'homme en question. Jean-Edern Hallier », sur France 3, le 9 juillet 1978)

Debray (Régis)

« Apprenti-écrivain », « Guy Lux des révolutions ».

(Le Monde, 14 décembre 1974)

« Debray est infaillible, mais moi, parce que je suis faillible, je suis allé au Chili. Suis-je parti en touriste ? Fiché par la CIA, j'étais sans illusion. Jamais un télégramme du général de Gaulle, comme pour Régis Debray en Bolivie, ne m'aurait sauvé la peau. »

(Le Monde, 14 décembre 1974)

Delay (Florence)

« C'était une merveilleuse amie intellectuelle à qui je lisais mes premiers textes. J'avais la passion de lire à haute voix. J'avais mon "gueuloir" d'amis et j'essayais mes textes. C'est une habitude que je n'ai jamais perdue. D'avoir un groupe d'amis et de mettre ma littérature en rodage au banc d'essai. »

(dans le manuscrit du *Peuple du livre,* ouvrage à base d'enregistrements réalisés en 1985 entre Jean-Edern Hallier et l'éditeur Jean-Jacques Pauvert, non publié et cité par Jean-Claude Lamy, dans *Hallier, l'idiot insaisissable*)

Deleuze (Gilles, 1925-1995)

« Deleuze n'a même pas (…) de féodalité à restaurer : sa pensée n'est qu'une traversée baroque de catégories kantiennes. Comme divertissement, elle me ravit, mais à y flairer de plus près, ce n'est que du vieux fromage de chèvre. »

(Chagrin d'amour)

Désir (Harlem)

« Le mulâtre de service, l'antiraciste stipendié, une main dans la caisse de l'oncle Tom et l'autre sur le cœur. »

(Les Puissances du mal)

« Harlem sans désir. »

(« Journal intime », *L'Éventail,* septembre-octobre 1987)

Dieu

« La seule excuse de Dieu, c'est de ne pas exister. »

(L'Évangile du fou)

« Papa est fier de toi, mon fils ! »

(en réponse à la question « Si Dieu existe, qu'aimeriez-vous, après votre mort, l'entendre vous dire ? », issue du fameux questionnaire de Proust et posée par Bernard Pivot dans l'émission « Bouillon de Culture » sur la chaîne de télévision française Antenne 2, le 26 avril 1992)

Dignité

« Relevez-vous, un peu de dignité, Monsieur ! »

(à la fin d'une « vraie-fausse » interview où les deux « journalistes » Jean Prévost et Pierre Desproges feignaient de se battre, dans « Le Petit Rapporteur », l'émission satirique de Jacques Martin et Bernard Lion, diffusée en direct sur la chaîne de télévision française TF1, le 23 novembre 1975)

Droit

« Le droit est autiste, c'est une infirmité imposée à la vérité. C'est ce qui la rend soudain aveugle, quand le vrai crève les yeux. La vérité ne se plaide pas. Pas plus qu'elle n'a besoin de preuves. Des preuves, nous voulons des preuves, répètent sans cesse les lâches. »

(Les Puissances du mal)

Droite

« Ce n'était pas un homme de gauche, mais de cette droite qui fait parfois la meilleure part de la gauche, la droite généreuse et émancipatrice – de Byron à Lafayette. »

(L'Évangile du fou)

Dumas (Roland)

« Faute de pouvoir devenir chanteur à vingt ans, il préféra faire chanter les autres. Déjà s'entrouvrait son avenir radieux de maître chanteur. »

(Les Puissances du mal)

Écrivain

« Ainsi, à la naissance de la littérature, pour qui tenterait de la confondre aux premiers dévoilements de sa propre enfance, estimant pour lors n'avoir d'autre planche de salut que cette vieille planche pourrie de la langue française, où rebondir vers l'infini devient de plus en plus malaisé, je choisis la fausse confidence tellement intensément ressentie comme vraie et, pourquoi pas, véridique. »

(Le Grand Écrivain)

« Maman, je serai un grand écrivain. »

(Le Grand Écrivain)

« Depuis Voltaire et Victor Hugo, j'ai été l'écrivain le plus persécuté de France. »

(Fax d'outre-tombe)

« Plus on les encule, plus ils en redemandent et je ne vois pas après tout pourquoi on se priverait de plumer ces animaux domestiques qui valent toute l'indulgente piété qu'on peut porter aux descendants dégénérés d'une race qui fut jadis illustre, celle des grands écrivains. Ils ne sont pourtant pas tous mauvais, loin s'en faut, les écrivains qui publient chez Gallimard, mais tous étrangement semblables, pâles comme vidés de leur sang, un peu gauches, l'air réservé, bien polis sur toutes les coutures avec leurs pantalons à plis de pauvre, mais plus formalistes au fond que vraiment bien élevés, distants, ou plutôt absents, paraissant souffrir d'une inguérissable psychasthélie bizarrement hors de la vie. »

(dans un tapuscrit de 1986-1987)

Édition

« Aujourd'hui, ce sont les petits éditeurs qui publient les bons livres. Les grands éditeurs vivent pour la plupart dans un système qui les oblige à être dans une sorte de course-poursuite de l'argent en publiant de plus en plus de livres avec des rotations de plus en plus rapides qui empêchent les livres de rester en fonds dans les librairies. »

(propos recueillis le 8 juillet 1995 par Jean Milossis)

Éducation

« Au reste, mon éducation – et tous les interdits qui l'accompagnèrent –, c'est l'aubier caché de ma vie sous l'écorce des apparences. »

(Fin de siècle)

« En cette forêt, nous nous serions assis tous les deux sur un rocher et tu m'aurais demandé gravement : "Papa, qu'est-ce que l'éducation ?" J'aurais fait semblant de réfléchir, la main sous le menton, avant de répondre : "C'est une promenade comme la nôtre, mais qui ne cesse jamais." Ingénue, elle m'aurait demandé : "Même quand on dort ?" Et moi : "Oui, même." »

(Chagrin d'amour)

Élites

« Le laisser-aller, l'approximation, la mollesse et la couardise ont lentement rongé les soi-disant élites de la nation. Elles sont rouillées, vieillies. Il n'y a plus que des petits notables qui s'accrochent indéfiniment à leurs places, tandis que la jeunesse est condamnée à une interminable et morne salle d'attente. Quand elle arrive enfin aux postes de commande, il est trop tard. Elle a abdiqué, elle s'est reniée elle-même pour réussir alors que ses conquêtes naturelles, ce passage des générations, devraient reposer sur son pouvoir de faire basculer le nouveau monde entre ses mains. »

(Les Puissances du mal)

Eltsine (Boris)

« Il a une gueule de pochtron absolument fantastique. Je crois que c'est un bon signe quand on veut vraiment gouverner la Russie. Regardez Pierre le Grand, regardez Ivan le Terrible, regardez Staline, c'était tous des pochtrons. Il faut être vodkaïsé complètement pour gouverner un pays comme la Russie ! »

(dans l'émission de télévision animée par Thierry Ardisson et diffusée le 12 octobre 1991)

Enfance

« Cantique de l'enfance, ô poumons de paroles. »

(Fin de siècle)

« Cette danse du mimétisme, c'est ce qui caractérise l'immaturité – l'incertitude polymorphe des premières années. L'ennui, c'est d'avoir prolongé indûment ces transferts chimériques. »

(Je rends heureux)

« À quel âge commence-t-on ou cesse-t-on d'être grand ? Billevesées ! De quelles certitudes les parents se croient-ils investis ? »

(Le Premier qui dort réveille l'autre)

« Aujourd'hui, en mon train endiablé, quand je me retourne, je vois d'autres enfants qui me poursuivent, et se rapprochent. L'un me ressemble singulièrement, avec ses yeux verts, sa mèche noire. Il me fait plus peur que les autres, avec son air de farouche détermination. Lui, est sans pitié. À sa moue dédaigneuse, à son regard perdu et fixe de voyant, je reconnais qui je fus – et qui je redeviens, quand je m'évade de la société des hommes pour travailler à l'un de mes livres. Ô solitudes enchantées ! Ma force d'oubli se déverse souvent en un havre de grâce, un vert paradis où le temps se gonfle, reprenant sa capillarité perdue, sa subjectivité, et ce rêve habité de réel. »

(Bréviaire pour une jeunesse déracinée)

« L'enfance n'est pas le temps de la gentillesse, de la facilité, de la tromperie, de la lâcheté, de la veulerie, du dégoût et de la vanité, mais bien plutôt celui de la rigueur, de l'intransigeance et de la non-compromission. Elle est un domaine spirituel d'où l'on a été exclu, un langage qu'on a oublié et dont on a perdu la clef ; et cette frustration est ressentie comme une souffrance, elle est la source d'une lancinante nostalgie – ce que j'appelle-rais ma douleur foucaldienne. »

(L'Évangile du fou)

« Toute citrouille peut devenir carrosse. Tout artichaut breton aussi. Toute vie d'enfant peut devenir la terre entière ou l'œil du cyclone. Et tout gravier recueilli quelque part dans la cour du palais de Schönbrunn, resté dans la chaussure d'un enfant comme une sorte d'insupportable douleur du temps qui passe, peut devenir l'occasion, la possibilité, le champ magnétique de l'imaginaire absolu. »

(dans son autoportrait diffusé au cours de l'émission « L'homme en question. Jean-Edern Hallier », sur la chaîne de télévision France 3, le 9 juillet 1978)

« Ma vie n'a été qu'une suite d'enfantillages. Mais entre mes enfantillages ou mes intuitions, et la crédibilité des gens prétendument politiques ou de certaines journalistes, eh bien, je préfère mes enfantillages. Entre mes intuitions et leurs pesanteurs de plomb, eh bien oui, je préfère... »

(au cours de l'émission « L'homme en question. Jean-Edern Hallier », diffusée sur la chaîne de télévision France 3, le 9 juillet 1978)

Espagne

« Toute sainteté est plus ou moins espagnole, de la grande sainte Thérèse d'Avila à saint Jean de la Croix : si Dieu était cyclope, comme je le suis, l'Espagne lui servirait d'œil. »
(L'Évangile du fou)

Essaouira (Mogador)

« Essaouira, ouf. Je ne dirais pas ce qu'Edwidge, Alice et moi avons fait pendant deux jours sur les admirables plages désertes à une vingtaine de kilomètres au Sud... Nus dans le vent, nous mitraillant de grains de sable, nous aimant, nous roulant dans les vagues, riant, riant, Dieu que nous rîmes : la mieuvre, la réduse, le carnaquan, la moulpie, chewing-gum sous-marin géant, nos poissons imaginaires, et la recherche dans les dunes des ossements de l'onk-ra-cri-cru... Nouvelles nourritures terrestres. Pas besoin de matelas, tout l'espace à nous, nous étions les vrais milliardaires, ceux de l'or du temps.

Après que nous eûmes refusé sur le port de manger les sardines du jour d'avant, le vendeur à bout d'arguments, nous répond : "Les sardines sont vieilles, mais la glace est fraîche." »
(« Journal intime », *L'Éventail,* septembre-octobre 1987)

« Essaouira, moi aussi j'aimerais y mourir un jour, ici et nulle part ailleurs, assis face aux remparts et à l'océan, au ciel et aux mouettes, mais de saisissement, par overdose de beauté. »

(L'Évangile du fou)

Fabius (Laurent)

« Laurent Fabius, cet autre Premier ministre qui porte à jamais une goutte de sang contaminé comme rosette de la Légion d'honneur. »

(Les Puissances du mal)

Fantasmes

« Personne n'est maître des fantasmes qu'on provoque, d'amour ou de haine, dans la société du spectacle. »

(au cours d'un entretien avec Yves Mourousi, dans le journal de la chaîne de télévision française TF1, diffusé en direct le 5 mai 1982)

Fatalité

« Faire que toute tragédie soit optimiste : en ce que la fatalité n'existe pas. Je ne puis m'empêcher d'employer sans cesse ma colère à le prouver à tous ceux qui prennent l'Histoire pour un lieu de pénitence et le mur de la difficulté pour celui des lamentations. »

(Chagrin d'amour)

Femmes

« Sans les femmes, je ne serais rien. Je suis rassuré de l'entendre. – Jean-Edern, viens, viens... Je suis venu, et en me redressant je suis allé me regarder dans la glace du cabinet de toilette, les cheveux hirsutes, le poil dru sur le menton, entre des plaques espacées de peau douce, qui sont toujours restées imberbes depuis mes blessures d'enfance, lors du siège de Budapest, en 1945. J'ai les paupières lourdes, les cernes sous les yeux, rimmelisé d'épuisement, acteur et unique spectateur de mon théâtre intime, je deviens à la fois Auguste le clown, et Auguste l'empereur, dont Suétone racontait qu'au dernier jour de sa vie, réclamant un miroir, il demandait à ses proches "s'il avait bien joué jusqu'au bout la farce de sa vie." »

(Carnets impudiques)

« J'étais à la fois voyou, amant, enfant ayant besoin d'être protégé terriblement. Si j'ai eu du charme auprès des femmes, c'est bien celui-là. Avoir été celui qu'elles avaient envie de protéger. J'aimais donc beaucoup les femmes. Le maximum de ma réussite de voyou, c'est d'avoir réussi à mettre trois filles sur les Champs-Élysées. À dix-huit ans. À cet âge-là, j'ai vécu pendant trois semaines de putains qui avaient décidé de travailler pour moi. Cette expérience de maquereau en bas de l'avenue de la Grande-Armée est restée inoubliable. »

(dans le manuscrit du *Peuple du livre,* ouvrage à base d'enregistrements réalisés en 1985 entre Jean-Edern Hallier et l'éditeur Jean-Jacques Pauvert, non publié et cité par Jean-Claude Lamy, dans *Hallier, l'idiot insaisissable*)

« Je ne sais qu'écrire et caresser les femmes. »

(propos rapportés par Philippe Sollers dans « Vies et légendes de Jean-Edern Hallier », *Le Nouvel Observateur,* 26 septembre 1986)

Fleuve

« À cet endroit, le fleuve se courbait, pareil au bras immense, jaunâtre et violacé, d'une tenancière de maison de passe orientale, bras posé sur le tapis vert de la jungle. »

(Chagrin d'amour)

Foi

« Plus la foi se déplace vers le Nord, plus elle a froid, plus elle doute. Plus elle descend vers le Sud, plus elle est prête à se faire sauter le caisson pour monter directement à Dieu. »

(L'Évangile du fou)

« La foi musulmane (…). Quoique son génie récupérateur soit incomparable, c'est aussi une inquisition de la simplicité, c'est le dernier requiem du pur sens biblique. Nous la haïssons parce qu'elle est tout le contraire de la spéculation bourgeoise occidentale. Tel est le secret de sa force terrifiante, qui nous glace et nous échappe : elle n'a pas été contaminée par les tartuferies de l'humanisme bourgeois. »

(L'Évangile du fou)

Foucauld (Charles de)

« Rue de Foucauld ! Je bénis le ciel de m'avoir permis de vivre des instants sublimes d'humilité dans cette cité où j'ai ressenti la quiétude et la piété vécues par ce saint pèlerin. »

(propos attribués, février 1986, à la découverte d'une plaque en pierre, portant le nom à peine lisible de Foucauld… alors qu'il en fait le héros de son *Évangile du fou* et qu'il marche dans les ruelles de la vieille médina d'Essaouira… durant un séjour à l'hôtel des Îles à Essaouira. Cité dans le manuscrit de *La Cité de la volupté,* de El Hassan Belcadi, ouvrage non publié et évoqué par Jean-Claude Lamy dans *Hallier, l'idiot insaisissable,*)

France

« Oui, la France était heureuse – abstraitement, puisque ce bonheur lui était distillé à longueur de journée, sur les ondes ou sur les écrans de télévision. On apprenait aux populations, entre deux annonces publicitaires, qu'elles étaient heureuses ;

et elles le croyaient. On les trempait dans une baignoire d'eau chaude, remplie par les robinets de l'information, mais les veines ouvertes. L'Europe et la France se mouraient d'hémorragie heureuse. »

(Chagrin d'amour)

« France, comment te serais-je infidèle ? Où que j'erre, ton image me poursuit. Terrible chagrin d'amour ou nostalgie d'une vieille liaison, nous subissons tous les séquelles de ces injections de sérum France, dont fut vaccinée notre première enfance. Mange donc ta soupe, si tu veux grandir. Une cuillerée pour l'oncle Georges, une cuillerée pour la France. À force de subir son emprise diffuse, de réfléchir, de rêver, ou même de souffrir pour elle, son image s'est brouillée. »

(La Cause des peuples)

« Cette France n'a pas su se délivrer de ses ennemis du dedans, à peine de son tuteur de Gaulle dont la statue de Commandeur sert encore d'emblème à une Cinquième République qui n'a plus rien à envier à la Troisième. Elle n'a été que pour un temps la France en marche : depuis, elle s'est arrêtée, après avoir manqué sa révolution. (…) Oui la France s'est arrêtée, la semelle plombée, engadouillée dans la vie quotidienne, le métro, l'opulence fin de siècle des drugstores, l'illusion futuriste des gratte-ciel et des supermarchés, la promotion, le goût de l'argent, la domination renforcée des médias. La société d'abondance s'est muée en société d'insignifiance. »

(La Cause des peuples)

« France, accablante de présence vague, insistante. Jamais, de l'Allemagne à l'Angleterre, de l'Italie à la Grèce, un peuple d'Europe n'a joué avec autant d'impudence de la corde de sa spécificité nationale. »

(La Cause des peuples)

« En France, comme en toute nation vieille, et frileuse, incapable de trouver un second souffle, chaque fois qu'on déplace une chaise, on hurle. C'est la pagaille au Musée Grévin. »

(Chaque matin qui se lève est une leçon de courage)

« La France, cette boutiquière internationale, vend des armes, mais elle a cessé d'être la fastueuse marchande d'histoire, d'idées révolutionnaires... Rousseau dans une poche, Montesquieu et Proudhon dans l'autre... Non, c'est une épicière, vissée à son ethnocentrisme petit-bourgeois, à ses querelles de clochers, à ses truquages, aux petits mensonges de ses dirigeants. Bref, je crois bien m'être trompé d'époque. Tout concourt à hâter la prise de conscience de la misère culturelle en Occident et notamment en France. »

(Chaque matin qui se lève est une leçon de courage)

« Survol à mille mètres d'altitude, entre Toulouse et Nîmes, de la France profonde.

Le pays vu d'en haut, en Beachcraft, révèle son vrai visage. La grande révolution française n'est pas 1789 mais celle qui s'est opérée discrètement, il y a vingt ans, avec le remembrement du cadastre. Tout a été bouleversé, jusqu'au climat. Nos Robespierre, nos Saint-Just, nos Couthon, d'obscurs employés municipaux. Avant, il y avait déjà eu deux révolutions, les tenures des serfs au Moyen Âge, et les routes de Louis XV. »

(« Journal intime », *L'Éventail,* septembre-octobre 1987)

Gauche

« La gauche est-elle une gauche de la parlerie ou des luttes ? »

(dans l'émission « Actuel 2 » présentée par Jean-Pierre Elkabbach et diffusée le 25 juin 1973 à l'antenne de l'ORTF – Office national de radiodiffusion télévision française)

Génération

« Une grande famille ne dépasse jamais trois générations. C'est bien connu. Mon héritage appartenait au XIXe siècle, il s'est dilapidé au milieu du XXe. Moi, j'entrais dans la quatrième génération, celle où il faut tout reprendre à son point de départ, celle des fondateurs ou des clochards de luxe. Et je l'avoue, j'ai bien longtemps hésité entre les deux. »

(dans le manuscrit du *Peuple du livre,* ouvrage à base d'enregistrements réalisés en 1985 entre Jean-Edern Hallier et l'éditeur Jean-Jacques Pauvert, non publié et cité par Jean-Claude Lamy, dans *Hallier, l'idiot insaisissable*)

Génie

« Le génie, c'est de durer... »

(L'Évangile du fou)

« Le génie égorge ce qu'il pille. »

(Fax d'outre-tombe)

« Le génie, c'est que vous êtes un autre dans une société de conformisme. »

(au cours de l'émission intitulée « À titre provisoire » et diffusée sur la station de radio France Inter, le 12 février 1995)

Genres (littéraires)

« À dire vrai, je me moque éperdument des genres. »

(dans l'Avertissement, daté du 6 novembre 1972, de *La Cause des peuples*)

Ghota

« Et les enquêtes sur les familles sont, à leur manière, des enquêtes sur le déclin des classes dominantes. Car en Europe

et en Amérique, c'est désormais la bouffe qui relève le gotha, dans l'économie gastrique, ignorée des classes : le Royal-coplait, lait pasteurisé, le Roi Normand, camembert, le Réserve des blasons, grand vin de table, gentilhomme after shave, la couronne castelnomienne, coton chirurgical, et j'en passe... »
(Chagrin d'amour)

Giscard d'Estaing (Valéry)

« Tous valets du régime, que dis-je, du fantasme giscardien, ce chef-d'œuvre de transparence et de vide. »

(propos tenus le 6 juin 1979 dans le cadre de la campagne officielle des élections européennes pour la liste Régions-Europe)

« Monsieur le Président, il y a longtemps que j'attendais ce moment. Merci de m'accueillir chez vous. Nous sommes, hein, de la même race, de la race des aristocrates, non... »

(propos tenus lors d'une rencontre le 20 mai 1996 qui eut lieu dans l'hôtel particulier de l'ancien président de la République, rue de Bénouville à Paris, et rapportés par Jean Bothorel dans *Nous avons fait l'amour, vous allez faire la guerre*)

Gorbatchev (Mikhaïl)

« Réfléchir à la tache de vin sur le front de Gorbachev : c'est une carte de Russie verticale, je m'étonne que personne ne l'ait remarqué. »

(« Journal intime », *L'Éventail,* septembre-octobre 1987)

« Je trouve que sa tache de vin est extrêmement laide et correspond à la Russie démantelée. »

(dans l'émission « Double Jeu » animée par Thierry Ardisson et diffusée sur la chaîne de télévision France 2, le 12 octobre 1991)

Grossouvre (François Durand de, 1918-1994)

« François de Gros Sous. »

(surnom attribué et rapporté notamment par Paul Barril dans *Guerres secrètes à l'Élysée*)

Guerre

« La guerre est haïssable, mais plus haïssables sont encore ceux qui poussent à la guerre pour la faire, les bellicistes du derrière. »

(*L'Idiot international,* 30 janvier 1991)

Hallier (Jean-Edern)

« Tout a commencé après la naissance avec les balbutiements, puis la petite enfance, à savoir : vouloir la lune. Comme tous les gosses, je voulais tout. D'abord, être maître du monde. Comme les autres, au même âge, j'étais mégalo, je rêvais d'être prince ou président de la République. Je voulais être officier comme mon père – mais en brûlant les étapes, en commençant par maréchal, à cause de l'uniforme. »

(dans le manuscrit du *Peuple du livre,* ouvrage à base d'enregistrements réalisés en 1985 entre Jean-Edern Hallier et l'éditeur Jean-Jacques Pauvert, non publié et cité par Jean-Claude Lamy, dans *Hallier, l'idiot insaisissable*)

« Et moi, vent noir je suis, vent noir je fus. Mais si j'y songe j'ai aussi tout été. En l'acte générateur d'un cosmos menacé d'épuisement, il aura fallu que je me dépense follement pour me régénérer. Renaissances multiples. »

(Fin de siècle)

« Cette petite musique [1], c'est toujours ce que j'ai tenté d'écrire – une mélodie sur dix-sept octaves combinant le levain de l'indignation et le pain du gai savoir avec l'humour, ce couteau sans manche et sans lame, qui est le véritable tranchant de l'intelligence. Il faut l'aiguiser tous les matins pour découper les plats du jour de la bêtise. »

(Les Puissances du mal)

« J'ai la puissance infime du grain de sable, sauf que c'est celui qui enraye la machine. C'est mon talent de plagiste. »

(Les Puissances du mal)

« Moi, j'ai ma propre terminologie pour briser l'épais manichéisme entre les bons et les mauvais – je veux dire les mauvais qui veulent se faire passer pour bons et les mauvais qui n'ont pas le choix, puisqu'ils ne sont pas assez nantis, gavés, dorlotés par le système pour qu'on leur reconnaisse la moindre qualité humaine. Je les appelle les dry et les wet – les secs et les humides, les grands humoristes et les charitables supérieurs au cœur de pierre qui, pareils aux grands chirurgiens, opèrent les yeux secs pour mieux sauver les hommes. Rien de tel que la clairvoyance technicienne, mécaniste et parfaitement désespérée, poussée jusqu'à la plus froide des mystiques – celle qui ne fait jamais aucune illusion sur les êtres et les choses. Non, ce n'est pas décourageant ce que j'écris. C'est la lumière de l'esprit, face à face. Or notre besoin de consolation est inépuisable – et nous avons besoin d'être dorlotés, menés jusqu'à la mort douce dans nos cavernes. Oh, je sais, la lumière m'a été fatale. Elle m'a rendu aveugle à Venise, il y a trois ans. Pourtant, dans mon voyage du capitaine Némo, vingt mille lieues sous la mer, ma réserve de lumière est inépuisable. »

(Les Puissances du mal)

---

[1] Allusion à un quintette de Mozart, « celui écrit en 1789, l'année radieuse où il composa aussi Così fan tutte ».

« J'ai presque toujours été sifflé en public et applaudi en secret. »

(Chaque matin qui se lève est une leçon de courage)

« ... il y a une image stéréotype, celle des marketings, de l'information, qui s'accorde mal avec mon travail politique. Certaines semaines, je ne peux ouvrir un journal sans voir ma photo, rien ne va plus, mon action – qui est essentiellement exemplaire – est dénaturée par l'extravagance qu'on me prête... Oui, quand on veut tuer son chien, on dit qu'il est enragé ou en l'occurrence fou... Alors, il m'arrive parfois de m'empêtrer, ou de ne plus dominer cette conspiration du vacarme qui accable tout esprit libre aux prises avec le système. Aujourd'hui, je suis découragé, c'est passager, je sais, mais j'avoue une certaine lassitude ; et pourtant je n'ai pas envie de me livrer aux chirurgiens esthétiques des médias, je sais ce que je suis, avec mes défauts, je ne veux pas me rendre crédible, c'est un conte de fées, une histoire à dormir debout que je raconte sur la société... La vérité, en somme ! Reste l'artiste, comme on dit... Salut l'artiste... »

(dans un entretien avec Gérard-Julien Salvy paru dans le premier numéro du magazine *L'Égoïste* et reproduit dans *Chaque matin qui se lève est une leçon de courage*)

« Cinquante ans. Je suis dans la plénitude de l'âge, du talent, de la séduction, et du sexe... (...) J'ai de l'humour, de la conversation, je chausse du 46. Je me contrefiche des attaques dont je suis l'objet, je m'emploie à tuer les modes jeunes, je contrains les miroirs à me répondre du tac au tac sans réfléchir. Je passe trop bien à la télévision, j'ai une belle voix de gorge profonde, je suis bon, généreux, et je pardonne aux autres les offenses que je leur fais quand je doute : suis-je quelqu'un de vraiment bien ? Je me rappelle que je me suis choisi comme ennemis les gens les plus objectivement haïssables (...). J'ai les épaules

larges, le ventre plat (ou presque) et une grande force physique, celle d'un bûcheron, ou d'un déménageur de meubles,
ou de poids lourds de la pensée... »

(« Journal intime », *L'Éventail,* septembre-octobre 1987)

« Je me reproche d'avoir perdu trop de temps à me justifier,
c'est-à-dire d'avoir attaché trop d'importance à l'opinion
d'autrui. Je suis parti de trop haut, et je n'ai cessé de vouloir
redescendre – vers le peuple, la misère, ou la pitié des femmes...
La chute, c'était mon vertige, mon oxygène. D'où mes innombrables malentendus avec ceux qui se pressaient pour monter
dans l'échelle sociale, mes collisions de barreaux... »

(« Journal intime », *L'Éventail,* septembre-octobre 1987)

« On me met à la tribune d'honneur, à côté de Jospin, on me
salue publiquement, on dit que je suis un grand intellectuel
courageux, bref, on me vaseline. Malgré toute mon insistance
à vouloir prendre la parole, on m'en a poliment, mais fermement empêché. Le lendemain *Sud-Ouest* titrait : Jean-Edern
Hallier n'a plus rien à dire. »

(« Journal intime », *L'Éventail,* septembre-octobre 1987)

« Tu seras un nabab, tu seras un raté, me disait mon père, si tu
continues à vivre à ta guise. Et j'ai continué. Je roule en carrosse, arbitre gâtouillant de vos élégances, idiot, bébé vagissant
ou romancier de droit divin, prince dur et tendre de ce temps.
Qui suis-je ? Je ne sais... Moi j'avance. Mais grand infirme du
temps qui passe, reconnaissez-moi au moins le mérite de boiter
autrement que vous. »

(dans son autoportrait diffusé au cours de l'émission « L'homme
en question. Jean-Edern Hallier », sur la chaîne de télévision
France 3, le 9 juillet 1978)

Histoire

« À la grande loterie de l'Histoire, choisissez : toujours reviennent les mêmes dates dont les ombres portées sont nos mises actuelles. À redouter si fort le vertige du présent, alpinistes de l'avenir, vous vous agrippez aux crampons du passé : à vous pencher trop en avant, peuples, dirigeants et épigones, craindriez-vous à ce point d'être précipités dans l'abîme ? (...) La France, fibrome de ce tissu aqueux, se livrait mollement à la manie de l'Histoire, et d'autant plus activement qu'elle en était désormais privée... »

(Chagrin d'amour)

Homme

« J'aime la manière dont les cocotiers poussent inclinés comme s'ils avaient tous été pliés par le même vent. Il en est de même pour la soumission naturelle de l'homme. »

(Journal d'outre-tombe, 22 décembre 1995)

Huguenin (Jean-René)

« Longtemps je me suis demandé si Jean-René n'avait pas voulu la mort, et je me le demanderai toujours... En un éclair fatal, se vit-il trompé sur l'avenir qu'on préparait aux hommes de ma génération, et à la jeunesse d'aujourd'hui ? Que tous ses combats seraient vains ? Il avait tout pour lui, il était incroyablement beau, il avait le charme, et l'étoffe d'un grand écrivain – quand bien même ses pages avec de la patte, pas encore de griffe, ne laissent-elles que pressentir ce qu'il aurait pu devenir.

Le besoin inné de vérité de la jeunesse l'habitait, faisait battre son cœur. Il avait la fougue, l'indignation d'un Bernanos, mais rhabillé en archange qui n'aurait pas encore retiré ses culottes de scout. »

(« Journal intime », *L'Éventail*, septembre-octobre 1987)

Idéologies

« Désormais, il faut passer par un surplus de phraséologie pour dénoncer la mort bien évidente des idéologies en cette fin de siècle. Ainsi les idéologies se survivent-elles paradoxalement, prolifèrent même, dans les discours de leur propre vacuité, et LA POUBELLE DE L'HISTOIRE DANS L'INDUSTRIE DE LA POU-BELLE... À longueur de journée, des tombereaux de fausses pensées, de nouvelle philosophie ! »

(dans un entretien avec Gérard-Julien Salvy paru dans le premier numéro du magazine *L'Égoïste* et reproduit dans *Chaque matin qui se lève est une leçon de courage*)

Idiot

« Être un idiot, c'est être un prince annonciateur. »

(document audio, dans l'émission « Une vie, une œuvre », diffusée à l'antenne de la station de radio France Culture, le 28 août 2008)

Image

« C'était le nouveau monde que je haïssais, le corps tremblant de rage, frissonnant de honte spirituelle devant tant d'indigence soudaine. Peu à peu il se mettait en place : la perte du relief, cette invention des plus grands artistes qui s'appelle la perspective. C'était un monde plat. Sans perspective, donc sans avenir, la civilisation de l'image. Avec ses journalistes, pareils aux poulets d'usines qui absorbent leurs propres déjections, comme ils n'en finissent plus de réingurgiter leurs propres clichés. Tout se jouait au présent, dans la vaporisation de la poudre d'os limés des vieillards, la drogue de cet Éden du pauvre, pour conjurer la famine. »

(L'Évangile du fou)

Iquitos

« Iquitos, l'un des eldorados sud-américains des chercheurs d'or en 1860. Les pépites disparurent, mais l'or des touristes les remplaça. (...) Seuls subsistent de la splendeur révolue d'Iquitos les tables de marbre, les pianos à queue, les carreaux de mosaïque et, sur la grand-place, une maison en fer, aux charpentes maintenues par de gros boulons apparents, construite par Eiffel – le grotesque Français de la Belle Époque sut faire école sous les Tropiques – avec des chambres comme des fours crématoires et des escaliers où grille instantanément la dure carne du buffle. Ville béante et alanguie, écrasée de chaleur, je la parcourus vers le fleuve imminent dans un taxi délabré aux amortisseurs perçant les banquettes dans les ornières de terre rouge. »

(Chagrin d'amour)

« Salpêtre, terre recuite, bois vermoulu resplendissaient plus que le plus beau marbre des plus riches demeures : jamais la glorieuse Venise n'avait égalé, en splendeur, la Belem des bas-fonds flottants d'Iquitos. »

(Chagrin d'amour)

Impressionnisme

« Le génie de l'impressionnisme, c'est d'avoir su imprimer sur la rétine du snobisme bourgeois qu'il pouvait y avoir une valeur absolue. »

(Les Puissances du mal)

Information

« La mosaïque de l'information n'est qu'un miroir brisé, recollé au gré du système. Ce recollage de morceaux du miroir brisé se fait parfois à rebours du bon sens : dans *Ouest-France,* une fois, à deux pages d'intervalle, paru une publicité vantant les mérites de telle firme et son jugement de mise en faillite. Mais ce genre d'accident, pour symbolique qu'il soit, est exceptionnel. En revanche, la mosaïque est soigneusement préparée : elle témoigne du dessin d'ensemble du capital, qui est de la rendre incompréhensible dans ses parties, et illusoirement cohérent grâce au cimentage. Jamais le transfert fabuleux d'un joueur de football ne passera en rubrique financière. La grève des apprentis lads, en rubrique éducation. Et, pour l'éducation, éducation naturelle dans la lutte, qui relatera la prise de conscience des ouvriers au cours d'une grève ? Ou pour la mort d'une vieille, inaugurera-t-on la rubrique : Mouroir des asiles ? Non. Révéler, et dissimuler, procéderont de la même technique : tendre au lecteur une image impressionniste, qui maintiendra cette division, cette fragmentation systématique du monde. »

(Chaque matin qui se lève est une leçon de courage)

Injustice

« Je suis un tueur prodigieusement original, si l'on me classe selon les normes de la criminologie : mon obsession véritable, elle s'appelle l'injustice. Elle m'étreint l'âme et l'intelligence, au point de me contraindre à commettre les actes irresponsables que la société me reproche (...). Personne n'a succombé sous mes coups. Car je ne suis qu'un assassin de papier – dont les armes passent par la machine à écrire, les feuillets, le marbre, les plaques et la rotative, autant d'opérations compliquées qui demandent la complicité active d'un grand nombre de gens. Mais cet assassin passe pour être autrement plus dangereux que l'autre. On le ménage, on ne le jette pas en prison sans toutes sortes de précautions. Un vieil adage affirme du reste : les révolutions commencent avec les procès de presse (...). Car je suis bien cet assassin : un journaliste révolutionnaire. Quand on m'exécute, la guillotine s'appelle Censure. »

(Chaque matin qui se lève est une leçon de courage)

Islam

« Ce qui oppose fondamentalement l'Islam et l'Occident chrétien, ce sont deux conceptions antagonistes de l'hygiène : ce qui distingue le chrétien du musulman, c'est que ce dernier se lave. Avant et après avoir prié, il se lave coraniquement. Le vieil homme blanc est sale, il l'est à cause de la souillure du péché. Il ne vise que la purification de l'âme. En Palestine, on reconnaissait à cette époque un couvent chrétien à la puanteur infecte qu'il répandait. Il n'avait son pareil que dans le Versailles de la cour de Louis XIV, digne descendant d'Henri IV qui ne s'était jamais lavé de sa vie, roi pétomane de l'anus solaire du Grand Siècle. Je sais à quel point ces choses sont désagréables à rappeler à notre amour-propre... »

(L'Évangile du fou)

Jazz

« Nuit au Bilboquet, plus de vrai jazz, des nostalgiques, des jazz-been. Il y a aussi les jazz-bean, les jeunes dansant le funk, des haricots sauteurs... »

(« Journal intime », *L'Éventail,* septembre-octobre 1987)

Journalisme

« Le journalisme, contrairement à l'idée reçue, ne descend pas aussi simplement des gazettes, des rotatives et de l'invention de la typographie que le train de la machine à vapeur, ou le supersonique de ses réacteurs. Il descend de l'émerveillement, de l'enchantement et de l'esprit de découverte : le capitaine Cook, aux îles Fidji, les voyages de Bougainville, ceux de Marco Polo, ou les explorations d'Amérique du Sud du géographe, savant et poète Humboldt, sont autant d'admirables exemples de journalisme. Le journalisme n'a pas eu besoin, non plus, d'attendre le siècle des Lumières, la révolution anglaise du XVIIIᵉ, ou l'invention de la typographie. Tacite et Alexandre et Comines, celui des croisades, tous ces hommes avaient en commun l'imagination, l'intelligence, le talent, et une culture encyclopédique. L'*Itinéraire de Paris à Jérusalem* de Chateaubriand, les *Méditations sud-américaines*, et *Le Voyage d'un philosophe* de Keyserling, *D'autres terres en vue* d'Élie Faure sont aussi du très grand journalisme parce que ce sont, avant tout, des morceaux de grande littérature : le style et la vision y sont irremplaçables. À toutes ces qualités que je viens d'énumérer s'ajoute la dimension cosmogonique et mythique de l'histoire que seuls certains individus sont capables d'embrasser et de faire vivre. »

(Un barbare en Asie du Sud-Est)

« Le journalisme est au voyage ce que le tourisme est à l'aventure... »

(Un barbare en Asie du Sud-Est)

« ... De même que pour les Chinois il existe sept sortes de musique, plus la mauvaise qui mérite la peine de mort, il existe au moins neuf littératures, plus la mauvaise – et cette dernière a un nom, le journalisme. »

(Un barbare en Asie du Sud-Est)

« C'est très bien, ça vous élève, ça vous surélève… »

(en réplique à l'animateur de l'émission intitulée « À titre provisoire » et diffusée à l'antenne de la station France Inter, le 12 février 1995, qui venait de lui dire « Vos livres, je m'assois dessus. Je m'assois sur l'œuvre de Jean-Edern Hallier. »)

Journaliste

« Le journaliste, un sous-officier de gendarmerie abruti qui tire sur tout ce qui bouge ! »
(L'Évangile du fou)

« Le magicien du néant, c'est moi ! Merlin le Désenchanteur ! Nous autres journalistes, nous n'avons pas notre pareil pour le changer en spectacle – comme dirait le grand poète Mallarmé, en "conque d'inanité sonore"… Tenez, les sommets télévisés des grands de ce monde, où il ne se passe jamais rien, nous réussissons à les dramatiser. Mieux que Sophocle, ou Shakespeare ! En plus nous avons inventé l'histoire immobile ! Plus besoin d'historiens, de Michelet, de Toynbee ! Nous avons truqué le présent, effacé le passé et confisqué l'avenir. »
(L'Évangile du fou)

Juifs

« Qu'a-t-on à reprocher aux juifs ? Il n'est point de meilleure compagnie que la leur. Avec leur rapidité vibrionnaire, ils comprennent plus vite que tous les autres. Ils font monter des choses ; ils sont le levain de la pâte molle de la race blanche. Sans eux, le monde périrait d'ennui. Pour empêcher le monde de s'endormir, ils ont produit des emmerdeurs inouïs, littéralement insurpassables – Jésus, Marx, Freud. Et qui plus est, avec un malin plaisir, ils emmerdent de préférence les juifs ! »
(L'Évangile du fou)

Justice

« Alors, il prenait machinalement entre ses doigts un petit presse-papiers en bronze représentant une balance de la justice ; il le tournait, le tordait, symbole de l'institution manipulé par des mains humaines. Oui, qu'était cette justice, sinon un presse-papiers dérisoire de la bourgeoisie, bibelot de l'institution soupçonnée de n'être ni juste ni respectable, entre les doigts d'un homme, soumis, comme chacun d'entre nous, aux passions humaines, à la carrière, aux jalousies, colères, incertitudes, et, par-dessus tout, aux pressions occultes du pouvoir ? Humain, trop humain... Et aujourd'hui, de quoi suis-je coupable ? D'outrage à magistrat ? Ou d'ouvrage à presse-papiers ? »

(Chagrin d'amour)

La Boissière

« Monsieur le Trésorier,

Apprenant qu'un huissier du Trésor, monsieur Henri Quivoron, était venu pour saisir mes meubles personnels dans la propriété de ma fille Arianne, à Briec-sur-Odet, je m'indigne de cette démarche.

(...) Ce n'est pas tout : cette propriété est la demeure sacrée de ma mémoire d'écrivain. Elle sera changée un jour en musée.

(...) C'est au château de la Boissière qu'a commencé la révolte du timbre, celle des Bonnets rouges. Quand on a voulu y porter atteinte, les percepteurs et les trésoriers ont été pendus. Un peu de souvenir de l'histoire bretonne, messieurs. Je ne voudrais pas qu'une telle extrémité puisse vous arriver.

(Fax d'outre-tombe : Voltaire tous les jours 1992-1996)

Lalonde (Brice)

« … Venant à l'écologie en amoureux d'un dessin de Peynet… »

(Chaque matin qui se lève est une leçon de courage)

Lang (Jack)

« Gaystapette. »

(surnom donné par Hallier qui affirmait que sous la direction de Jack Lang, le ministère de la Culture était devenu une succursale de la Propagandastaffel mitterrandienne, et mentionné dans *L'Évangile du fou*)

« Vu Jack Lang au Sept. Question : Pourquoi un Mitterrand aime-t-il un Lang ? Pour son arrogance servile ? Pour son effronterie à la fois affichée et lâche ? Non, il en est fou, de son visage fait de deux fesses écartées autour d'un nez en forme de queue. Comme les interminables qu'eu, eu, eu, euh qui sortent de la bouche du président, molles chevilles syntaxiques révélatrices de la lenteur de sa pensée. Il est ivre d'amour pour lui, ce crinophile, pour ses cheveux bouclés tout comme la base d'un membre viril. »

(Carnets impudiques)

« Devinez quel fut le premier film projeté pour le clan dans la moelleuse intimité du Tonton roi ? Le *Napoléon* d'Abel Gance, que Lang a laissé mourir de misère dans un hospice, tandis qu'il montait à Rome une fastueuse opération franco-américaine pour sa promotion ? Du Bresson, que Lang a forcé d'embaucher sa propre fille, présidente des jeunesses socialistes, dans le rôle principal de son dernier film, pour qu'il pût être financé, puis sélectionné à Cannes ? Que de sordides magouilles ! Quel aura été le nec plus ultra confidentiel du clan, le comble de son raffinement, lui qui a mis la culture au pinacle ? Je vous le donne en mille : ce film, *Le Coup de sirocco !* Qu'il les emporte tous... »

(Les Puissances du mal)

Langue

« Il faut jouer avec le langage. C'est un instrument. Il faut arriver à en tirer les notes les plus merveilleuses, celles de feue la Callas, celles de *Lakmé*. Une langue, c'est une mélodie avant tout. »

(au cours de l'émission intitulée « À titre provisoire » et diffusée à l'antenne de la station de radio France Inter, le 12 février 1995)

Lapsus

« Le lapsus, la langue qui fourche, le coq-à-l'âne involontaire, la coquille parfois, ou la faute de frappe, peuvent être d'extraordinaires alambics aux néologismes.

Ma secrétaire a tapé l'autre jour : puissance intellecruelle, au lieu d'intellectuelle, à propos du marquis de Sade. Ou bien il m'est arrivé d'écrire sans le vouloir, parce que j'étais pressé, le couple se calèche au bois au lieu de : "se rend en calèche au bois. Câlin et lèche, c'est adorable..." »

(« Journal intime », *L'Éventail,* septembre-octobre 1987)

Le Pen (Jean-Marie)

« Avec la seconde cohabitation, de 1993 à 1995, le fleuve de boue prêt à déborder redevint souterrain. La droite, pieds et poings liés, devint la complice du marchandage de la honte. Par peur de la vérité, les cadavres s'entassèrent dans les placards. Ce troc pitoyable fut l'apologie des politiciens de tout bord. Le Pen devint le ferrailleur enrichi des valeurs morales à la casse. »

(Les Puissances du mal)

Liberté

« Toute liberté est une provocation pour autrui, mais une épreuve pour soi-même... »

(Chaque matin qui se lève est une leçon de courage)

Lit

« Le lit est bien plus dangereux que l'auto : quand on voit le nombre de gens morts au lit, on ferait mieux d'hésiter deux fois avant d'utiliser ce moyen de transport. »

(« Journal intime », *L'Éventail,* septembre-octobre 1987)

Littérature

« La littérature, c'était une fin, et une faim spirituelle, mais aussi un moyen de réussir – comme les femmes. »

(Je rends heureux)

« La puissance de la littérature reste inégalable. »

(dans le « prière d'insérer » de *L'Honneur perdu de François Mitterrand*)

« L'avenir de la littérature, c'est détruire ! Nous avons besoin d'eaux-fortes de la réalité, à grands jets d'acide fumant sur les photographies glacifiées des grands de ce monde ! Étalez leur vie privée au grand jour, eux qui nous en vendent une fausse ! Racontez l'alcoolisme des princesses ! Les vices des vedettes aux idylles préfabriquées pour les nioues magazines ! Les turpitudes intimes des politiciens ! Les enfants abandonnés des présidents de la république ! Les chantages ignobles des professeurs de morale ! Les croassements malodorants des droits de l'homme-grenouille ! Les partis dégouttant de bons sentiments ! Les fausses factures de l'aide au tiers-monde ! Les restaurants des haut-le-cœur ! Montrez les gens tels qu'ils sont

– et montrez-les même bien, s'ils sont bien. Appelez-les aussi par leur nom, contre tous les avocaillons ! L'envers du décor, il n'y a que ça de vrai ! Nous avons besoin de vérité. »

(L'Évangile du fou)

« ... s'il est bien un domaine où la torture ne soit pas abolie, c'est la littérature. Comment se faire reconnaître ? Dès que l'on risque, on tombe sous la coupe de bourreaux minables – tel est le sort commun du créateur. Surtout, taisez-vous : vous criez, on vous tordra le bras. Si vous vous débattez, on vous couvrira d'injures, on vous passera au pilori. Ou bien ces meurtriers indélicats, par omission, les maîtres censeurs vous condamneront au silence. Oui, vous autres écrivains, n'avez-vous pas l'éternité devant vous ? Laissez donc la place aux autres... Or la littérature, seule, dans l'ordre des hiérarchies, occupe la première place, celle qui relève de l'imaginaire et de la morale. »

(dans *Le Monde* du 10-11 décembre 1978, « Jean-Edern Hallier tel qu'en lui-même... »)

« La littérature, c'est mémoire, c'est filiation... Ce sont des tranches de la vie contre les morts en espérant être meilleur qu'eux... »

(au cours de l'émission intitulée « À titre provisoire » et diffusée à l'antenne de la station de radio France Inter, le 12 février 1995)

Livre

« La religion du livre n'est plus que celle des journalistes qui se prennent pour des écrivains. Car si se distingue à jamais l'écrivain du journaliste, c'est que l'un a une vision originale et l'autre hante les lieux communs. »

(Les Puissances du mal)

Macronisme [1]

« Un régime libéral réformiste pour qui la pire menace reste encore les doléances du peuple. Car ce régime ne peut se permettre d'accepter du bas ce qu'il a pour fonction d'octroyer du haut. »

(Chagrin d'amour)

Marianne

« Marianne ! Vieille courtisane ridée, grimaçante, en ton nom, jadis, j'avais prononcé les pires absurdités sur l'esprit français, sur la France, fille aînée de l'Église, et sur la République française, libératrice des opprimés, inspiratrice des grandes idées de liberté. Au XIXe siècle, j'aurais été dupe. »

(La Cause des peuples)

Marx (Karl, 1818-1883)

« Le type qui a réussi à gouverner avec ses idées la moitié du monde. De Vladivostok à Berlin. Un exploit sans précédent pour un philosophe. »

(dans l'émission de télévision « Double Jeu » animée par Thierry Ardisson et diffusée sur France 2, le 12 octobre 1991)

---

[1] Mot qui n'existait évidemment pas du vivant de Hallier et que l'auteur de cet ouvrage a pris la liberté d'appliquer à une définition trouvée dans *Chagrin d'amour*, paru en 1974.

Mauroy (Pierre, 1928-2013)

« Giscard péchait par naïveté : c'était un puceau. Jamais il n'aurait fait T. G. ministre de l'Agriculture, alors qu'une belle crinière rousse, je ne la citerai pas, doit se balader aujourd'hui du côté du Commerce extérieur. Elle aurait sûrement été bien meilleure, la compétence des ministres se limitant strictement aujourd'hui à leur métier d'acteur pour des rôles qu'ils ne savent pas jouer non plus. Ou O. W., délicieuse journaliste, à la tête de la haute autorité de l'audiovisuel où officie, si je ne m'abuse, l'une de celles que Mitterrand a le mieux aimées jadis. Elle préférait elle aussi, ayant du goût, les noirs d'ébène aux hommes politiques. Les rumeurs traînent lourdement… Ah, les grands congélateurs du pouvoir !

Pour M. C., qui s'était déjà farci Rougeaud de Lille, pas dégoûtée la goulue, le président eut le mot viandu : "Vous la prenez dans votre stock." Mauroy ne pouvait faire autrement !

Je ne les cite pas nommément, je craindrais trop qu'elles se crussent diffamées d'avoir partagé la couche de ce rognon lubrique, de ce cul d'ensorcelé, ces créatures harassées et adorables. »

(L'Honneur perdu de François Mitterrand)

Mémoire

« À mesure que nous vieillissons, la mémoire prend des rides, des ombres et des lumières plus fortes. Après l'éblouissement impressionniste de l'adolescence, c'est le clair-obscur de Rembrandt qui marque le temps retrouvé. »

(Les Puissances du mal)

Milieu littéraire

« Mafia germanopratine. »

(formulation attribuée à Hallier et rapportée notamment par Roberto Gac dans l'article intitulé « Les rentrées littéraires et Madame Filipetti, ministre de la Culture et romancière », et publié par la revue *Sens public* en janvier 2014)

Mitterrand (François)

« Le scandale est qu'il n'y ait pas de scandale. À côté de Kurt Waldheim, ancien président autrichien et ancien secrétaire général de l'ONU, convaincu par Israël d'avoir été un officier allemand proche du national-socialisme, Mitterrand est un monstre qui aurait dû être exécuté à la Libération pour sa collaboration avec les nazis. »

(Les Puissances du mal)

« Ainsi avais-je été le premier à raconter le passé cagoulard de Mitterrand. C'était le fascisme en pantoufles qui collait à son état civil. En effet, on appelle les Charentais cagouillards. Il montrait que ce dernier n'avait jamais été résistant – et le démontage de ses fausses évasions, et blessures dans le dos, rajoutait une touche de comique piteux à ce portrait de mythomane. Rappelons donc cette période tellement controversée de l'Histoire de France – et qui ne viendra vraiment au jour que lorsque les archives de Vichy seront enfin exhumées. Mitterrand aura bien essayé de faire disparaître les plus compromettantes mais les taches indélébiles réapparaissaient toujours sur les tissus de l'Histoire les mieux nettoyés. La traversée mitterrandienne de ces années est pour le moins déshonorante. Plus gravement, elle est celle de la France tout entière qui l'a élu et protégé en raison de ce déshonneur inavouable qu'ils portaient en eux. C'est celui du conformisme d'un peuple traversé par l'esprit de défaite. L'antisémitisme, c'était le conformisme des années 1940. De toutes les dépravations morales, le conformisme est la racine de tous les maux. Attitude sans jugement personnel, c'est par conformisme qu'on accepte la mort de millions d'innocents. Bref, Mitterrand était un homme sans qualité, ordinaire. Il n'a été grandi que par notre propre médiocrité. »

(Les Puissances du mal)

« Mitterrand fut le premier négationniste de France. Quand il visita avec sept journalistes étrangers le champ de Dachau, le 2 mai 1945, il fut le seul à ne point parler de ces chambres à gaz édifiées sur le lieu, ni des trains de fourgons à bestiaux, aux rames abandonnées, où s'amoncelaient les cadavres de juifs. En ce temps-là, il dirigeait un quotidien, *Libres*. François Mauriac s'en indigna. Même si cela crevait les yeux, Mitterrand n'avait vu que les loreleï du paisible peuple allemand – et surtout, pour lui qui s'était taillé une place au soleil, à représenter les prisonniers français, les glorieux pioupious de la défaite. La révélation de cette horreur collective lui fait perdre son fromage politicien. Là aussi, il aura fallu près d'un demi-siècle pour que la shoah vienne pleinement à jour. C'est l'Histoire revisitée contre le révisionnisme – ou le silence coupable. Mitterrand ne pouvait être que révisionniste lui-même, puisqu'il lui fallut se fabriquer une histoire. Révisionniste, il l'était viscéralement. D'ailleurs, il ne pouvait pas faire autrement. Il a mis un acharnement touchant à embellir son image, à effacer ses fautes et à maquiller son passé. C'est un masque mille fois tiré, fardé, emplâtré, et ravaudé par toutes les chirurgies esthétiques de la fausse mémoire. Tout à tour agent vichyssois, agent atlantiste, à la solde des Américains, et agent du colonialisme, il ne fut qu'un petit politicien à gages, un instrument stipendié des lobbies successifs qui le financèrent. Quand il devint président de la République, une grande vision historique eût pu excuser ses turpitudes. Il n'en fut rien. Il avait la vue trop basse. Après avoir tardivement compris la défaite nazie et la décolonisation, il ne vit venir ni la chute du mur de Berlin, ni celle du communisme. À la traîne des Américains, il perdit la réputation française dans la guerre d'Irak, il asservit le franc au deutsche mark et il fit des millions de chômeurs. »

(Les Puissances du mal)

« Mitterrand qui a tout rapetissé m'a condamné à la grandeur. »

(Les Puissances du mal)

« Il a un fils débile, il a un fils débile, et escroc en plus ! »

(dans le cadre d'une émission de télévision consacrée au pouvoir héréditaire et à l'occasion d'une repartie quelque peu désopilante à Arlette Laguiller qui disait « Supposez que Mitterrand ait un fils débile. »)

Modernité

« En matière de répression, la société des droits de l'homme a fait de remarquables progrès. Elle peut fonctionner sans se démasquer puisqu'elle bénéficie en plus de l'électricité et de l'informatique, alors que jadis, elle n'avait que la lettre de cachet. À dix mille mètres d'altitude on peut désormais déchiffrer une plaque d'immatriculation. Le moindre plant de tabac peut se détecter sous un toit à l'infrarouge, et demain les décrypteurs de cerveaux seront en mesure de déchiffrer les grilles de nos pensées les plus secrètes. Ainsi mis sous haute surveillance, les polices à venir nous verront d'autant plus facilement en clair que la barrière entre la vie publique et la vie privée sera technologiquement abolie. Quoi de pire qu'une intimité décodée ! Ajoutons qu'avec les fiches informatiques le génocide contre les juifs aurait complètement réussi. Nous possédons les moyens d'une extermination complète et sans bavure. »

(Les Puissances du mal)

Monde

« Un monde sans jolie fille est un monde mort. »

(Les Puissances du mal)

« Le monde finira comme un incroyable alourdissement des paupières. »

(au cours de l'émission intitulée « À titre provisoire » et diffusée à l'antenne de la station de radio France Inter, le 12 février 1995)

Monde (littéraire)

« En fait, je supportais fort mal ce monde littéraire avec ses besogneux montés du col. Pour avoir connu les derniers grands écrivains, la société des revues, et les splendides disputes qui les faisaient vivre, je ne m'accommodais pas de la disparition des salons où j'avais été élevé – et de l'esprit français qui m'avait fait briller dès mon adolescence dans les parterres cultivés.

Qu'est devenu ce monde englouti ? Titanic du bon goût, du raffinement et de l'esprit, il a sombré corps et biens. Son épave ne gît même plus dans un océan, mais dans une vilaine petite cuvette. Ses tempêtes sont dans un verre d'eau. Dieu qu'il est tiédasse à ingurgiter ! Professionnellement, je suis obligé de le fréquenter parfois, mais le moins souvent possible. Deux ou trois fois par an, je m'y plonge avec écœurement. Quelle bienheureuse surprise en attendre ? La renaissance de la littérature ne se fera pas en son sein, mais au-dehors, par communauté singulière – d'étranges abbayes de Thélème. Comme des bouteilles à la mer, il y aura aussi quelques grands solitaires qui lanceront leur message sur Internet. »

(Les Puissances du mal)

Mort

« Et si la course de ma vie n'est pas achevée, loin s'en faut, il m'arrive pourtant d'apercevoir au-delà de l'avant-dernière courbe cette ligne noire où je m'engouffre vers l'océan mortuaire des songes immobiles. »

(Fin de siècle)

« Mourir tôt n'est pas mourir trop tôt, mais obliger les autres à vivre trop tard. »

(Je rends heureux)

« La vision sans merci, de complicité avec notre perte, consent enfin à l'indémontrable, à l'idée que quelque chose existe, et qui, stimulant enfin la mort en nous, à chaque instant nous empêche de vieillir. Notre devoir ici-bas : ne jamais oublier d'être nos ennemis inconditionnels. »

(L'Évangile du fou)

« Tout passe, trépasse, il faut chanter à réveiller les morts. L'homme n'est qu'une mouche du coche. Allez cocher, fouette, lacère l'air du temps. Bonjour, moi, je roule pour vous. »

(dans son autoportrait diffusé au cours de l'émission « L'homme en question. Jean-Edern Hallier », sur la chaîne de télévision France 3, le 9 juillet 1978)

« Nous qui aimons la mort, créons afin de lui permettre d'anéantir, sinon son propre pouvoir la ferait disparaître. La pulsion de mort et l'humour sont les deux grandes oscillations de la vraie vie. La mort, messieurs dames, tout homme décidé à mourir peut agir sur les événements. Derrière tous les événements, il y a un homme décidé à mourir. »

(dans son autoportrait diffusé au cours de l'émission « L'homme en question. Jean-Edern Hallier », sur la chaîne de télévision France 3, le 9 juillet 1978)

« Je suis plutôt fier de moi. Après ma mort, je serai plus aimé que de mon vivant. »

(au cours de l'émission intitulée « À titre provisoire » et diffusée à l'antenne de la station de radio France Inter, le 12 février 1995)

Musique

« Déjà les notes de la lettre à Élise me revenaient, un seul doigt sur le piano fêlé de la mémoire. »

(Fin de siècle)

Mythes

« Or les mythes sont les cônes durs, les tertres noirs, ces sides du pays de Galles, ces points obscurs d'ancrage de nos cultures qui les forcent à se ressouvenir, dans les périodes difficiles, de ce qu'hier elles furent et demain elles devront être pour se perpétuer. »

(Fin de siècle)

Nabab

« Le nabab, c'est d'abord un débauché de l'imaginaire qui en rêve toujours beaucoup plus qu'il n'en fait, mais à qui l'on en prête bien plus, comme à tous les riches en or du temps... Ce que veut le nabab, c'est épater la galerie – avec les protagonistes de sa nursery intime, ses tigres, ses éléphants, ses immortels. »

(L'Évangile du fou)

Noir

« Qu'est-ce que le noir ? Le noir est pire que la nuit. Le noir n'est pas une couleur : il ne s'écaille ni ne se gratte avec l'ongle. Le noir est épais, intraversable. Que l'on avance ou recule, c'est toujours le même noir. À droite, à gauche, aussi. »

(Le Premier qui dort réveille l'autre)

Œuvre

« Je parie pour mon illisibilité immédiate en vue d'une lisibilité à venir. Car les œuvres qui témoignent de notre passage de vivants dans notre grande nuit historique ressemblent aux comètes : elles ne sont visibles à l'œil nu qu'en de brèves périodes. L'important c'est la courbe tout entière, la fidélité aimantée des cycles. Mais l'œil profond et télescopique, il suit une trajectoire, mieux il l'annonce. »

(Chaque matin qui se lève est une leçon de courage)

Oubli

« Dans la forêt vierge où s'enflaient les crues de la mousson, l'oubli commence avec l'eau qui monte : les marques indiquant les pistes sont submergées, les chemins se perdent, l'on ne peut plus jamais revenir sur l'itinéraire patiemment jalonné du passé. »

(Fin de siècle)

Passé

« Je ne fais pas le bilan du passé, un bilan ça se dépose. »

(Chaque matin qui se lève est une leçon de courage)

Pauvres

« Il peut aussi coûter cher de laisser parler les pauvres, et surtout de ne pas les laisser parler comme les riches veulent que les pauvres parlent. »

(Chaque matin qui se lève est une leçon de courage)

Paysans

« Jadis les paysans avaient du pain et des rêves. Désormais les vilains petits pères des cieux de Bruxelles ne leur donnent même plus leur pain quotidien, et ils vivent dans un cauchemar éveillé... Les poux du capital pullulent dans les haillons de Jacquou le Croquant. »

(propos attribués, rapportés par Marie-Paule Cépré, auteure, avec Danièle Lederman, de *L'Année de la lune rousse,* éditions Michel Lafon, 1993)

Peuple

« Hélas, le peuple est comme le bon pain : on le croque d'autant plus volontiers qu'il est frais. Son innocence est incorrigible. Il n'y a que la fraîcheur attardée de l'artiste pour lui rendre la pareille. »

(Les Puissances du mal)

Philosophie

« ... en Europe, et aux Amériques, désormais dépérissent les philosophies, atteintes d'artériosclérose. Les grandes féodalités de cette aristocratie de l'Abstraction philosophique ne sont plus que des ruines. En France, ni Foucault, ni Deleuze ne peuvent y remédier. »

(Chagrin d'amour)

Provisoire

« J'aime le provisoire. Je le vis. Notamment par exemple quand je vais dans les chambres d'hôtel, dans les grands hôtels que j'adore – le luxe des valets de chambre, des maîtres d'hôtel... – Rien ne m'appartient et tout m'appartient en même temps. Je suis comme ça dans l'antichambre de la mort et de la renaissance... C'est ça être provisoire. »

(au cours de l'émission intitulée « À titre provisoire » et diffusée à l'antenne de la station de radio France Inter, le 12 février 1995)

Poésie

« Je suis poète avant tout ; or, les poètes ont perdu le pouvoir culturel, la première place qui leur revient, celle de la fulgurance, de l'identité frémissante du beau et du vrai, leur a été confisquée. »

(dans un entretien avec Gérard-Julien Salvy paru dans le premier numéro du magazine *L'Égoïste* et reproduit dans *Chaque matin qui se lève est une leçon de courage*)

Politique

« La question me paraissait ailleurs, quelque part dans cette relation terrible qui s'établit entre la politique et son figurant abusif : l'homme. Car si tout est politique, qu'est-ce que le reste ? De quoi parle-t-on, quand on parle de la vie ?

Mais la politique est aussi un jeu où les gens n'ont qu'une seule idée en tête : rouler l'autre. La parole donnée ne compte jamais. Et si le figurant politicien ne réussit pas, il a droit aux ricanements des harpies professionnelles. »

(Chagrin d'amour)

« La politique, oui, c'est immonde et laid, mais c'est comme la vie : beau, insoutenablement beau et laid – oui comme la vie. La distinction entre les politiques et les apolitiques, d'autre part, est absurde : les uns sont en majorité des spécialistes qui ne savent rien et posent sur le monde un regard de myope, et les autres sont des menteurs, des imbéciles ou des malheureux, entraînés dans le flot des misérables ; ils ne cherchent qu'à se dissimuler à eux-mêmes les vraies raisons de leurs profits ou de leurs échecs. Quant aux artistes qui ne prétendent qu'être artistes, laissons-les à leurs illusions. Non, Ariane, on ne peut se passer de politique, car elle ne se passe jamais de nous. Elle nous écrase, nous broie, nous rejette au loin. »

(Chagrin d'amour)

« Les hommes politiques se trompent à chaque coup, se sont toujours trompés et se tromperont toujours ; comme l'homme politique est, de tous les hommes, celui qui à la fois se trompe le plus fréquemment lui-même, et qui trompe le plus souvent son monde. »

(L'Évangile du fou)

Pompidou (Georges, 1911-1974)

« J'en profitais pour me rendre à Orvilliers, à 7 kilomètres de là, et aller cracher en passant sur la tombe toute fraîche de Pompidou. »

(Chagrin d'amour)

Potosi

« Potosi, la ville morte. Et notre épuisement était grand, en arrivant dans la ville du sommet des Andes, fondée en 1545 par Juan de Villaroes. Potosi est inaccessible, splendide. »

(Chagrin d'amour)

Présent

« Le présent ne peut être qu'imparfait, il vous prend toujours au dépourvu de futur. »

(L'Évangile du fou)

Presse

« Le propre d'un secret de presse, c'est de n'être un secret pour personne, sauf pour les lecteurs. »

(Les Puissances du mal)

Provocation

« La provocation, la vraie, n'est rien d'autre qu'une ingérence surnaturelle dans l'ordre établi. »

(L'Évangile du fou)

« Aujourd'hui, après ce livre, j'entre dans une deuxième phase de ma vie. J'entre dans une période de gravité et d'austérité et j'espère pouvoir dans les années à venir vous éblouir un peu, le plus merveilleusement et le plus gentiment du monde. Car sachez que derrière toute provocation, se cache quelque part une douleur, quelque chose d'invisible qu'il faudrait décrypter. »

(au cours de l'émission « Apostrophes » animée par Bernard Pivot et diffusée sur la chaîne française de télévision Antenne 2, le 26 mai 1978)

Publicité

« Invité hier soir à présenter les Oscar de la publicité devant un millier de personnes, je leur ai tenu un discours particuliè-rement pervers.

– Je vous plains mes amis, vous êtes les plus mal lotis, vous n'avez vraiment pas de chance, vous ne pouvez ni faire vendre une commode Jacob, ni un poème de Mallarmé, ni un diamant de Chaumet...

Vous êtes condamnés à défendre les phantasmes erratiques de la société de consommation, la camelote. Vous êtes les martyrs, que dis-je, les héros du faux, du toc, vous n'en avez que plus de talent... »

(« Journal intime », *L'Éventail,* septembre-octobre 1987)

Puy du Fou

« Envol de pigeons et de ministres pour le spectacle du Puy du Fou, en Vendée.

Des châteaux de la Loire à Louxor, d'une ruine éclairée à l'autre, tous les commentaires de son et lumière sont ridicules. Pléonasmes verbaux de ruines, essayent de se hisser au niveau de la grandeur du décor par la grandiloquence allumée de la parole et d'enseigner l'histoire par l'ânonnement sonore de la communale. Philippe de Villiers, qui a écrit le texte, ne pouvait échapper à la loi du genre. Je l'aime bien, mais il y a loin de l'énarchie lyrique à la poésie. C'était du Claudel mixé en dis-cours à trois points, du Saint-John Perse de notaire amphigou-rique, du Giraudoux de conseil municipal. Jamais la prétention des hommes politiques à vouloir produire de la culture ne m'a paru plus affligeante – et pourtant, je le répète, alliant la pra-tique au discours, Villiers est de loin l'un des meilleurs de tous ceux qui n'ont plus que ce mot de culture à la bouche.

En plus comme il ne fallait mécontenter personne, ni les blancs, ni les bleus, ni les poilus, ni les chauves, ni les bossus du devant, ni les bossus du derrière, et qu'ils vont toujours faire célébrer la monarchie par la République et la guillotine par les abolitionnistes de la peine de mort. C'était l'œcuménisme idyllique d'une nation dont le passé, ce creuset sanglant de son unité, ne serait plus rien d'autre que la résultante de dosages électoralistes.

C'était tout de même assez beau, ce ballet nocturne et champêtre au bocage vendéen. Nous nous serrions les uns contre les autres, transis d'humidité, sous les trombes d'eau nous dégoulinant dans le cou sous nos cagoules de couvertures, devant les paysans et les fillettes à cotillon gambadant, stoïques, nous tous célébrissimes au mètre carré, ministres, journalistes, riches, éditeurs, présidents de sociétés, va-nu-pieds de luxe, unijambistes – et je me pris soudain à rêver à la fantastique prise d'otages que ça ferait pour les Chouans resurgissant soudain, ici et maintenant, des profondeurs de l'histoire, avec Charette et La Rochejaquelein à leur tête. L'histoire, oui, saisissant la politique sur le vif... »

(« Journal intime », *L'Éventail,* septembre-octobre 1987)

Reconnaissance

« La reconnaissance est le désir le plus inavoué et le plus profond que les êtres aient jamais éprouvé sur notre terre ingrate. »

(Les Puissances du mal)

Régions

« Beaujolais, Bourgogne, Provence et Bordelais, ces régions francisées ne sont plus que des crus. »

(La Cause des peuples)

Religion

« J'ai été baptisé et j'ai été élevé dans la religion catholique. J'y ai renoncé pendant longtemps. J'y ai renoncé, si je ne m'abuse, lors de mon premier péché mortel, c'est-à-dire très, très jeune, parce que j'avais peur de me confesser. J'étais trop orgueilleux pour me confesser. Mais je suis revenu, peu à peu, à la foi de mon enfance, et tranquillement : je ne me suis pas heurté, comme Claudel, au pilier de Notre-Dame, je ne me suis pas cogné à Dieu, comme Frossard. Je suis tout simplement allé, à nouveau, un jour, il y a trois, quatre ans, dans une église et je me suis agenouillé et j'ai prié ; j'ai éprouvé ma prière comme un hymne à la permanence et à la beauté du monde et du Créateur. Et le travail d'humilité, de méditation et de recul de la prière dans un lieu comme une église me paraît à moi de plus en plus nécessaire. »

« C'est parce que nous ne sommes pas capables (…) de vouloir de nouvelles croyances que nous nous trouvons désarmés devant tous les totalitarismes. »

« Il faut croire parce que ce sont des valeurs éternelles. »

(propos tenus lors d'un entretien avec Jean-Louis Servan-Schreiber, dans l'émission « Questionnaire », diffusée le 4 novembre 1981 sur TF1)

Renaissance

« J'appelle à un XXIe siècle qui soit à la fois aristocratique et renaissant. »

« Mettons qu'il y ait un plaisir enfantin de chanter, de dire des choses et de se faire entendre par le plus grand nombre. Mais pourquoi pas si vous dites des choses belles, émouvantes.

Pendant très longtemps, j'ai été une cigale qui chantait en hiver. Et maintenant, eh bien, le printemps arrive et d'une certaine manière, avec cette Renaissance que je n'annonce pas mais que je pressens, il y a quelque chose comme un dégel. »

(au cours de l'émission « L'homme en question. Jean-Edern Hallier », diffusée sur France 3, le 9 juillet 1978)

Réussite

« Le secret de la réussite, c'est de réussir tout de suite. »

(Je rends heureux)

Rêve

« Je rêve ma vie et je vis comme je rêve. »

(Chaque matin qui se lève est une leçon de courage)

Révolte

« Il faut toujours se révolter. C'est un devoir sacré d'homme libre. »

(extrait d'une lettre adressée à Fidel Castro, cité par Jean-Claude Lamy, dans *Hallier, l'idiot insaisissable*)

Révolution

« Avoir été un révolutionnaire demeure, au plus haut point, une qualité aristocratique. »

(Chaque matin qui se lève est une leçon de courage)

« Les mécanismes de régulation de nos sociétés sont tels que les révolutions à l'ancienne ne sont plus possibles. »

(Chaque matin qui se lève est une leçon de courage)

Richesse

« Archimilliardaire, je ne dispose de rien. Mon existence relève d'un paradoxe supplémentaire : je suis à la fois le plus riche et le plus pauvre des hommes. Il est vrai que ma fortune est ailleurs. Dépositaire de l'or du temps, je dépense sans compter. Telle est ma petite musique de nuit, je la répète inlassablement. »

(Les Puissances du mal)

Rire

« Alors jaillit des ondes un rire haut perché, un rire venu de nulle part, une insupportable raillerie de ventriloque, poussée par le souffle revenu du vent noir. À chaque fois qu'il s'interrompait, comme pour emplir ses noirs poumons d'art, il reprenait de plus belle, et à son insondable moquerie, je reconnus le rire de mon père. »

(Fin de siècle)

Risque

« Cette vieille bêtise qu'on appelle l'âme, moi je l'appelle le risque – c'est un besoin essentiel. En notre société d'âmes mortes, on ne risque rien. »

(Bréviaire pour une jeunesse déracinée)

Sarraute (Claude)

« ... dont je me demandais comment il était possible qu'elle soit avec son petit bibi sur la tête, d'une vulgarité telle que me montèrent d'atroces jeux de mots, la fille de l'admirable romancière Nathalie Sarraute qui... engendra dans un hoquet Claude ça rote. La Sarraute, une tatane qui se prend pour une claquette.

Perrot, Sinclair, Sarraute, c'étaient les catins de la république cathodique. »

(« Journal intime », *L'Éventail,* septembre-octobre 1987)

Schmidt (Helmut, 1918-2015)

« Il faudrait donc unir, sous la férule du dernier kaiser, Helmut Schmidt, les États européens dans le mariage consolidé du capital et des vieux États père-fouettards. »

(Chagrin d'amour)

Sécurité

« Force est de constater que ce n'est pas en éduquant les gens qu'on refrène leurs penchants meurtriers. Hélas, il faut les abrutir à la télévision, les bourrer d'analgésiques et des conneries insondables de la communication, si l'on veut arriver au comble de l'idéal sécuritaire : un seul moyen, il faut procéder à un génocide culturel pour empêcher les génocides dont l'histoire psalmodie la litanie obsédante. »

(L'Évangile du fou)

Seguin (Philippe)

« Il y a des mots définitifs, qui traduisent la proximité intemporelle des hommes entre eux. Je vous ai reconnu. Vous m'avez reconnu. Nous nous sommes reconnus tous les deux – et j'espère que les Français sauront reconnaître le jour venu l'homme dont ils ont besoin pour rendre à la nation française sa dignité. Il y a chez un certain Philippe Seguin, quelqu'un dont je ne connais pas encore le livre secret, où se joue la fidélité mystérieuse du destin. Vous êtes prêt pour de grandes choses, me semble-t-il. »

(dans une lettre de Jean-Edern Hallier à Philippe Seguin datée du 29 août 1993 et citée dans *Hallier, l'idiot insaisissable,* de Jean-Claude Lamy)

Shoah

« Il n'est pire sourd que ceux qui ne veulent rien entendre. Sans la vigilance de quelques juifs, maître Klarsfeld, Simon Wiesenthal le viennois, Jean Frydman, ou l'historien Pierre Vidal-Naquet, nous n'aurions jamais rien su. S'il n'y avait pas eu leur acharnement patient à imposer, envers et contre tout, la mémoire des camps de concentration, le négationnisme l'aurait emporté – et il était politique, avant de devenir la folie de quelques pseudo-historiens. »

(Les Puissances du mal)

« Notre société n'en finit plus de vouloir revenir en arrière – c'est-à-dire se laver les mains de l'avenir avec l'eau saumâtre du passé coupable. Longtemps, j'ai cru qu'il ne fallait pas ressortir les vieux boucs émissaires de l'étable, les Barbie, Papon, Touvier et autres Bousquet dont c'est bienheureux qu'on l'ait assassiné, pour tout ce qu'il aurait pu nous apprendre sur les recoins puants de son amitié avec Mitterrand. Les juifs ont fait un travail admirable. Mais nous n'avons pas encore été jusqu'au bout de la culpabilité française. Nous n'avons pas bu le vin jusqu'à la lie. Comme dans l'Épître de saint Paul, je suis juif parmi les juifs. »

(Les Puissances du mal)

Social-démocratie

« La social-démocratie me donne de l'urticaire, qu'elle soit libérale ou de gauche. Elle est totalement contraire à mon tempérament en ce qu'elle est fondée, comme dans la chanson, sur la dichotomie des grands principes et des grands sentiments. Ce minimalisme qu'elle ajoute à toutes choses en fait même la caricature bavarde de la vérité. »

(dans un entretien avec Gérard-Julien Salvy paru dans le premier numéro du magazine *L'Égoïste* et reproduit dans *Chaque matin qui se lève est une leçon de courage*)

« Je vis aujourd'hui, même si à bien des égards ça n'est pas bien drôle en Europe, cette montée de la social-démocratie, cette désaffection de l'histoire, et l'irruption d'une petite bourgeoisie pléthorique, la classe des sans classe, aliénée par excellence, les frustrés... »

(Chaque matin qui se lève est une leçon de courage)

Socialisme

« D'ailleurs, Mauroy ne s'était pas fait prier pour le proclamer : "Le lendemain de l'élection de Mitterrand, des millions d'ouvriers ont passé le portail de leurs usines, plus droits, plus fiers, ils avaient le sentiment qu'ils étaient un peu à l'Élysée." (TF1, 15 juillet 1981) C'est bien la même bande qu'on voyait en 1938 : "Le socialisme n'a pour les ouvriers que mépris et dégoût", s'écriait aussi l'homme de gauche, Orwell. Laurent Fabius de surenchérir, sur le légitime orgueil du floué : "Chaque militant, c'est le Gouvernement" (Congrès de Valence, 24 octobre 1981). Tu parles... »

(L'honneur perdu de François Mitterrand)

Société

« La société humaine est pareille à la fourmi. Elle est atteinte de stigmergie – mot qui désigne l'excitation incontrôlée des insectes avant qu'ils ne commencent à bâtir un édifice. C'est quand elle ne sait pas ce qu'elle fait qu'elle devient créatrice. »

(Journal d'outre-tombe)

Sollers (Philippe)

« Nos conflits intellectuels étaient d'autant plus violents qu'ils n'étaient que les déguisements de nos ambitions nues – cette avidité insatiable, dont tout nous servait de prétexte. Les comités [1] duraient des heures, se prolongeaient tard dans la nuit, s'achevaient même parfois à l'aube en des compromis de lassitude au Pied de Cochon – sagesse de l'épuisement... Nous votions le sommaire – et son ordre hiérarchique s'établissait en des négociations au couteau. Le hit-parade de nos engouements, c'était le résultat d'âpres calculs – selon l'équilibre des forces de l'édition parisienne, et la montée de notre influence dans la presse ».

(Je rends heureux)

« Il a du talent à revendre. Mais qu'il n'ose jamais risquer au grand large (...), au cœur des tempêtes primordiales, il navigue en caboteur, sans jamais perdre de vue les côtes. »

(« Journal intime », *L'Éventail,* septembre-octobre 1987)

---

(1) Comité de rédaction de la revue *Tel Quel,* fondée en 1960 par Jean-Edern Hallier, Philippe Sollers, Jean-René Huguenin et Renaud Matignon (1936-1998).

Sous-culture

« La chose la plus courageuse que j'aie faite de ma vie, celle qui m'a valu d'être arrêté, bloqué, c'est ma dénonciation du fonctionnement du génocide culturel, la sous-culture journalistique. Nietzsche, Balzac, Dostoïevski, Kierkegaard, Kraus, Soljenitsyne, Pasolini m'ont précédé dans cette voie. Aujourd'hui il est bien tard, les tabous, ces polices de l'esprit, veillent jour et nuit à ce qu'on ne dise jamais rien. »

(L'Évangile du fou)

« Partout les glosateurs se sont substitués aux créateurs, et les journalistes aux maîtres à penser. La tentation du prestataire de service est trop forte, à la fin, de prendre la place du maître. Surtout si ce dernier est rejeté par les médias, d'où l'irruption d'une sous-culture bâtardisée. C'est un phénomène lié à la montée des classes moyennes, celle des fameux mulets de Michelet dont chacun sait qu'ils sont stériles. »

(dans un entretien avec Gérard-Julien Salvy paru dans le premier numéro du magazine *L'Égoïste* et reproduit dans *Chaque matin qui se lève est une leçon de courage*)

Style

« J'étais craint, car je disposais toujours de l'arme absolue de ma cruauté d'enfant, le style. Personne ne pouvait me l'arracher, ce jouet terriblement efficace. »

(propos attribués, février 1986, lors d'un séjour à l'hôtel des Îles à Essaouira où il écrit les meilleures pages de *L'Évangile du fou*. Cité dans le manuscrit de *La Cité de la volupté,* de El Hassan Belcadi, ouvrage non publié et évoqué par Jean-Claude Lamy dans *Hallier, l'idiot insaisissable*)

Sulitzer (Paul-Loup)

« Sulitzer n'a fait de mal à personne. On ne lui a pas fabriqué des livres, mais des prothèses pour marcher, comme tout le monde, à la vanité d'écrivain. Ne l'accablons pas. D'étranges justiciers en ont fait le bouc émissaire, le Barbie d'une cabale de tartufes. Après tout, Régine Deforges, Labro, Gardel, Clavel, Gallo, Denuzière et consorts ne sont pas pires. Ils écrivent comme lui des livres pour femmes de chambre, comme disait Stendhal. À ceci près, que Pivot les invite à "Apostrophes", qu'ils reçoivent de grands prix littéraires et qu'ils sont eux-mêmes leurs propres nègres – et ce n'est pas parce qu'on écrit, qu'on est blanc ! »

(*Le Figaro Magazine,* n° 388, 5 juin 1987, p. 120-121, « Pivot contre Sulitzer : une bagarre très parisienne mais un débat bien réel. De la littérature considérée comme une industrie »)

« On n'admirait pas Sulitzer, on le lisait – et parce qu'on le lit, on le trouve admirable. »

(« Journal intime », *L'Éventail,* septembre-octobre 1987)

« Des Sulitzer, il en court les rues, il n'y a même plus que cela. »

(« Journal intime », *L'Éventail,* septembre-octobre 1987)

Tabous

« Chasser les tabous n'est pas facile. On croit les abattre. Ils ne sont jamais morts que d'un œil et, même crevés, ils renaissent sous une autre forme de tabous d'argent, de tabous de race, de tabous de nourriture et de tabous d'Hec Cetera parce qu'il y a tant de choses dont on ne parle jamais qui se blottissent sous les choses – de violentes prohibitions inavouables, car les avouer reviendrait à les violer, et à devenir soi-même l'un de ces tabous. »

(*L'Évangile du fou*)

Tapie (Bernard)

« Tapie ayant servi de ballon de football aux médias, pas étonnant que sa biographie soit à rebondissements. »

(Les Puissances du mal)

« Bernard Tapie, à plat ventre sur son matelas, a choisi la position stratégique, juste à l'entrée de la piscine, à l'intersection des deux allées dont l'une va à droite au restaurant, et l'autre à gauche qui conduit au fond du jardin.

J'observe son manège : il a une tête triangulaire de serpent à sonnette, ou d'un périscope de sous-marin, qui émerge au-dessus du dos, pivote sur elle-même sans craindre le torticolis, pour surveiller, et arriver le premier sur tout ce que cette foire aux vanités comporte de journalistes avec qui il doit se mettre bien. Dès qu'il en a repéré un – puissant, bien sûr, directeur, jamais moins – il se jette littéralement sur lui, le tutoie comme un ami intime, lui propose déjà son avion, et se met à débiter, l'œil brillant, le sourire carnassier, des vulgarités de représentant en voitures, et d'accablantes platitudes sur la télévision. C'est un homme clair, il paye rectum.

Il parvint ainsi à crocheter Elkabbach, Théron, et quelques autres. Sa seule préoccupation, se faire cautionner – c'est-à-dire se faire voir avec, en quête de légitimité photographique. Mais le summum de sa reconnaissance sociale aura sans doute été de faire jouxter son matelas pendant deux jours avec celui de Jean-Bernard Raimond, notre ministre des Relations extérieures, et de sa famille.

En cette cour des miracles de l'argent, c'était du saint-simonien, en bandes dessinées, que de les voir deviser ensemble... »

(« Journal intime », *L'Éventail,* septembre-octobre 1987)

« Le vampire lifté du chômage. »

(propos tenus le 27 janvier 1989 devant la presse dans la salle de conférences de l'hôtel Concorde Prado, à Marseille)

Tel quel

« Le terrorisme culturel, c'était l'inévitable mode de fonctionnement de *Tel quel*. Il s'exerçait du dedans, par l'exclusion. Au-dehors, par les exclusives. »

(Je rends heureux)

Temps

« Malheur à qui se proclame détenteur d'un pouvoir qui défie l'épreuve du temps. Mais je dis : qui ne risque rien, ou ne s'arroge point tel droit en un temps décisif de sa vie, manque alors de tout perdre, et son faible souffle résigné ne se mêlera plus aux grandes turbulences naturelles de l'air. »

(Le Grand Écrivain)

« Les modes passent si vite, tout s'use avec une rapidité effrayante, le moteur s'emballe, patinant dans le vide, on confond le cadran du compte-tours avec l'avancée réelle sur les chemins du temps. Alors il devient parfaitement impudique de publier des livres tels que *Chagrin d'amour,* ou *Le Premier qui dort réveille l'autre,* mes références esthétiques n'ont rien à voir avec celles qui ont cours, je suis en pleine démence archaïque, mais je tiens bon. »

(dans un entretien avec Gérard-Julien Salvy paru dans le premier numéro du magazine *L'Égoïste* et reproduit dans *Chaque matin qui se lève est une leçon de courage*)

Terrorisme

« Je suis un terroriste. Au théâtre de la cruauté, j'applaudis à tout rompre Baader, héros de notre temps. Je crie : Bis! De plus, je m'engage à ses côtés. Car la violence me sied, qu'elle soit morale ou physique. C'est un recours que j'admets, ou préconise quand le discours de la servitude volontaire se confond à celui du bien public, d'où qu'il vienne politiquement. Peu m'importe que les gens récusent la violence, ce droit n'est pas inscrit dans les constitutions, mais dans la nature (...).

Ma responsabilité d'intellectuel, je l'assume pleinement : j'attise les miasmes, les vents fétides. Et même si je ne suis pas à l'origine de cette peste, frappant les innocents au hasard, je contribue à les infester. Je n'ai qu'une seule aspiration, entraîner la jeunesse sur une mauvaise pente, en étayant toutes les délinquances politiques [...]. »

(Chaque matin qui se lève est une leçon de courage)

« La source et probablement l'explication du terrorisme, c'est que le discours, la violence des actions, devient proportionnel à l'impossibilité de tenir un vrai discours démocratique souvent dans les nations. »

(au cours d'un entretien avec Yves Mourousi, dans le journal de la chaîne française de télévision TF1, diffusé en direct le 5 mai 1982)

Totalitarisme

« "Totalitarisme", biffez-moi ce mot. Écrasez ce poncif! De toute façon, nos Sibéries et nos Auschwitz sont d'abord dans nos têtes, et nos matricules de prisonniers, c'est nous qui les écrivons nous-mêmes sur nos cartes d'identité. Nos cartes d'identité, ces vade-mecum de la reconnaissance publique. Un numéro de sécurité sociale, c'est la prison remboursée aux trois quarts – à condition d'y rester à perpétuité. Les peines de vie ont remplacé nos morts improbables. »

(Les Puissances du mal)

Toubon (Jacques)

« Nain de jardin, à la tête de la Justice aux yeux bandés. Je ne le déteste pas. Pas même cynique, sophiste sans arguments, il appartient à cette catégorie d'hommes vulgaires qui feraient n'importe quoi pour se rouler aux pieds des grands de ce monde. »

(Les Puissances du mal)

Tours (Indre-et-Loire, région Centre-Val de Loire)

« La ville-lumière des Saumurois. »

(L'Évangile du fou)

Transparence

« En un sens, c'était la société à l'américaine dénoncée par Laperrine, où plus rien n'est caché : une tragédie de la transparence. Qu'est-ce qui peut vous arriver de pire que d'être incolore, de n'avoir plus de recoins secrets, de cachettes, de folies invisibles et de mystères masqués ? Pour les Touaregs, ce peuple de poètes, il ne pouvait rien arriver de plus épouvantable. »

(L'Évangile du fou)

Uniformisation

« … la société uniformisatrice, ne cessant de rogner les particularismes, les différences et toutes les singularités entre les individus et les races (…), l'invitation au voyage se change en immobilisme conforté. Oui, puisque demain Chinois et Bretons,

Zoulous et Basco-Béarnais sont appelés à porter le même costume, boire le même Coca-Cola et, pour oublier la grande
société anonyme où ils seront tous concassés, fichés, uniformi-
sés, à se rincer le gosier avec le même whisky, pourquoi se
donneraient-ils encore la peine de marquer les contrastes entre
les peuples ? De même, tous les paysages ne se ressemblent-ils
pas ? Le bleu des eaux des Bahamas, de l'île Maurice et de
Madère, ou des Açores, n'est-il pas le même bleu indigo sur
papier glacé des mêmes dépliants touristiques – aller et retour,
tous frais compris, sept mille francs au club bleu. Quant au club
rouge, c'est celui du coucher de soleil, le même partout, de
Zanzibar à Lahore, à Saint-Tropez. »

(Un barbare en Asie du Sud-Est)

Valparaiso

« Valparaiso, bidonville fantomatique, aux funiculaires envahis
par la végétation ; ville abandonnée par la bourgeoise émigrée
dans les riches et laids studios de Vino del Mar. De vastes
baraques de bois, vides, témoignaient de la splendeur révolue
du port, au XIXe siècle, avant le canal de Panama – à l'heure des
baleines, des steamers, des cap-horniers, havre des vagabonds
du Pacifique, de Melville à ces marins burinés ; ces illuminés,
ces poètes alcooliques qui hantent encore les bas-fonds de la
ville. »

(Chagrin d'amour)

Vérité

« La vérité est au-dessus des partis. »

(Chaque matin qui se lève est une leçon de courage)

« ... sages élèves de la subversion, tirant la langue sur notre
leçon des ténèbres, nous attendrons qu'il fasse entièrement

nuit, nuit sans nuit, la nuit de la conscience illuminée, mais paisible aussi, pour étreindre nos vérités à tâtons, les débusquer toujours, et apprendre à les nommer. »

(Chaque matin qui se lève est une leçon de courage)

« Je suis un éboueur de la vérité, je n'appartiens qu'à un seul parti, celui de la vie. »

(propos tenus le 27 janvier 1989 devant la presse dans la salle de conférences de l'hôtel Concorde Prado, à Marseille)

Vie

« En vérité, je vous le dis, si j'exige que vous m'écoutiez, c'est que j'ai fait œuvre humaine, et surtout que j'ai vécu. »

(Bréviaire pour une jeunesse déracinée)

Violence

« Je l'ai répété mille fois avec une clairvoyance humiliée : on ne désarme la violence du monde que par la violence de la pensée – celle d'une parole libérée, qui brise les non-dits et ne craint pas les tabous. »

(L'Évangile du fou)

« Tant qu'on aura plus peur des mots que des bombes, il y aura escalade de la violence. Cette sensation d'angoisse qui fait qu'on touche aux phrases comme à des armes à feu ! Alors il faut boucher les revolvers du langage, raccourcir les dictionnaires, appauvrir la grammaire, rendre la règle molle, faire du faux précieux, interdire la nuance, sacraliser le vulgaire, en un mot sauce-yale-démocratiser. »

(L'Évangile du fou)

Vitesse

« Il faut toujours aller trop vite : la vitesse, c'est la pensée. Elle laisse les vaches babas, dans leurs prairies – tandis que les vieux babas cool, barbus de la mamelle, revenus de tous les bobos de la vie, sparadraïsés, reconvertis en assureurs tous risques, bombent le cul sur leur Harley-Davidson, et, à force de marcher bien sagement dans les passages cloutés, se bardent de clous sur le cuir. »

(Je rends heureux)

« À mesure qu'on limite la vitesse, on carène, on profile, on effile, on aérodynamise. Plus on ralentit, plus il faut avoir l'air d'aller vite. C'est le trompe-l'œil universel, avec l'art en moins... C'est pareil pour la pensée : plus il y a des mots, moins il y a de fulgurance. »

(Je rends heureux)

« La passion de la vitesse est celle de l'esprit par excellence. Tout ce qui compte est transgression, continuel dépassement. Or il faut savoir se mettre en infraction perpétuelle – projet et projectile à la fois. On ne conduit plus, on vise. On devient la balle. On se vise. Dans ces conditions, pas étonnant qu'on s'éclate. »

(Je rends heureux)

« L'instinct, c'est l'âme à quatre pattes ; la pensée, c'est l'esprit debout. »

Victor Hugo, *Tas de pierres*

Morceaux choisis

« Sa joie, c'est quand on lui crie : Vas-y Hallier ! »

Dessin, à la légende librement adaptée, de Jacques Faizant, extrait des *Vieilles Dames et les loisirs,* paru en 1972 aux Éditions Denoël.

« Il y a des regrets qu'on traîne, comme ça, toute sa vie ? »

Dessin de Jacques Faizant, extrait des *Vieilles Dames et les loisirs,* paru en 1972 aux Éditions Denoël.

Hallier est mort à Deauville le 12 janvier 1997, après avoir enfourché son vélo et être tombé près de l'hôtel Normandy, officiellement victime d'une hémorragie cérébrale. Dans les années 1950, il avait participé à des compétitions cyclistes sur piste.

« Les lapins de la gloire [1] »

par Renaud Matignon

« En 1950, nous étions potaches, pâlots et ingrats comme le veut cet âge, et parlions de Baudelaire dans la cour du lycée Claude-Bernard. Jean-Edern Hallier, lui, le recopiait, nous envoyait sous sa propre signature des lettres qui nous laissaient pantois et qu'il avait puisées dans les *Petits poèmes en prose*. Nous hésitions à décider s'il était un génie de la photocopie ou une photocopie du génie. [...]

En classe, il formait des clans, chahutait, soudain s'appliquait. Il était mauvais élève, avec des éclairs. Rendons-lui cette justice, il ignorait la médiocrité. Il était déjà ce qu'il a confirmé depuis : un agitateur d'idées qu'il n'avait pas, et un agitateur tout court.

Il rata son bachot, contribua à fonder la revue *Tel Quel*, feignit de s'intéresser à Bataille et au structuralisme, décida que ça ne l'amusait plus. Sa mégalomanie n'y trouvait pas son compte. Il fréquenta les grands écrivains, tutoya Sartre, rendit visite à Michaux, téléphona à ses amis à cinq heures du matin pour leur dire qu'il n'avait rien à leur dire, brouillant les uns avec les autres, finit par publier au Seuil un roman qu'il avait promis à quinze éditeurs concurrents [...]. Vint Mai 1968, quelle aubaine ! Il décida d'être de gauche et penseur de surcroît. Il fonda *L'Idiot international* [...]. La gauche tournait court, il lui tourna le dos. [...]

Il a de l'argent et du temps à perdre. Il est dénué de toute conviction, hors la conviction de soi-même. Il injurie pour plaire, et s'étonne qu'on lui en veuille. Car il n'en veut pas aux autres des blessures qu'il peut leur faire. Il copine avec Descartes qu'il a peu lu, avec Victor Hugo qu'il a feuilleté, et avec le buraliste du coin qu'il fréquente assidûment. [...] Comme je lui disais, un jour, que je n'aimais pas son dernier livre et que je n'en parlerais pas, il m'a supplié : "Traîne-moi dans la boue." Plutôt l'injure que le silence.

Parce que Jean-Edern Hallier a rendez-vous avec la gloire. Ses éclats, son bouillonnement permanent font de lui quelqu'un qui échappe aux tiédeurs de la petite société de 1979. Il y a droit, d'une certaine façon. S'il ne la rencontre pas, c'est que la gloire lui aura posé un lapin. »

---

(1) Extrait de l'article intitulé « Les lapins de la gloire », publié le 25 octobre 1979 dans le quotidien *Le Figaro.*

« Le chien de Jean-Edern [1] »

par Emmanuel Carrère

« [Jean-Edern Hallier] est vraiment en verve et fait crouler de rire sa cour de bas-Bretons marinés dans le chouchen en racontant son passage à "Trente millions d'amis". Il s'est fait inviter dans cette émission consacrée aux animaux en prétendant qu'il a un chien, qu'il adore ce chien, qu'il a écrit tous ses livres avec ce chien couché à ses pieds. Ce n'est pas vrai, il n'a jamais eu de chien, mais il est prêt à tout pour passer à la télé, alors il s'en est fait prêter un. Il le tient sur ses genoux, le caresse, joue au gentil maître, mais le chien qui ne le connaît pas s'affole, et plus l'un s'attendrit en évoquant son fidèle compagnon à quatre pattes, plus l'autre gronde, se débat, se tortille pour s'échapper, pour finir le mord. »

---

(1) Extrait de *Limonov,* Paris, paru aux Éditions P.O.L en 2011.

« J.-E. H. ne me fait pas peur [1] »

par Jean-René Huguenin [2]

« – J.-E. H. (Jean-Edern Hallier) démon, dit J. L. M., diablotin seulement, ai-je répondu, mais j'ai suffisamment confiance dans l'intuition jusqu'ici infaillible de J. L. M. pour que son pressentiment m'inquiète. Il a l'intuition que J.-E. lui fera et me fera du mal, et je crois même qu'il a peur, sans oser le dire, que ce démon borgne ne nous sépare. Il faut rendre cette justice à Jean-Edern : tout le mal qu'il a en lui lui confère une véritable personnalité. Je sens son approche comme un compteur Geiger détecte la radioactivité.

Le coup de téléphone de Minoret m'a mis en état d'alerte. Le sien a suivi, auquel je n'ai pas répondu. À midi, ma cousine m'a dit qu'il était allé la voir. J'ai senti qu'il se rapprochait. Et en effet, une heure plus tard, il me téléphonait. J'ai refusé de le voir, bien entendu, et il a insisté avec une fermeté douce, confiante, comme s'il savait au fond de lui-même, presque inconsciemment, qu'il finirait, fût-ce au bout de plusieurs années, par vaincre ma résistance.

Inébranlable et tranquille et apparemment détaché, sauf ce presque imperceptible accent de désespoir (le mal, ce désespoir...), cette inflexion rauque, saignante, tragique, qui se dissimule derrière une sorte d'aisance supérieure et satisfaite. Comme à travers la paisible rumeur d'une ville, des appels venant d'une ruelle solitaire et noire, des sanglots et des cris que le ronronnement des moteurs, la trépidation des pavés et le tintement des fenêtres étouffent. Comme un mât sur le point de tomber oscille calmement encore dans l'espace, trahi seulement par quelques grincements brefs de son bois douloureux.

Mais J.-E. H. ne me fait pas peur. Le diable ne me fait pas peur. Voilà mon péché. Mon orgueil et ma confiance en moi toujours présents au-delà de mes détresses passagères, de mes dégoûts, font que je suis sur une corde raide au-dessus de l'abîme, et cette assurance qui me permet de conserver mon équilibre peut tout aussi bien, un jour me le faire perdre et me précipiter dans le vide. »

---

(1) Extrait, à la date du lundi 27 février 1956, du *Journal* de Jean-René Huguenin, paru aux Éditions du Seuil en 1964 (préface de François Mauriac).

(2) Né le 1er mars 1936, le même jour que Hallier, celui que Jean-Edern appelait son « jumeau stellaire » est l'auteur d'un unique roman, *La Côte sauvage,* paru en 1960. Il s'est tué sur la route nationale 10, près de Rambouillet, au volant d'une voiture qui lui avait été prêtée, à l'âge de 26 ans, le 22 septembre 1962. *Je rends heureux,* le titre du livre de Hallier paru en 1992, fait référence aux initiales de son nom et lui rend hommage.

Cercle InterHallier

« Les lignes directrices de ma vie sont fort simples en vérité : quand elles ne sont pas droites, c'est qu'elles font un cercle. »

Yehudi Menuhin (1916-1999), *Voyage inachevé*

« Au-dessus de ma tête, un cercle de mouettes piaulait, circonspect et aigu, vendant à la criée la fraîche nouvelle de mon débarquement. »

Jean-Edern Hallier, *Fin de siècle*

« Le mystère du monde : tout le problème du monde, c'est la relation entre l'homme et la nature, c'est-à-dire entre la droite et le cercle. »

Éliette Abécassis, *Le Palimpseste d'Archimède*

Pas sûr que le Cercle InterHallier relève d'un univers pascalien dont le centre est partout et la circonférence nulle part. Pas sûr non plus que tous ses membres aient lu *Le Serpent vert,* ce conte de Goethe, avec le serpent qui forme un cercle en se mordant la queue et est depuis les Égyptiens le symbole de l'éternité...

Ce qui est certain en revanche, c'est que ses membres ne sont pas des oisifs tournant en rond à la recherche d'un pré carré pour résoudre la quadrature du cercle. Aucun d'entre eux ne tourne pas davantage autour d'un cercle de l'immortalité, dans le vain espoir de le rendre plus ou moins pervers. Comment pourrait-il en être autrement puisque les uns et les autres prennent garde à ne pas négliger le précepte cher à Mario

Benedetti, le grand poète et essayiste uruguayen, qui veut que « dans la vie, il faut éviter trois figures géométriques : les cercles vicieux, les triangles amoureux et les esprits trop carrés »...

Tous sont en réalité des êtres bien vivants qui, même s'ils ne sont pas ou plus physiquement présents, vivent une fois par an dans l'évocation d'un écrivain dont le décès a été officiellement enregistré à l'état civil en janvier 1997... Il ne s'agit pas pour eux de converser avec le mort, mais bel et bien de se souvenir et donc de lutter, puisque seuls la mémoire et les rêves peuvent ramener les défunts immortels. Oui, lutter pour maintenir un esprit néo-hallierien de dénonciation des impostures, contribuer, dans la mesure du possible, à promouvoir la Littérature, mais pas seulement, c'est-à-dire l'Art sous toutes ses formes, à soutenir les artistes, les auteurs et les chercheurs, quels qu'ils soient, à défendre ce qu'il est convenu d'appeler « les spectacles vivants ». Peut-être font-ils ainsi partie du « cercle magique » où se tiennent les Onoos qu'évoque Hallier dans *Chagrin d'amour*? Ce qui est sûr en tout cas, c'est que le 2 décembre 2019, ils ont eu le droit de monter à bord de la Péniche Marcounet et de s'asseoir autour des tables, tandis que surgissaient « les esprits de la nuit » se mettant à danser « en une folle ronde mais sans réussir à entrer dans le cercle », prenant feu « quand ils s'en approchaient de trop près », se tordant et se changeant « en autant de petits tas de cendres »...

Bien sûr, le rassemblement hallierien ne saurait être comparé à l'une des soirées « Amours, Délices et Orgues » qu'organisait en son temps Paul Poiret à bord de ses péniches, décorées par Raoul Dufy... « À partir d'une certaine heure tout se confondait, comme le rapporte Guillaume Hanoteau dans *Ces nuits qui ont fait Paris*, son livre de souvenirs : le balancement de l'onde et les ivresses de l'alcool, le clapot du fleuve et le clapotis de l'eau dans les seaux à champagne, les lampes roses des tables et les reflets des falots. Où étions-nous ? Sur la Seine ou à la Réserve de Ciboure, haut lieu du bonheur contemporain, une boîte de nuit dans la baie de Saint-Jean-de-Luz où s'attardent, entre deux Hispano, les rois, les grands d'Espagne et les beautés de Biarritz ? »…

Qu'importe la déraison des comparaisons, le jeu des mystifications et l'impossible concordance des époques. À chacun ses années folles !

L'essentiel n'est-il pas que sous les ponts coule la Seine, qu'il puisse y avoir un peu de tendresse des vivants pour un mort souverain comme Jean-Edern Hallier et que le jour où la roue du temps ne sera plus qu'un cercle vide ne soit pas encore venu. Tant s'en faut !

Les membres du Cercle InterHallier :

Jean-Pierre Agnellet, producteur, ancien dirigeant de sociétés ; Éric Agostini, avocat, professeur émérite à l'université de Bordeaux, agrégé des facultés de droit ; Roger Anney, artiste peintre ; Jean-Paul Arabian, restaurateur, et Nina Arabian, son épouse ; Catherine Artigala, comédienne ; Adam Barro, chanteur lyrique ; Sébastien Bataille, auteur de biographies, chroniqueur musical, chanteur et auteur de chansons ; René Beaupain, écrivain, ancien chercheur au Centre national de la recherche scientifique ; Bruno Belthoise, pianiste et improvisateur ; Jacques Boissay, photographe, et son épouse Dominique ; Roland et Claude Bourg (1935-2019) ; Hélène Bruneau-Ostapowiez, détentrice du droit moral de Maurice Utrillo et Suzanne Valadon ; Yolande Capoue-Nyoko ; Patrice Carquin, chef d'entreprise (Badiet Tapis) ; Adeline Castillon, conseil en communication ; Julien Chabrout, journaliste ; Audrey Chamballon ; Jean-Marc Chardon, journaliste ; Laurence Charlot, journaliste ; Xavier du Chazaud, avocat au barreau de Paris ; Bénédicte Chesnelong, avocate au barreau de Paris ; Daniel Chocron, historien du cinéma, conférencier, programmateur de salles et organisateur de spectacles ; Philippe Cohen-Grillet, écrivain et journaliste ; Françoise Colas ; Isabelle Coutant-Peyre, avocate au barreau de Paris et amie de Jean-Edern ; Michèle Dautriat-Marre, amatrice d'art ; Daniel Degrandi ; Caroline Dumas, de l'Opéra de Paris, chanteuse lyrique et professeur à l'École normale de musique de Paris – Alfred Cortot ; Claire Dupré La Tour ; Philippe Dutertre, créateur d'*Ici Londres,* le magazine des Français à Londres ; Cécilia Dutter, écrivaine et critique littéraire ; Gabriel Enkiri, écrivain et éditeur ; Francis Fehr, cinéaste ; Joaquín et Christiane Ferrer, artiste et chef d'établissement ; Audrey Freysz, agrégée de lettres classiques ; Marie-Lize Gall, dite Gallys, artiste, présidente de l'Association des peintres et sculpteurs témoins du 14e arrondissement de Paris, secrétaire générale du Salon des arts plastiques Interfinances, responsable de club littéraire « Pages ouvertes » ; Patrice Gelobter (1949-2019, cf. *In memoriam,* Appendice), responsable de communication ; Jean-François Giorgetti, auteur-compositeur ; Paula Gouveia-Pinheiro ; Cyril Grégoire, directeur artistique ; Olivia Guilbert-Charlot, juriste ; Anne Guillot, amatrice d'art ; Patrice Guilloux (1942-2017), manager, et Marie-Hélène, son épouse, amatrice d'art ; Laurent Hallier, frère de Jean-Edern Hallier ; Ariane Hallier, fille de Jean-Edern, décoratrice ; Ramona Horvath, pianiste ; Jean-Pierre Hutin, écrivain, ancien militaire au régiment d'élite, le 3e REP – Régiment de parachutistes d'infanterie de marine ; Daniel Joigneaux ; Dominique Joly, avocat au barreau de Paris, et Alexandra, son épouse ; Jean-Pierre Jumez, guitariste concertiste, slameur, poète, journaliste ; Jean-

Luc Kandyoti, pianiste et compositeur ; Jean-Pierre Kibarian, bibliophile et bibliographe, éditeur spécialisé ; Ingrid Kukulenz ; Christian Lachaud, conseil en communication ; Dominique Lambert ; Maria Landeta ; Marie-France Larrouy-Perrot, fondatrice et présidente de Multi-création ; Jean-Louis Lemarchand, vice-président de l'Académie du Jazz, écrivain et journaliste ; Albert Robert de Léon, directeur de galerie à Paris, expert en tapis ; Ghislaine Letessier-Dormeau ; Didier et Pascale Lorgeoux, chefs d'entreprise ; Christophe-Emmanuel Lucy, écrivain et journaliste ; Patrick Lussault, manager, spécialiste de la finance et de l'organisation, et Sophie Lussault, son épouse ; Monique Marmatcheva (1934-2018) ; Jean-Jacques Marquis, musicien, président de société, cofondateur du label artistique indépendant Comme un pinson ; Odile Martin ; Jean-Claude Martinez, professeur émérite de droit à l'université de Paris-II – Assas, ancien député français et européen, essayiste et parolier ; Guy Marty, essayiste, fondateur et président de pierrepapier.fr, président d'honneur de l'Institut de l'Épargne Immobilière et Foncière ; Bruno et Marie Moatti, parents du pianiste Michaël Moatti et de la violoniste Elsa Moatti ; Michel Monnereau, poète ; Marie-Thérèse Parisi, amatrice d'art ; Corinne et Jean-François Pastout, comédiens, artistes de music-hall ; Simon Paupier, directeur technique et communication de Juste un piano ; Denise Perez, responsable de relations publiques et agent artistique, cofondatrice du label indépendant Comme un pinson ; Cyrille Perrot, directeur général de Multi-création ; Michel Pittiglio, président de l'association Maurice Utrillo ; Nadia Plaud ; François Pointeau ; Manuela Poirier ; Olivier Raymond, gérant de sociétés et amateur d'art ; Viviane Redeuilh, pianiste et artiste-peintre ; Daniel Rivière, conseil en gestion de marques ; François Roboth, journaliste, photographe et chroniqueur gastronomique ; Philippe Semblat, journaliste ; Jacques Sinard, spécialiste du trust, Formal

Secretary du Salvador Dalí Pro Arte Trust, secrétaire du Groupe de Domptin, avocat émérite aux barreaux de Bruxelles et de Paris ; Véronique Soufflet, chanteuse, auteure-interprète et comédienne ; Bernard Stico, journaliste, comédien ; Béatrice Szapiro, fille de Jean-Edern Hallier, styliste en prêt-à-porter féminin, directrice d'un atelier de mode et couture ; Hélène Thiollet, biologiste, Alliance Maladies Rares ; Monique Thiollet, proviseure ; Pierre Thiollet, juriste, membre de la Spedidam (Société de perception et de distribution des droits des artistes-interprètes) ; Jean-Pierre Thiollet, auteur ; Jean Tibéri, ancien maire de Paris, et Xavière Tibéri, son épouse, amis de Jean-Edern Hallier ; Genc Tukiçi, pianiste et compositeur ; Laurence Vaivre-Douret, neuropsychologue clinicienne, chercheuse et auteure d'ouvrages ; César Velev, violoniste-concertiste ; Alain Vincenot, journaliste et écrivain ; André Vonner, entrepreneur, ancien secrétaire général de la Cedi (Confédération européenne des indépendants) ; Paul Wermus (1946-2017), journaliste, animateur de télévision et chroniqueur de radio ; Laurent Wetzel, écrivain, ancien homme politique et inspecteur d'académie, et Marie-Henriette, son épouse ; Guillaume Wozniak.

> « Et nous partons de notre cœur, et nous tournons autour de lui en cercles de plus en plus grands, pour enlacer les autres cœurs dans un cercle de vie, comme l'horizon autour de ton troupeau et de toi-même. »
> Dassine (Dassine Oult Ihemma, 1872-1935), extrait d'un poème inséré dans *La Femme Bleue* de Maguy Vautier (1930-2014), éditions Syros-Alternatives, 1990

> « Notre liberté est comme un cercle dont le diamètre varie avec chaque individu. Jeunes, nous n'apercevons pas les limites de ce cercle. »
> Julien Green (1900-1998), *Le Bel aujourd'hui : Journal (1955-1958)*

> « La gloire est comme un cercle dans l'onde qui va toujours s'élargissant, jusqu'à ce qu'à force de s'étendre, il finisse par disparaître. »
> William Shakespeare, *Henry VI*

French people

Œuvre d'Anney (Roger Anney, dit), achevée en 1997,
l'année de la mort de Jean-Edern Hallier.

(tryptique à l'acrylique, 60 x 158 cm)

Jean-Pierre Agnellet

Éric Agostini

Roger Anney

Nina Arabian

Catherine Artigala

Adam Barro

René Beaupain

Bruno Belthoise

Jacques Boissay

Dominique Boissay

Claude Bourg

Patrice Carquin

Hélène
Bruneau-Ostapowiez

Yolande Capoue-Nyoko

Julien Chabrout

Adeline Castillon

Laurence Charlot

Philippe Cohen-Grillet

Bénédicte Chesnelong

Daniel Chocron

Isabelle
Coutant-Peyre

Caroline Dumas,
de l'Opéra de Paris

Michèle Dautriat-Marre

Françoise Colas

Daniel Degrandi

Claire Dupré La Tour

Philippe Dutertre

Cécilia Dutter

Audrey Freysz

Marie-Lize Gall

Patrice Gelobter

Jean-François Giorgetti

Paula Gouveia-Pinheiro

Cyril Grégoire

Olivia Guilbert-Charlot

Anne Guillot

Patrice Guilloux

Laurent Hallier

Ramona Horvath

Dominique Joly

Daniel Joigneaux

Alexandra Joly

Jean-Luc Kandyoti

Jean-Pierre Jumez

Jean-Pierre Kibarian

Christian Lachaud

Dominique Lambert

Maria Landeta

Marie-France
Larrouy-Perrot

Jean-Louis Lemarchand

Albert Robert de Léon

Ghislaine
Letessier-Dormeau

Pascale Lorgeoux

Didier Lorgeoux

Christophe-Emmanuel Lucy

Patrick Lussault

Jean-Jacques Marquis

Jean-Claude Martinez

Guy Marty

Bruno Moatti

Marie Moatti

Elsa Moatti

Michel Monnereau

Jean-François Pastout

Marie-Thérèse Parisi

Corinne Pastout

Simon Paupier

Denise Perez

Cyrille Perrot

Nadia Plaud

François
Pointeau

Olivier Raymond

Manuela Poirier

Viviane Redeuilh

Daniel Rivière

François Roboth

Philippe Semblat

Jacques Sinard

Véronique
Soufflet

Béatrice Szapiro

Bernard Stico

Hélène Thiollet

Monique Thiollet

Jean-Pierre Thiollet

Jean Tibéri

Xavière Tibéri

Genc Tukiçi

Laurence Vaivre-Douret

Alain Vincenot

André Vonner

Laurent Wetzel

Marie-Henriette Wetzel

Guillaume Wozniak

Photos :
Philippe Germanaz
et Jean Bibard
(FEP – France Europe
Photo, agence de presse
photographique)
Infographie :
Armelle Fabry
(Chatel Photocompo)

La guitariste Marie-Ange Martin
et la cornettiste Shona Taylor

Jean-Edern Hallier en Charles de Foucauld, dans le cadre de la promotion de *L'Évangile du fou,* paru en 1986.

(photo : Sophie Bassouls / Getty images)

Art de vivre... avec Hallier

« Monsieur Damiens, passons à table ! C'est la fin naturelle en
France. Noces, baptêmes, duels, enterrements, escroqueries,
affaires d'État, tout est prétexte à cette fin-là. »

Jean Anouilh (1910-1987), *Cécile ou l'École des Pères* (Monsieur Orbas)

« L'amour de la gastronomie ne le cède en rien à l'amour des femmes. »

Junichirô Tanizaki (1887-1965), *Le Club des gourmets*

« C'est très difficile d'apprendre à vivre. (...) Au fond, vivre est un
métier qui s'apprend. Savoir vivre, cela n'est pas ne plus s'indigner,
bien sûr, mais c'est apprendre à ne plus laisser cette indignation se
porter sur les autres, au risque de leur causer un préjudice, mais la
canaliser en soi, afin qu'elle donne naissance à des choses
nouvelles au plus profond de nous-mêmes. Cela veut dire tout
simplement que dans la vie, il faut toujours essayer de faire
d'un mal un bien. »

Gonzague Saint Bris (1948-2017), lors de sa reprise en 1978 de
son émission nocturne à l'antenne de la station de radio Europe 1
(*Ligne ouverte : au cœur de la nuit,* éditions Robert Laffont)

Il y a l'art de vivre. Il y a aussi la manière. Hallier en Bien Vivant
l'élevait au niveau d'un artisanat.

Il aimait les objets. Même les plus quotidiens. C'est dans leur
nature de les laisser en liberté. Il cultivait le paradoxe. Il était
du genre à rendre la femme de ménage perplexe parce qu'elle
voulait que les tommettes brillent et qu'il les préférait mates.

Envié de toutes parts, il avançait son nom en étendard et verre à la bouche. « Tous ces gens-là sont jaloux, disait-il dans les années 1960-1970, parce que je suis le seul homme d'extrême gauche à savoir boire du vin. »

Il lui arrivait donc de choisir le vin. L'auteur de cet ouvrage en fut le témoin. Il y a aussi des preuves écrites. Il suffit de lire *L'Évangile* (du fou) : « ... si j'ai soif, y précise-t-il, ce sera nuits-saint-georges, parce que j'ai mon palais des Mille et une nuits très délicat. Je ne me cuite qu'à l'exquis. (...) Quand je me cogne par inadvertance à la porte entrouverte du buffet en allant chercher le pain, et que je me fais salement mal dans le corridor obscur pour m'être enivré de moi-même avec nuits-saint-georges, ça fait œil au beurre noir. »

Cela tenait chez lui du parti pris. Il optait pour la convivialité, le plaisir, la saveur. Toujours le sens aigu de la puissante saveur. Là encore, il suffit de le lire :

« Ah, qu'elles étaient belles ces cerises, luisantes, resplendissantes à la lumière du printemps dans leurs compotiers ! Comme il devait être désirable de les arracher entre le pouce et l'index de leurs minces tiges et d'y planter ses dents, de les croquer et d'en éjecter le noyau dans la paume de la main pour le déposer sur l'assiette de porcelaine de Limoges – façon Haviland, avec le kaolin van der Macht [1] ! » *(Les Puissances du mal).*

« Une tranche de poisson rose, nageant dans une feuille de salade se trouvait déjà dans mon assiette de porcelaine de Limoges, bordée d'or. (...) Avec mon couteau à poisson en argent finement ciselé, je découpais le saumon. Sa chair fine fondait sous mon palais. (...) Je bus une rasade. Le serveur revint, inclinant le goulot. "Encore un verre. Après le saumon, ça rince la gorge." (...)

Quoi ? Vous n'aimez pas le saumon, vous laissez une tranche sur l'assiette… Vous ne voulez donc pas tenter d'être heureux, comme tous nos contemporains de plus en plus sollicités, conquis, par l'hédonisme de masses ? Cessez de courir après de vieilles chimères. Osez jouir de ce qui est bon. » *(Fin de siècle).*

Au début des années 1980, Jean-Edern n'apparaissait pas comme un adepte de l'ascétisme en mode Siméon le Stylite. Ayant parfaitement compris que la vie s'apparentait un peu à son piano et que ce qu'il parvenait à en tirer dépendait beaucoup de la façon dont il savait en jouer, il était chaleureux, imaginatif, hédoniste, gourmand, authentique, libre, sensible, équilibré, curieux… Il était Bien Vivant. Il appréciait la simplicité, allait à l'essentiel et refusait l'uniformité. Avec force et détermination. « Uniformité, plus un zeste d'exotisme, proclamait-il, tel est le mot d'ordre des sociétés modernes : du restaurant antillais du Hilton d'Orly à la cuisine française d'Orly au Hilton Guadeloupe, nous n'aurons plus besoin de franchir le pas. Le dépaysement n'existe plus, car dans la contrefaçon tout est dans tout, et réciproquement. » *(Un barbare en Asie du Sud-Est).*

Il ne voyait aucune raison de s'en cacher. Il aimait marcher sur les parquets à compartiments et les tapis anciens. Se glisser dans des draps frais. Passer à table et y goûter de la vraie cuisine, authentique, élaborée en direct, sur le vif, par des mains inspirées et talentueuses, comme l'apprécie et la revendique le chroniqueur François Roboth, et non l'autre, fonctionnelle mais improbable, celle du réchauffé, du normé et du frelaté, qui remplit son office mais au prix de toutes les impostures.

Oui, Jean-Edern aimait boire un verre de vin rouge de bonne provenance. Allumer des bougies en dehors des pannes d'électricité et des anniversaires. Retrouver quelques brindilles dans sa voiture... Surtout s'il s'agissait de souvenirs impérissables d'une bonne fortune en plein air, d'un temps où l'amour caoutchouc n'existait pas ou très peu.

Il aimait les autres Bien Vivants. Les femmes qui savent oublier un régime, ont un coup de soleil sur le nez, ne boutonnent pas tous les boutons de leur robe, rient sans craindre une ride... Promptes sans doute à apprécier les hommes qui « tombent la veste », rentrent de voyage en coup de vent, ne se rasent pas tous les jours, saucent les plats, font rire les enfants... Tout le monde a un Bien Vivant au fond de soi, n'est-ce pas ? Jean-Edern, tout malheureux foncier qu'il était, n'a pas fait exception à la règle. Il était même du genre de Bien Vivant qui, s'il portait une montre, c'était pour donner l'heure quand on la lui demandait...

Alors, qu'importent les lois, les ordonnances, les décrets et les règlements quand Avicenne, l'illustre philosophe et médecin persan du Xe siècle conseille de boire du vin et va même jusqu'à préciser quelle sorte de vin avec quel mets. Il ne faut pas hésiter une seconde à prendre le temps de se laisser guider dans les pages qui suivent par François Roboth, cet observateur attentif, jour après jour, depuis des lustres, des coulisses de la vie parisienne et française, pour découvrir quelques étonnants et gouleyants souvenirs bachiques. Pisse-vinaigre s'abstenir !

« Le grand cuisinier est le complément du musicien : il flatte tous les sens, hormis l'ouïe. »

Jean-Pierre Jumez, *Passeport guitare*

« Livres (de cuisine).
Valent à l'édition française ses plus belles recettes. Passage
désormais plus obligé pour un grand chef que l'ouverture d'un
bistrot jouxtant son trois-étoiles. Lorsqu'ils sont illustrés de photos
en couleurs, peuvent rester ouverts sur la table basse du salon
tandis que la maîtresse de maison prépare un maigre frichti. »

Philippe Bouvard, *Bouvard de A à Z*

« – Un chef cuisinier m'est plus utile qu'un chef d'État.
– Et vous trouvez ça drôle ! »

Dialogue entre M. Septime, patron d'un grand restaurant parisien
incarné par Louis de Funès, et un commissaire divisionnaire incarné
par Bernard Blier, dans le film *Le Grand Restaurant*

---

(1) Du pouvoir.

« C'est pas de manger des gâteaux qui fait grossir, c'est le remords qu'on en a après ! »

« Ajoutez deux oignons, cuisez à feu doux et quand ça ressemble à du gazoil, servez avec des croûtons ! »

« Une grosse glace panachée : chocolat, vanille, moka, fraise, citron, framboise et pistache. »

Dessins de Jacques Faizant, extraits des *Vieilles Dames*, paru en 1963 aux Éditions Denoël.

Quelques souvenirs bachiques de Jean-Edern Hallier...

Par François Roboth [1]

(1) François Roboth est un journaliste connu pour avoir un goût prononcé pour le bon, le beau, le vrai... Il est juré du concours national Meilleur ouvrier de France (catégorie Maître d'hôtel, du service et des arts de la table). Ancien rédacteur en chef du Maxiguide Hachette France, coauteur de *22*, un album photo pittoresque sur les événements de Mai 1968 en France, avec Jean-Pierre Mogui, et d'ouvrages de la célèbre collection des « Guides Bleus », il a également signé les textes de l'album photo de Claude Perraudin, *Le Père Claude* (préfaces de Pierre Troisgros et de Jean-Loup Dabadie), et des contributions dans les livres *Hallier ou l'Edernité en marche, Hallier, l'Edernel jeune homme, Carré d'art : Barbey d'Aurevilly, lord Byron, Salvador Dalí, Jean-Edern Hallier, Bodream ou Rêve de Bodrum, Piano ma non solo, 88 notes pour piano solo* et *Improvisation* so piano. Sur France 3, François Roboth fut enfin l'animateur, pendant cinq ans, de « Quand c'est bon ? Il n'y a pas meilleur ! », seule émission culinaire en direct à la télévision française.

« Cuisine française », dessin de Mose (Moïse Auguste Depond, dit, 1917-2003).

« A little French bistrot [1] »

> « Un bon Allemand ne peut souffrir les Français,
> mais pourtant il boit leurs vins très volontiers. »
>
> Goethe (Johann Wolfgang von, 1749-1832), *Faust* (Brander),
> traduction de Gérard de Nerval

> « Je conçois l'enfer comme la ponctualité italienne, l'humour
> allemand et le vin anglais. »
>
> Attribué à Peter Ustinov (1921-2004)

Au siècle dernier, au début des années 1970, ce titre malicieux et évocateur de « A little French bistrot » fut celui de l'un des nombreux articles du *New York Times* que son chroniqueur gastronomique, le journaliste œnophile américain John Winroth, consacra à un « petit bistrot français » aux bons vins, et bien de chez nous... Le genre d'endroit où, chaque année, en automne, d'authentiques beaujolais dégustés sur place, qu'il s'agisse des nouveaux (primeurs) ou des villages (un peu plus tard), « ayant fait leurs Pâques » tradition oblige, pour les crus les plus gouleyants, strictement limités à dix, achetés chez les vignerons et mis en bouteilles manuellement et à l'ancienne dans sa cave par le patron *(sic)*. Avec, pour couronner l'ensemble, un dynamique lauréat récompensé depuis 1975 grâce à l'initiative John Winroth par l'annuelle, exigeante et très disputée Coupe du meilleur pot – à savoir, une bouteille de 46 cl à Lyon (pour les gones, la capitale des Gaules, située entre Rhône et Saône, et baptisée « des gueules » par le « Primat des gueules », l'inoubliable grand chef cuisinier Paul Bocuse). Pour la petite histoire, le nom de Winroth était prédestiné. Il signifie « racine de vin » en suédois ancien. C'est en effet l'iconoclaste John Winroth qui, avec le caviste anglais Steven Spurrier, son complice parisien, avait fondé L'Académie du vin, une première bachique en terre française.

Sans nationalisme exacerbé, avec uniquement le prénom de son propriétaire, aujourd'hui retraité, Chez Serge était à cette époque un agréable petit restaurant garanti sans OGM et sans chichi. Situé dans la banlieue nord de la capitale, à deux pas du carrefour Pleyel et du monumental Stade de France, sur la populaire commune de Saint-Ouen, célèbre dans le monde entier pour son Marché aux puces, qui abrite chaque week-end et en permanence la plus importante concentration mondiale d'antiquaires et de brocanteurs, sans oublier les vendeurs à la sauvette. Les marchés Paul-Bert, Serpette, Malik, Vernaison, Biron... sont fréquentés chaque année par plus de 5 millions de visiteurs nationaux et étrangers, dont de nombreuses personnalités médiatiques et les inconditionnels de jazz manouche, clients assidus, guitares à l'appui, de la Chope des puces, propriété de l'infatigable contestataire, le dynamique forain Marcel Campion.

Le patron, Serge Cancé, avait su transformer sa modeste épicerie de quartier en authentique « little French bistrot », impérativement de qualité, et qui connut rapidement un succès et une affluence mérités. Ce qui lui permit de refuser au déjeuner même des habitués, comme des journalistes du *Parisien Libéré* ou des voisins comme les collaborateurs des firmes Siemens et Boch.

Le samedi, l'établissement était particulièrement fréquenté. S'y côtoyaient volontiers Michou sans ses « Michettes », Serge Gainsbourg, Claude Terrail, « le seigneur de la Tour d'Argent », les chefs Raymond Oliver et son fils Michel, Joël Robuchon, la fine fourchette Stéphane Collaro.

Simple promenade professionnelle hebdomadaire ou cours particulier d'œnologie ? Ce qui est sûr en tout cas, c'est que Jean-Pierre Camard, diplômé de l'École du Louvre, expert près de la cour d'appel de Paris pour l'Art nouveau et l'Art déco, heureux titulaire d'un rond de serviette virtuel (non encore expertisé, à cette époque), ne se contentait pas de rendre visite à ses amis antiquaires et brocanteurs. Il était souvent rejoint par son ami Jean-Edern Hallier, accompagné et véhiculé par son fidèle chauffeur Omar.

Quand les crus du patron sont passés en revue...

Jean-Pierre et Jean-Edern ne souhaitaient pas perdre leur temps à table à expertiser leurs repas, polémiquer ou refaire le monde. Ils se montraient discrets, muets, ou simplement prudents. Ils n'ont jamais révélé qu'ils profitaient de leurs agapes audoniennes pour, sans risquer un contrôle d'alcoolémie et un mauvais jeu de mots, boire aussi, mais cette fois sans modération, les paroles de Serge, le patron, caviste confirmé de grand talent. Sans jamais oublier de faire, en entrée, un sort obligatoirement bon, tartines de pain de campagne grillées en soutien, à l'exceptionnelle terrine de foie gras d'oie au sauternes, sans cuisson, du patron (voir la recette ci-après). Verres en main, quoique toujours avec mesure afin de respecter la redoutable législation en vigueur, ils pouvaient ainsi déguster, peut-être en recrachant discrètement le précieux nectar beaujolais, comme un vieil adage professionnel le recommande à juste titre, mais également écouter avec attention Serge, soudain prof bénévole d'œnologie, leur expliquer, patiemment que : « Au sud de la Bourgogne, dans le département du Rhône, et quelques communes du sud de la Saône-et-Loire, au nord de

Lyon, le vignoble du Beaujolais couvre 17 324 hectares, que l'unique cépage vinifié est un raisin noir à jus blanc, le gamay. Que chaque année, le troisième jeudi de novembre, les beaujolais primeurs et villages, avec aujourd'hui, leur arrière-goût de banane prononcé, heureusement disparu, le précieux nectar coule dans les verres pour étancher « la large soif » des clients de bistrots et de restaurants de l'hexagone, mais aussi ceux très nombreux d'autres pays comme, en pôle position, le Japon, les États-Unis, le Royaume-Uni, la Belgique... Des clients souvent victimes de la pépie, cette terrible soif qui, c'est bien connu, « comme l'appétit vient en mangeant ! »

À apprendre par cœur

Élèves attardés mais attentifs, les deux complices s'entendaient confirmer que strictement limitées à dix, les AOC (appellations d'origine contrôlée) attendent stoïquement, selon le vernaculaire dicton beaujolais « d'avoir fait leurs Pâques ! » pour, au comptoir, sur le zinc, au restaurant, à la maison, désaltérer à la bonne température (10-12 °C) des milliers d'inconditionnels. Ils veillaient également à se souvenir que, parmi ces dix crus légendaires, les vins les plus délicats sont le Chiroubles dont le vignoble culmine à 450 mètres, le Fleurie, le Saint-Amour au nom prédestiné pour la Saint-Valentin. Que les plus structurés, le Brouilly avec la plus grande surface plantée, le Côtes-de-Brouilly, le Juliénas, et le Régnié, qui, avec son AOC [2] de 1988 est le cadet. Et que le Chénas, le Moulin-à-Vent et le Morgon sont des crus de garde par excellence.

Ainsi s'écrit l'histoire. Pour une fois, sans la moindre modération !

F. R.

Le foie gras d'oie au sauternes, sans cuisson, du patron

• 1 foie gras d'oie frais entier de très grande qualité, dénervé et déveiné (prévoir 40 g à 50 g de foie par personne), ou au choix un foie d'oie de 400 g/700 g

• 1 bouteille de votre sauternes préféré (vous pourrez déguster le reste)

• 15 g de sel fin (soit trois cuillères à café rase de sel fin)

• 8 g d'excellent poivre blanc ou noir du moulin par kilo de foie cru

• 1 terrine avec son couvercle (en terre ou en porcelaine) de la taille du foie

• Papier absorbant

Mélanger le poivre et le sel.

Saupoudrer et frotter délicatement le foie avec ce mélange.

Déposer le foie dans la terrine. Le tasser délicatement.

Arroser le foie avec le sauternes à ras bord. Couvrir la terrine.

Placer la terrine au réfrigérateur pendant 24 heures (entre 0 °C et 5 °C), ou plus longtemps si vous le voulez.

Au moment du service, démouler la terrine sur un plat.

Si nécessaire, essuyer le foie avec du papier absorbant.

Trancher avec un couteau bien tranchant, préalablement tiédi.

Servir avec des tranches de pain de campagne grillées ou de la baguette toastée, fendue dans sa longueur.

Sans oublier : fleur de sel et poivre du moulin.

Pour les connaisseurs et les inconditionnels, un verre de sauternes, bien sûr !

« Allez, sers-moi un autre verre, du Valdepeñas, cette fois, un rouge amer au palais, un vin de peu de corps, un vin sans histoire mais honnête. Verse-le doucement, je veux voir sa couleur quand il coule. – Ça devient de plus en plus rare, les gars qui savent commander un simple verre de vin. Je plains les autres. »

Francisco González Ledesma (1927-2015), *Soldados,*
traduction de Christophe Josse

« Pendant que je mangeais mes huîtres au fort goût de marée, avec une légère saveur métallique que le vin blanc emportait, ne laissant que l'odeur de la mer et une savoureuse sensation sur la langue, et pendant que je buvais le liquide frais de chaque coquille et savourais ensuite le goût vif du vin, je cessai de me sentir vidé et commençai à être heureux et à dresser des plans. »

Ernest Hemingway (1899-1961), *Paris est une fête,*
traduction de Marc Saporta

---

(1) Un petit bistrot français.

(2) Appellation d'origine contrôlée : en France, depuis 2012 pour les produits autres que le vin, le terme AOC est remplacé par celui AOP (appellation d'origine protégée) dès que le produit est enregistré au niveau européen... Et réciproquement ! Attention à ne pas confondre. Merci à Pierre Dac et à Wikipédia.

Chez les Hallier, le bon vin,
une histoire de famille

« Je boirai du lait le jour où les vaches mangeront du raisin. »

Attribué à Jean Carmet (1920-1994)

« Le vin nourrit le corps, la pensée, le regard, le paysage, la mémoire,
le vivre-ensemble. Ce que l'on appelle sa dimension culturelle
et patrimoniale. L'oublier est une injure à tous ces vignerons qui,
depuis que la fermentation du raisin existe, ne veulent pas produire
plus, mais s'imposent des règles pour chercher la qualité. Cette qualité,
par nature fragile, vient du terroir, du raisin, des tanins, de l'acidité,
de tout un environnement, du travail humain bien sûr. »

Aubert de Villaine (Aubert Gaudin de Villaine, dit),
Le Monde, 25 février 2020

« Je suis quelqu'un de très sensuel, très près du sol, je ne pourrais
pas vivre hors de France, sans boire du vin français, loin de la table
française, hors de ce rapport si particulier à l'amitié, au sexe, à la
lecture, à tout ce qui fait que la France est ce qu'elle est. Je
n'envisage pas ma vie hors de la sensualité française. »

Joann Sfar, *Le Monde,* 22 février 2020 (« Joann Sfar : On est dans une
sorte de magie haineuse »), propos recueillis par Jean Birnbaum

Malgré son histoire légendaire, l'armée française, dite « la
Grande Muette », ne nous rapporte pas que le père de Jean-
Edern Hallier, André Hallier, jeune saint-cyrien, héros de la
Première Guerre mondiale, général de brigade de l'armée française, attaché militaire en Hongrie, fut, comme son fils aîné,
amateur de bons vins. Laurent Hallier, cadet de Jean-Edern, se
souvient qu'au cours de ses nombreux périples professionnels,

son frère avait fréquenté en Médoc, le baron Philippe de Rothschild, l'heureux propriétaire du prestigieux Château bordelais Mouton Rothschild, premier grand cru classé de Pauillac. Mais également entretenu des relations amicales avec sa fille Philippine, comédienne, sociétaire de la Comédie-Française sous le nom de Philippine Pascal, membre de la Compagnie Renaud-Barrault de 1973 à 1987. En 1988, à la mort de son père, elle abandonnera sa carrière théâtrale pour reprendre la direction du château familial et de la société vinicole de Pauillac. Ses enfants Camille, Philippe Sereys de Rothschild et Julien de Beaumarchais lui succéderont à son décès le 23 août 2014.

« Premier ne puis, second ne daigne, Mouton suis »

Cette devise maison aurait pu convenir à Hallier, mais aucune indiscrétion n'a filtré, même celle concernant les filtres à presse, plaques, terre, rotatifs sous vide, à cartouches ou pas, que les œnologues du monde entier utilisent pour clarifier et stabiliser le vin. Comme l'a si bien chanté Francis Lemarque « On ne saura jamais... » si Jean-Edern a bénéficié, au château, de l'inoubliable privilège d'être invité dans l'impressionnante « Grande salle du tonneau », à participer à une ou plusieurs inoubliables « dégustations verticales[1] » de ce cru de légende. Pour l'histoire, la grande ou la petite, sachons simplement qu'une bouteille de Mouton-Rothschild 1936, année de naissance de Jean-Edern Hallier, se vend à plus de 2 000 euros. Soit aux alentours de 2 370 dollars. Port en sus (voir Internet).

F. R.

« Le vin est, selon beaucoup d'auteurs, le meilleur ami de l'homme lorsqu'on en use avec modération, et son plus grand ennemi si on le prend avec excès. C'est le compagnon de notre vie, le consolateur de nos chagrins, l'ornement de notre prospérité, la principale source de nos vraies sensations. Il est le lait des vieillards, le baume des adultes, et le véhicule des gourmands. Le meilleur repas sans vin est comme un bal sans orchestre, comme un comédien sans rouge, ou comme un apothicaire sans quinquina. Les premiers services de tout dîner sont en général silencieux, moins encore parce qu'on s'occupe du soin de garnir son estomac que parce que les cordes du cerveau n'ont pas encore été tendues par des libations généreuses. Chacun s'observe et raisonne ses morceaux en silence ; mais dès que les vins fins ont commencé à couler dans les verres, et même avant que le pétillant vin d'Aï ait fait sauter le bouchon qui le retenait captif, tous les cœurs s'ouvrent à la confiance, à l'hilarité ; chacun perd sa gravité, votre voisin devient votre ami ; les doux propos, les joyeuses reparties, les épanchements tendres annoncent la présence de l'aimable fils de Sémélé ; et pour peu que l'amphitryon ait le soin de servir graduellement ses vins, en finissant par les plus capiteux, la table n'offrira bientôt plus qu'une réunion de bons frères et d'amis véritables. »

Alexandre-Balthazar-Laurent Grimod de La Reynière, « Du vin »

« Le vin, de la poésie en bouteilles. »

Robert Louis Stevenson (Robert Louis Balfour Stevenson, dit, 1850-1894), *Les Squatters de Silverado*

---

(1) Qui consistent à déguster plusieurs millésimes du même vin d'affilée.

La « fatwa J.-E. H. » de
« Marco les bons tuyaux »

Wikipédia et les principaux dictionnaires sont d'accord. Le mot « fatwa » ou fetfa ou fetva en arabe (littéralement : réponse, éclairage) est, dans l'islam, un avis juridique donné par un spécialiste, un mufti. Depuis les tragiques événements qui secouent le monde, sa définition s'est dramatiquement globalisée.

Pour un folklore « tragicomique », dans le « milieu », ou ce qu'il en reste, en argot « la mise à l'amende » reste un moyen de punir, de réprimander, de blâmer. Rien à voir, textes officiels à l'appui, avec les mesures annuelles, rigoureusement appliquées par les redoutables caciques de Bercy.

« Marco les bons tuyaux » n'est pas le titre d'un film à succès réalisé par un des géants des films polars français Georges Lautner ou Jean-Pierre Melville, avec dans les rôles principaux Jean-Paul Belmondo, Alain Delon ou Lino Ventura.

C'est l'affectueux surnom dont le talentueux journaliste écrivain corse François Caviglioli *(Le Progrès de Lyon, Combat, Le Nouvel Observateur, Paris Match...)*, trop tôt disparu, a amicalement baptisé son complice et coauteur, le médiatique et turbulent Marc Francelet[(1)], un autre journaliste avec lequel il rédigera trois authentiques romans d'aventures certifiées *(Master,* en 1990, *Helena la Grecque,* en 1992, *Adieu l'espion,* en 1999) sur les six qu'il publiera solo[(2)].

Une « mise à l'amende » publique

Les lecteurs de *Hallier, Edernellement vôtre* se souviennent que, dans « Cinq tours de table parisiens et puis s'en vont », à la fin du chapitre « Pugilat au Café de Flore », mis à l'amende, donc « interdit de séjour » par la propriétaire Mme Milan, Jean-Edern réintégrera *illico presto* La Closerie des Lilas, rachetée par Colette et Miroslav Siljegovic.

Pour faire court, à l'époque, le fougueux journaliste Marc Francelet, rédacteur en chef de *VSD* [3], fut désagréablement surpris et furieux d'apprendre par ce « Tout! Tout-Paris » qui ne nous fait pas toujours rêver, information propagée par Jean-Edern Hallier en personne, qu'il était coupable d'avoir une liaison extraconjugale avec la célèbre écrivaine et romancière à succès Françoise Sagan. Un jour, alors qu'il déjeunait au Fouquet's, avec son ami Jean-Paul Belmondo, Marc fut alors très étonné de voir, à l'entrée du restaurant, Jean-Edern rapidement tourner les talons et, selon l'expression cynégétique consacrée, s'enfuir comme un lapin, mais à toutes jambes.

Un « porte-avions » à La Closerie, une première !

Bis repetita, peu de temps après le « vrai-faux » enlèvement, prétendument ourdi par Jean-Edern. Ce jour-là, Marco déjeunait à La Closerie des lilas en compagnie de l'énigmatique « porte-flingue » Michel Ardouin Potier de Pommeroy pour l'état civil [4]. Histoire de le présenter façon Michel Audiard, ce dernier était officiellement surnommé « porte-avions » pour son mètre quatre-vingt-sept sous la toise, et, à vif sur la balance, pour son quintal, plus un bonus de 20 kilos excédentaires. Grande figure du milieu du banditisme parisien des années 1970-1980, il présentait également la particularité d'être aussi sagement écouté pour l'imposant arsenal d'armes de poing de différents calibres qu'il portait « enfouraillé » en toutes circonstances. Ultime précision qu'il serait fâcheux d'oublier : il fut, de notoriété publique, l'associé de Jacques Mesrine, le médiatique « ennemi public numéro un » avec lequel, en dix-huit mois, de 1972 à 1973, il braquera 90 banques. Un joli score !

Assis face au bar légendaire de La Closerie, soudain Marc aperçoit dans l'embrasure de la porte tambour Jean-Edern Hallier pénétrant dans le restaurant. Il se lève rapidement, l'apostrophe violemment, comme pour le provoquer en duel, puis, l'attrapant par le revers de sa veste, lui administre deux gifles magistrales et sonores. À haute voix, dans le langage de Michel Audiard dans *Le Cave se rebiffe* (en 1961, un film de Gilles Grangier, d'après un roman d'Albert Simonin, avec Jean Gabin dans le rôle principal), il met publiquement Jean-Edern à l'amende ! En haussant le ton, il lui interdit l'accès à cet établissement parisien historique, mais également au Fouquet's, tout en ajoutant Chez Edgard, un restaurant branché du Triangle d'or, La brasserie Lipp à Saint-Germain-des-Prés, et, pour couronner le tout, lui intime l'ordre de téléphoner à ces établissements « black-listés » pour confirmer son absence.

Un peu plus tard, en 1984 ou 1985, Yves Mourousi, le médiatique présentateur du journal de TF1, prendra l'initiative de téléphoner à Marc Francelet et lui demandera de lever la « fatwa J.-E. H. ». La raison invoquée, *VSD,* où Marc officie, est le magazine partenaire officiel du prochain rallye Paris-Dakar. En exclusivité, le Prince Mourousi doit en commenter en direct le départ dans son proche journal de 13 heures sur TF1. Ceci explique peut-être cela ?

La « paix des braves » ayant été signée, sinon orchestrée, pour sceller cet événement médiatique exceptionnel, la « mise à l'amende » de J.-E. H. étant levée, comme dans *Les Tontons flingueurs,* de Georges Lautner, pour fêter ça, Marc organisera un repas de 40 couverts, chez le chef breton, maraîcher et restaurateur parisien Alain Passard. En entrée, la « soupe à la grimace » sera occultée, mais en plat principal, hommage au Dakar, les carottes de sable du potager du chef, savoureusement cuisinées, elles rendent paraît-il aimable… Elles accompagneront, hommage à la Bretagne, l'une des recettes vedettes maison, le poulet fermier de Janzé au cidre, une volaille élevée 81 jours en liberté, en Ille-et-Vilaine, à 34,1 kilomètres de Rennes, bio, sans OGM, Label rouge, IGP et surtout bretonne. Ainsi s'écrit l'histoire !

F. R.

---

(1) Marc Francelet, l'un de mes amis depuis plus d'un demi-siècle *(sic)*, pour en savoir plus à son sujet, consultez Internet. Lisez aussi son livre d'authentiques souvenirs dont la parution est prévue en 2021. Qu'on se le dise !

(2) Avec son immense talent, François Caviglioli participera aussi à huit des scénarios portés à l'écran par le brillant metteur en scène Pascal Thomas.

(3) *Vendredi, Samedi, Dimanche,* un magazine hebdomadaire lancé par Maurice Siegel, ancien directeur d'Europe 1, en 1977, puis repris par son fils François en 1985.

(4) Auguste, l'un de ses ancêtres charentais, fut garde du corps de Louis XVIII.

Appendice

« L'appendice a ceci de bon que, par son contenu strictement
documentaire, il inspire confiance aux lecteurs sérieux. On
trouve souvent dans un appendice le meilleur d'un gros
ouvrage. En général, même, je choisis les livres à appendice :
je vais droit à l'appendice, je m'en tiens là et m'en trouve bien.
Autrefois, je disais la même chose des préfaces. Passé l'époque
des aide-mémoire et découvrant les préfaces des éditions critiques, je m'y suis complu et attardé si bien que voici venu l'âge
des appendices. Cette économie culturelle, quels qu'en soient
les immenses défauts, vous donne quand même le droit de
mépriser le système digest comme une bouillie infantile. Si
j'examine la chose en tant qu'auteur, je reconnais à l'appendice
l'avantage de nous épargner les efforts de style, morceaux de
bravoure et autre littérature, mais sur ce point je ne suis pas
regardant. »
Jacques Perret (1901-1992), *Rôle de plaisance*

« Carole Bouquet : pourquoi François Mitterrand avait décidé de la mettre sous écoute »

Reproduction *in extenso* de l'article de Clara Carlesimo, paru dans le magazine *Closer* le 4 mars 2020.

« En 1985, la ligne téléphonique de Carole Bouquet a été mise sur écoute par François Mitterrand. Dans les colonnes de Vanity Fair (disponible en kiosques français ce mercredi 4 mars 2020), la comédienne explique qu'elle ne connaît toujours pas les raisons exactes...

"La vérité sur les raisons de ces écoutes on la saura jamais." Trente-cinq ans après avoir été placée sur écoute par François Mitterrand, Carole Bouquet est toujours dans le flou. Durant les années 1980, le président de la République de l'époque avait décidé de surveiller les conversations de plusieurs personnalités pour étouffer certaines affaires compromettantes ou préserver sa double vie, pas encore révélée au grand jour. Parmi elles ? Le journaliste Edwy Plenel, les écrivains Jean-Pierre Thiollet et Paul-Loup Sulitzer, le réalisateur Jean-Pierre Rassam et sa compagne d'alors, Carole Bouquet. "Deux de mes lignes téléphoniques ont effectivement été mises sur écoute sur décision de François Mitterrand", se souvient la comédienne dans les colonnes de *Vanity Fair*.

"Les raisons dépendaient d'un mélange de choses", explique-t-elle. En réalité, c'est son compagnon qui était visé par la DGSE, qui laissait "sous-entendre que Jean-Pierre serait un marchand d'armes, qu'il aurait des liens avec des groupes au Liban, mais aussi avec le président algérien Chadli Bendjedid". Sauf que le réalisateur "est mort le 28 janvier 1985 et que les écoutes ont continué bien plus tard", rappelle Carole Bouquet dans les colonnes de *Vanity Fair.* Trente-cinq ans après, la comédienne ne connaît toujours pas les raisons précises qui ont poussé l'Élysée à écouter ses conversations téléphoniques. "Mitterrand voulait-il percer ma vie privée ? Pour quelle raison ? Jean-Edern Hallier (un journaliste, NDLR) est passé souvent à la maison à l'époque. Il savait que Mitterrand avait une fille cachée, Mazarine Pingeot, et pensait le révéler. Est-ce le mélange de tout cela qui a conduit aux écoutes ?" se demande-t-elle toujours.

Carole Bouquet : « Ça amusait tout le monde qu'une actrice ait été écoutée. »

Des années après la mise sur écoute, Carole Bouquet a demandé réparation à la justice. Déboutée en première instance, en janvier 2005, l'actrice a obtenu en appel des dommages et intérêts pour "atteinte à l'intimité de sa vie privée". Pour avoir été écoutée, Carole Bouquet a reçu un euro symbolique ainsi que 6 000 euros pour couvrir ses frais d'avocats. En 2005, aux *Inrocks,* Carole Bouquet expliquait que "ça amusait tout le monde qu'une actrice ait été écoutée" : "Alors que ce n'était pas moi, c'était Jean-Pierre. Ils ont pensé qu'il avait des rapports avec Khadafi à cause du film qu'il faisait sur Amin Dada." Celle que la DGSE surnommait "bûche" plaisantait alors des rumeurs qui avaient circulé à l'époque sur une liaison avec François Mitterrand. "Ça fait fantasmer parce qu'il aimait beaucoup les jolies femmes et les cheveux longs, rigolait-elle. Mais ce n'était pas ça : s'il avait voulu me connaître, il aurait trouvé un moyen." »

« Sous les crachats de mépris des morts de la Résistance [1] »

par Jean-Edern Hallier

« Rectification de la vraie vie de Mitterrand, telle qu'il n'aimerait pas qu'on la voie et telle qu'il veut qu'elle nous soit contée.

Par ce qu'il nous cache et ce qu'il aimerait bien qu'on lui reconnaisse, sa légitimité historique. Est-ce parce qu'en promenant Mazarine, plutôt que de songer à reconnaître l'enfant, il s'est dit qu'on ne l'avait pas assez bien reconnu lui-même ? Comment s'y prendre ? Ce qui va suivre nous plonge en plein dans un chapitre de *1984,* d'Orwell – celui du ministre chargé de réécrire les articles de journaux du passé pour les rectifier. Fallait-il que la seule démocratie occidentale à rattraper un roman d'anticipation fût la France, l'année même de sa célébration ? Ce cauchemar prophétique ne s'était pas réalisé ? On respira, on encensa l'auteur de la fiction. Personne ne s'aperçut que le roman d'un François Mitterrand, c'était aussi de l'Orwell – c'est-à-dire une anticipation ridicule du totalitarisme moderne.

L'Histoire-fiction, dénoncée par André Malraux, s'est remise en marche. De même que, n'ayant pas le CAPA (certificat d'aptitude à la profession d'avocat), l'ancien garde des Sceaux Mitterrand profita de sa charge sous la IVe pour se faire avocat par un décret faussement général, il se fit faire Résistant *a posteriori* par un autre décret – évidemment faussement général !

Nul n'est mieux servi que par soi-même. Ainsi avait-il son mouvement de prisonniers, dont il réussit à prendre le contrôle avec force magouilles. Sauf que, créé après 1945, le MNPGD (Mouvement national des prisonniers de guerre et déportés) n'ayant, et pour cause, jamais été homologué par la Résistance, Mitterrand ne trouva rien de mieux que de le reconstituer à titre posthume. Il l'inventa par décret quarante ans après. Faut le faire !

Longue marche de l'imposture historique ! Déjà en 1978, Jean Védrine avait commencé à rassembler les interviews de son monumental dossier sur les prisonniers de guerre. En juillet 1981, Mitterrand le fit diffuser gratuitement dans toutes les bibliothèques publiques. À cette falsification préparée de longue date, seulement rendue possible par la disparition des témoins gênants, il fallait le texte officiel pour qu'elle devînt enfin institutionnelle – pour tout dire, vraie pour les enfants des écoles. Jugez-en par ce décret lui-même.

Ministère de la Défense

Décret n⁰ 84-150 du 1ᵉʳ mars 1984 relatif à la situation de certaines formations de la Résistance.

Le Premier ministre,

Sur le rapport du ministre de l'Économie, des Finances et du Budget, du ministre de la Défense, du secrétaire d'État auprès du ministre de l'Économie, des Finances et du Budget, chargé du budget, et du secrétaire d'État auprès du ministre de la Défense, chargé des anciens combattants.

Vu le décret n⁰ 75-725 du 6 août 1975 portant suppression des forclusions opposables à l'accueil des demandes de certains titres prévus par le code des pensions militaires d'invalidité et des victimes de guerre, complété par le décret nº 82-1080 du 17 décembre 1982,

Décrète :

Art. 1ᵉʳ. – Sur demande formulée dans l'année suivant la date de publication du présent décret, les formations de la Résistance non reconnues comme telles ou non homologuées comme unités combattantes pourront, par déclaration spéciale du ministre chargé des armées, être assimilées à des réseaux et mouvements de la Résistance ou à des unités combattantes.

Cette déclaration spéciale est établie dans le premier cas après avis de la commission nationale consultative de la Résistance créée par le décret nº 70-768 du 27 août 1970 et dans le second cas après avis de la commission spéciale prévue à l'article A. 119 du Code susvisé.

Art. 2. – Un arrêté interministériel définit les conditions dans lesquelles les formations précitées peuvent obtenir la déclaration spéciale visée à l'article 1ᵉʳ.

Art. 3. – Le ministre de l'Économie, des Finances et du Budget, le ministre de la Défense, le secrétaire d'État auprès du ministre de l'Économie, des Finances et du Budget, chargé du budget, et le secrétaire d'État auprès du ministre de la Défense, chargé des anciens combattants, sont chargés, chacun en ce qui le concerne, de l'exécution du présent décret, qui sera publié au Journal officiel de la République française.

Fait à Paris, le 1ᵉʳ mars 1984.

Pierre Mauroy

Par le Premier ministre :

Le ministre de la Défense, Charles Hernu.

Le ministre de l'économie, des Finances et du Budget, Jacques Delors.

Le secrétaire d'État auprès du ministre de l'Économie, des Finances et du Budget, chargé du budget, Henri Emmanuelli.

Le secrétaire d'État auprès du ministre et de la Défense, chargé des anciens combattants, Jean Laurain.

Il ne fallut pas moins de cinq ministres pour parapher cette minable supercherie. Hernu, Emmanuelli, Laurain, Delors et Mauroy ! Qui était derrière, gros comme une montagne et qui, pour une fois, avait oublié d'y mettre son nom ? Signé Furax. Mitterrand, ou la réalité décrétée...

À qui profitait-elle ? Au MNPGD, pardi ! Parce qu'à part les « *malgré nous* » alsaciens de l'armée allemande, il n'y avait personne d'autre à faire inscrire. Ô scandaleuse distorsion de l'Histoire ! Si demain on nous enseigne, contre toute évidence, que Mitterrand fut Résistant, ce sera aussi vrai que les cigognes de Strasbourg déposent les nouveau-nés dans les berceaux. *Malgré nous !*

Ô mouvement lazaréen ! Ô miracle de la Rose !

On rassembla les survivants autour d'un buffet somptueux au Cercle militaire, place Saint-Augustin. Mitterrand vint les saluer, que dis-je, les mordre, en vrai vampire qui se respecte. Il n'y avait plus rien à craindre. Les morts, eux, ne ressusciteraient pas pour témoigner contre sa supercherie. Quant aux vivants, zombies reclus, arthritiques, précomateux sortis tout perclus de son poème hilarant, sa *Légende des siècles,* il pouvait leur faire confiance : c'étaient des mordus de Mitterrand, en quête de reconnaissance, pauvres petits mazarins recuits. *"Je suis une légende"*, titrait l'Américain Matheson. À moins que ce n'eût été un film, *La Grande Illusion* ? Ou du théâtre, *L'Illusion comique,* de Corneille ? On nomma même un liquidateur du réseau, il s'appelait Jacques Benet – aussi benêt que son nom l'indique – lequel se chargea lui-même d'un compte rendu qu'il offrit à la vente afin que personne ne puisse soupçonner Mitterrand d'avoir acheté sa Résistance grâce à des témoignages de complaisance. Rien ne manquait à la mise en scène, petits fours, embrassades gâteuses et mythomanie collective sous le gros insigne inventé pour la circonstance – un crachat, comme on dit. Craignons qu'ils n'en reviennent d'autres sur leurs tombes : les crachats de mépris des morts de la Résistance. Messieurs, comment ne pouvez-vous pas sombrer dans la honte ? En tout cas, c'est dans le ridicule. Il est vrai qu'on s'occupe comme on peut. Il faut être tout indulgence pour les palinodies du troisième âge...

Au moins, le dossier de Védrine nous fournit-il, sans l'avoir voulu, des arguments intéressants contre le président de la République. Pourtant, il limite les dégâts, après les hagiographies insensées d'un Manceron, ou d'un Charles Moulin – autre membre de la conspiration présidentialo-romanesque. Ou des ouvrages plus respectables (encore qu'abusés souvent) de F. O. Giesbert, de J.-M. Borzeix, ou Cayrol. Sur cette période de 1940-1944, ils se contredisent carrément, ou bien, d'un livre à l'autre, on constate un nouvel embellissement de cette hideuse façade de carton-pâte que j'ai le regret de démolir pour rendre la douce France à ses véritables harmonies.

Mitterrand a-t-il pu s'évader trois fois ? Sur ces affiches électorales, dans la Nièvre, il ne se vantait que de *deux* évasions.

Comment a-t-il pu s'évader une troisième fois ? Mieux que l'honorable soldat japonais perdu vingt ans sur une île du Pacifique et croyant que la Seconde Guerre mondiale continuait, ce Mitterrand a battu tous les records ; il a attendu trente ans pour s'évader une troisième fois, grâce à une biographie de Claude Manceron.

À reprendre Védrine, on constate que Mitterrand lui a fait l'*"honneur"* (rien de moins : c'est le mot qu'il a employé en me parlant, l'honoré !) d'ajouter une lettre au dossier qui l'accrédite. Et encore, quelles surprises va-t-il nous réserver ? S'il n'y avait ce livre pour l'en empêcher.

J'en frémirais d'impatience : *"ce récit n'est pas exhaustif,* écrit Mitterrand le 23 novembre 1978, *mais je n'y relève pas d'erreur".*

Moi, j'en relève, en dépit de l'extraordinaire habileté du montage. À déchiffrer attentivement Védrine, la chronologie démontre, bien malgré elle, la mystification. Entre les dates de sa deuxième évasion, le 28 novembre 1941, et celle de la troisième, le 10 décembre 1941, il s'écoule seulement onze jours. Entre-temps, il aurait pu prendre le train, être arrêté à l'hôtel *Cécilia,* à Metz, et être ramené au camp de Boulay, annexe de l'hospice des sœurs de Saint-Vincent-de-Paul, transformé en hôpital militaire pour les soldats allemands. C'est possible.

En revanche, il est impossible qu'après s'être évadé avec les dénommés Barrin et Levrard du Stalag 9 A, clos de deux rangées de barbelés d'une hauteur de trois mètres, espacées d'environ quatre mètres, plus les intervalles de chevaux de frise, très denses, plus les projecteurs balayant sans cesse la grille et qui n'avaient rien à voir avec les projecteurs complaisants que Claude Manceron, quarante ans plus tard, ferait jouer

sur cette escapade avortée, les Allemands eussent eu l'impru-
dence de le gratifier *moins d'une semaine après avoir été repris*
d'un traitement de faveur : camp en France et surveillance plus
relâchée ! Tous les prisonniers évadés étaient envoyés dans des
camps de représailles situés en Allemagne orientale et en
Pologne (le célèbre Rawa Ruska). Pourquoi Mitterrand aurait-il
fait exception, s'il n'y avait eu une autre anguille sous roche ?

Quelle pêche miraculeuse ! Décidément, il y a bien des anguilles
dans les eaux marécageuses du passé de Mitterrand. Celles du
lac Balaton, en Hongrie, en 1943, étaient pleines de roseaux et
de sangsues : tout petit garçon, je contemplais le ciel plein
d'escadrilles de bombardiers, confettis argentés qui survo-
laient ce petit pays encore neutre, dernier îlot féodal devant la
grande marée russe, qui s'apprêtait à recouvrir cet ultime banc
de sable. Tout commençait en conte de fées, et se terminerait
en tragédie. Les Allemands n'arrivèrent qu'en 1944, et les
Russes, en 1945. Après, je me terrais dans les caves de Budapest
assiégée pendant cinquante-quatre jours. Un de mes livres,
La Cause des peuples, raconte ces années terribles et radieuses
de ma vie.

Après avoir sauté sur les genoux du maréchal Pétain, je sautai
sur ceux de l'amiral Horthy, le régent, garant de la monarchie
hongroise. Puis je sautai sur les genoux des évadés français,
ceux qui avaient réussi à fuir les fameux camps polonais de
représailles. Mon père, attaché militaire à Budapest, était dans
la clandestinité l'organisateur des cinquièmes colonnes de
résistance en Europe de l'Est. Il commandait environ deux mille
hommes. Il les entraînait au bord du lac Balaton, avant de les
envoyer en Yougoslavie ou en Slovaquie se battre contre les
Allemands. Une manie, me faire sauter sur les genoux. C'est là
que Barrin, le *"compagnon d'évasion"* de Mitterrand, me fit sau-

ter. Sauf qu'en arrivant en Hongrie il ne s'était jamais évadé avec un Mitterrand, comme les biographies de celui-ci le prétendent. Quant à ma propre biographie, tombant d'une étagère de ma bibliothèque sur ma table, elle s'ouvrit justement sur l'intermède hongrois de mon enfance. Comme le hasard n'existe pas, détective du temps retrouvé, *La Cause des peuples* venait à point nommé de mon enquête borgésienne : c'est en remontant une fois de plus dans mon passé que je remontai celui de Mitterrand.

En son pauvre labyrinthe de chiffres falsifiés, de faits incertains et de témoins introuvables, je n'allais pas tarder à défaire l'écheveau d'inexactitudes : parce que cet homme tombe en quenouille dès qu'on démêle ces *"parts de vérité"* qui finissent par tisser le manteau de notre arlequin bidonneur. Grâce à la puissance tutélaire de mon père, qui est resté leur maître à tous, je retrouvai ces évadés, les plus rudes et les plus courageux prisonniers français, des têtes brûlées, des fous, d'immenses patriotes. Tous s'étaient évadés au moins deux fois pour se retrouver en Hongrie. Barrin est mort, mais il a fait ses confidences après la guerre. Il n'a jamais connu Mitterrand. Comment aurait-il pu s'enfuir avec lui ? D'autres en savent plus long, les frères maristes de Brive. Il y avait un homme, le frère Albert, aujourd'hui retiré à Saint-Pourçain, dont le curé, l'abbé Leclerc, mort en 1965, était le compagnon de la première évasion de Mitterrand. Je sautai sur les genoux du frère Albert. Comme je sautai sur les genoux du frère Victor, sur les genoux du frère Joseph Sandoz et sur ceux du frère Eustache, sur les genoux pointus du frère Jean-Baptiste, le Basque Bonebels, l'acrobate filiforme, évadé de Rawa Ruska. Il s'était savonné le corps pour mieux glisser, tout nu, entre les barreaux de sa cellule, et sauter dans la neige quinze mètres plus bas. C'était le plus extraordinaire risque-tout de la bande, un héros qui, entre deux prières et une partie de chistera, n'ayant jamais cessé de s'entraîner contre les hauts murs des centrales pénitentiaires nazies, retournait au combat, mitraillette au poing. Cet homme qui n'a jamais menti, je l'appelai dans le couvent où il s'était retiré. J'entendis sa voix rocailleuse cascadant un gros rire à propos de Mitterrand. À la fin de notre conversation, il me dit : *"Adieu, mon petit Jean-Edern."* Je restais, pour lui, ce gosse à cheval sur ses larges épaules dans les eaux du lac Balaton, Adieu, mon grand Jean-Baptiste.

Tous ces témoignages concordent. Mitterrand n'a pu s'évader trois fois. Quant à sa seconde évasion, l'implacable logique des faits la rend aussi douteuse. Si les Allemands ne l'ont pas puni comme la première fois (deux mois au cachot), c'est qu'il ne s'est même pas évadé deux fois, mais une seule, et en ratant son coup en plus, le maladroit. Aux énigmes troublantes de la vie des êtres, les réponses se font souvent tardives : les maristes s'étaient vengés d'une manière indirecte de leur ancien élève, devenu contempteur de l'école libre, François, l'enfant hybride des deux Marie (Eugène Deloncle, dit Marie, et François Marie Méténier) et des maristes du 104, rue de Vaugirard, à Paris. Bref, si Mitterrand s'était évadé *deux* fois, il serait arrivé lui aussi en Hongrie, dernier pays neutre, par conséquent refuge naturel des échappés des camps disciplinaires. Je l'aurais connu à sept ans, au lieu d'attendre que ce plaisir, dont je me serais volontiers dispensé, m'arrive à trente-trois ans.

Bien sûr, j'aurais aussi sauté sur ses genoux. Comme il va sauter sur ce livre.

J'ai dû aussi sauter sur les genoux de René Picard, l'actuel président des évadés de guerre. Sans le savoir, je déjeunai avec lui, le 21 mai 1981, à l'Élysée. Perdu au milieu des tablées de grands obligés ou de gros obligeants, les mordus de Mitterrand.

Picard, c'était l'adjoint du lieutenant de Lanurien, l'un des bras droits de mon père, qui lança les commandos dans les neiges de Bohême sous les hautes tours des châteaux pour contes de vampire. Sans doute fut-il mordu lui aussi, sans le savoir... par la prescience mitterrandienne. Quand je lui téléphonai, il fut bien aimable. Il avait même sur sa cheminée ma photo, au bord du lac Balaton, habillé en petit marin. Mais quand nous en arrivâmes à l'épineuse question des évasions du président de la République, il parut soudain extrêmement gêné. Comment se faisait-il que Mitterrand n'eût même pas la médaille des évadés ? Cet évadé surhumain, ce fou de décorations, il les a toutes sauf deux : celle de compagnon de la Libération, attribuée aux seuls Résistants, et celle-là, qui serait sûrement à ses yeux sans prix, puisqu'elle consacrerait les plus beaux exploits, ceux qu'il s'est attribués lui-même. Picard s'enferra : il n'a pas la médaille parce qu'il faut, pour l'avoir, le témoignage de deux camarades ayant assisté à l'évasion, sans y avoir participé. Alors comment se fait-il que dans les camps où il aurait séjourné, le Stalag 9, à Kassel, à deux reprises, et le camp de Boulay, jamais personne ne l'ait vu s'évader ? Comment se fait-il que la troisième fois, si l'on en croit Manceron, l'historien officiel du septennat, un certain Galand selon Védrine, ou Baland selon Manceron, *se serait arrangé pour couvrir son évasion par des mouvements apparemment affolés de prisonniers qui semèrent la confusion"* ? Comment ne s'en est-il pas trouvé un seul pour témoigner de cette troisième évasion ? Gaston Acadias, l'un de ses compagnons de Stalag, habitant de Tonnay, en Charente, affirme, lui, qu'il ne s'est jamais évadé. Comment se fait-il que même ses compagnons d'évasion n'aient pas témoigné ? Ni l'abbé Leclerc, pour sa première évasion – dont le frère Bonebels me déclara qu'il en pensait, pour d'obscures raisons, le plus grand mal ? Ce qui tendrait à démontrer que même la première évasion cache, elle aussi, une part de mystère. Ni Levrard, ni Barrin pour sa seconde évasion, ni les innombrables prisonniers qui firent courir, à Boulay, le bruit de son évasion, ni le Baland, ni le Galand, selon Manceron ou Védrine, qui ne sont jamais d'accord entre eux sauf pour cirer les pompes du Mitterrand qui les cautionne tous les deux?

En revanche, il y en a un qui aurait pu le faire, mais on l'en a empêché. Pourtant Mitterrand aurait pu se balader partout avec lui, en le présentant comme son ami. Il aurait même été son unique caution, s'il l'avait voulu. À lui tout seul, cet ancien proviseur du collège Saint-Martin, à Pontoise, du nom de Louis Amadieu, valait bien une demi-médaille des évadés, puisqu'il lui fallait, je le répète, un autre témoin pour la mériter tout entière. Il est même singulièrement curieux que, après qu'il fut interrogé au début du dossier Védrine, son témoignage, qui eût été inestimable, ne mentionnât même pas qu'il avait tenté de s'évader avec Mitterrand lors de sa prétendue troisième évasion.

Voici ce que Védrine lui a demandé de ne pas raconter. Homme désintéressé et indifférent, membre *a posteriori* du MNPGD, mais surtout plus sérieusement du réseau Alliance de Marie-Madeleine Fourcade, Amadieu, ce véritable Résistant, n'a pas cherché à en savoir plus. Il se contentait de faire plaisir à de vieux copains, remâchant bien étrangement ce maigre bout de gras du passé qu'ils auraient bien voulu avoir. Voici ce qu'il raconte : *"Un matin, dans la cour du Stalag, il y a un appel pour décharger un wagon de pommes de terre en dehors du camp. Mitterrand, qu'on n'aurait pas cru à ce point amateur de patates, se porte aussitôt volontaire."* Purée! On se demande bien pourquoi cette subite détermination. Toujours est-il que personne d'autre parmi les prisonniers n'ayant manifesté une envie particulière de l'accompagner, on en désigne quelques-uns, parmi lesquels se trouvait Amadieu. Au cours du déchargement, Mitterrand prend ses jambes à son cou, faussant compagnie aux Allemands, qui tirent dans tous les sens, sauf dans le sien ; Amadieu se cache dans le wagon, quelques prisonniers, même, se font cartonner par les sentinelles. On savait déjà Mitterrand immense, mais pas à ce point-là.

Pourquoi cette histoire est-elle restée si soigneusement cachée ?

D'abord parce qu'elle est parfaitement ridicule, ensuite parce que c'est la plus grosse de toutes les anguilles, mais sous un sac de pommes de terre. Tout simplement, elle montre que l'évasion n'aurait pu se faire sans la complicité des Allemands. Ils l'ont permise, ils l'ont favorisée. Mais c'est Mitterrand qui a imaginé la mise en scène.

À vrai dire, on lui pardonnerait volontiers de s'être ainsi évadé, puisque, l'essentiel étant de s'en sortir, tous les moyens étaient bons, même la collusion avec l'ennemi.

L'important, c'est l'éclairage psychologique que donne l'évasion à l'individu. Mitterrand répète toujours, selon un même processus mental, la même supercherie. Sa seule finalité : se faire valoir.

Ô obscures années d'apprentissage ! Le coup monté de Boulay, c'est la répétition générale de celui de l'Observatoire en 1959. »

---

(1) Extrait de *L'Honneur perdu de François Mitterrand* (Éditions du Rocher).

Avenue de la Grande-Armée 1993 [1]

par Alain Paucard [2]

« Jean-Edern Hallier, écrivain, fut condamné par la Justice à payer 3 millions de francs à d'ex-ministres. Les comptes rendus juridiques sont assommants et la seule chose qu'on puisse dire de ce jugement est qu'il fut fort disproportionné à la faute. Le but, dans ce cas-là, n'était pas de donner une leçon au prix d'un franc symbolique, mais bien de briser, de jeter à terre, de piétiner, un esprit fort. Les ex-ministres y étaient presque parvenus en chassant Hallier de chez lui, en le jetant dans la plus compréhensible des dépressions, qui nécessita son hospitalisation. L'écrivain possédait encore un trois-pièces, au 29 avenue de la Grande-Armée, c'était trop. Les ex-ministres dépêchèrent un huissier, pour le samedi 21 mai. Quelques académiciens, un producteur de télévision, protestèrent, mais le 21, devant chez Hallier, il n'y eut que le cher Jean Dutourd, très en colère dans *Le Figaro* de la veille [3] et dans *L'Idiot international* [4]. Week-end oblige...

Marc Cohen m'appela l'avant-veille et je lui appris, en me servant d'un jargon qu'il appréciait, que j'avais "mobilisé" le Club des Ronchons. Je tiens à ce que le Club des Ronchons se tienne en dehors de toute affaire politique, mais il ne s'agissait pas de politique, seulement d'honneur, une vertu qui tend à l'obsolescence.

J'arrivais en avance, pour me promener dans ce quartier que j'avais tant fréquenté, pour ses cinémas ou pour ses filles. Le quartier de l'Étoile et des Ternes a subi un véritable génocide de salles. Rien qu'avenue de la Grande-Armée, cinq salles ont disparu. Seul, Le Mac-Mahon, ultime survivance concrète de la cinéphilie des années soixante, offre encore ses soirées quatre fois par semaine!

Le Club des Ronchons était représenté par Rémi Cabel, Christophe Le Vaillant et Bernard Peyrotte. Une délégation du Rentier lumineux était présente, avec Bruno Fuligni et Catherine Musard. J'attendais avec impatience l'arrivée des flics, décidé à me bagarrer. Une bouffée de colère juvénile me submergeait et je "brûlais" d'en découdre d'autant plus que, pour une fois, j'avais vraiment une juste cause à défendre. Las, les élections avaient porté une nouvelle majorité au pouvoir, qui n'était pas fâchée d'embêter les ex-ministres.

Une expulsion peut être empêchée simplement en barrant la route à un huissier. Celui-ci a la possibilité de requérir la force publique auprès du commissaire de quartier. Le commissaire porte alors la question à l'échelon préfectoral. L'huissier, revêtu d'une combinaison anti-balles (!) et protégé par un garde du corps, demanda au commissaire de police – jolie femme, si ma mémoire est bonne – lequel rendit compte à l'échelon supérieur, qui refusa l'intervention des forces de police. La première bataille était gagnée. Il y en avait une autre, le 27, à la salle des criées du Palais de Justice, où devait être mis en vente, à la bougie, l'appartement en question.

Le 27, rebelote, avec une consigne : pénétrer dans la salle des criées avec une bougie allumée afin de créer la confusion. Entre les deux tours, Jean Dutourd avait lancé un appel à l'insurrection sur les ondes de Radio-courtoisie. Je ne fus donc pas surpris de retrouver dans la salle des pas perdus, des représentants de la porte de Vanves, Vincent De Luca (pose de vitre, stores, tringles) et la libraire-papetière, Geneviève Poisson. Cette fois, on se frotta les côtes avec les gendarmes qui fractionnèrent les présents en trois groupes. Le premier comprenait ceux qui avaient réussi à pénétrer dans la salle des criées et qui s'en firent d'ailleurs expulser comme Marc Cohen et Jean-Cyrille Godefroy, fondateur du journal satirique *La Grosse Bertha*. Le second, dont j'étais, attaqua la ligne des gendarmes qui luttaient sur deux fronts en empêchant le troisième groupe de rejoindre le deuxième. Vincent De Luca, à la belle carrure, rompit la ligne gendarmesque, mais Thierry Séchan, qui poussait pourtant comme un tracteur, manqua d'être piétiné. Un jeune gendarme hurla : "Chef, y en a une qui m'a mordu !" craignant sans doute le sida, mais je pense qu'il s'est effrayé pour rien, car "celle qui l'a mordu" est la femme d'un président d'une importante société transnationale.

L'espace d'un instant, je revécus ma jeunesse, d'autant plus que Cohen monta sur mes épaules pour chanter La Marseillaise !

Pendant ce temps, Hallier sortait vainqueur de la salle des criées, le tribunal se déclarant incompétent et renvoyant la vente en appel, c'est-à-dire dans un placard.

Sur les marches du Palais, Hallier sortit des bons mots à propos de l'Olympique de Marseille, pendant qu'arrivaient Déon, Droit et Dutourd. Les trois "D" ironisa quelqu'un "c'est plutôt *Trois de Saint-Cyr*", corrigea Dutourd, plaisanterie à destination des cinéphiles [5]. Autour des académiciens, on trouvait Hugues Auffray et, bien sûr, des Ronchons : Cabel, qui termina sa journée dans une manifestation de la CGT, Jacques Cellard, le beau Frédo, Godefroy, Séchan et la "groupie" du Club : Élisabeth Moulinier.

Dans le numéro suivant de *L'Idiot,* Hallier écrivit notamment :
"Il serait trop long d'énumérer tous les amis venus à mon aide,
parmi lesquels les Jeunesses communistes, le groupe Jalons ou
le Club des Ronchons."

Je ne remercierai jamais assez MM. Fabius, Kiejman et Tapie
d'avoir permis le rapprochement de la Jeunesse communiste
et du Club des Ronchons. Nous devrions organiser plus souvent
des manifestations communes, ce serait d'un chic ! »

---

(1) Extrait de *Paris est un roman : anecdotes, 1942-2000*, éditions L'Âge
d'Homme, 2005.

(2) Né à Paris en 1945 et se déclarant volontiers de « nationalité pari-
sienne », Alain Paucard est un auteur de nombreux ouvrages, dont
Dutourd l'incorrigible, La Crétinisation par la culture et *La France de Michel
Audiard.* Également chroniqueur et animateur de radio, il est connu de
longue date pour être le président à vie du Club des Ronchons dont Pierre
Gripari puis Jean Dutourd furent les présidents d'honneur.

(3) « Ne jetez pas Jean-Edern Hallier à la rue ! »

(4) « Il aura le dernier mot ! »

(5) Film de Jean-Paul Paulin (1938) avec Jean Chevrier, Jean Mercanton,
Roland Toutain et Hélène Perdrière.

« Edern. Le château de Jean-Edern Hallier à l'abandon [1] » ou chronique d'une mort annoncée

Volets arrachés, vitres brisées, toit du pigeonnier envolé. À Edern, le château de La Boissière est en train de vivre ses dernières années.

« C'était un château avec 150 hectares et cinq fermes autour. Je crois qu'il remonte au XIIIᵉ siècle mais c'est à partir du XVIᵉ que l'on en sait un peu plus », raconte Laurent Hallier, héritier du château de La Boissière, à Edern. À cette époque, il était propriété de la famille de Penandreff, et ce, jusqu'au XVIIIᵉ siècle. Faute d'héritier, le château est resté inoccupé après la mort du dernier représentant de la famille, et ce, jusqu'au XIXᵉ siècle.

Les fermes vendues en 1945

« Mon grand-père, le général Henri Hallier, l'a acquis grâce à sa belle-famille, les Bastit, qui avaient fait fortune dans le commerce du charbon. » Des gens très aisés qui possédaient également une propriété sur une île, dans la rade. Mais les temps ont changé et en 1945, les fermes ont été vendues. « Mon grand-père, qui avait mené plusieurs hautes missions en Europe centrale, était très attaché à cette maison. » Il a fait élever un étage supplémentaire et fait refaire la façade. Pas vraiment du goût du petit-fils : « Un second étage, ça n'est pas courant en Bretagne. Ça fait un peu caserne », souffle-t-il. Il raconte aussi que son père, le général André Hallier, y a passé son enfance. Ce père qui a vécu la séparation des Églises et de l'État : « Ça a été très dur en Bretagne, les gendarmes chargeaient. » André Hallier s'est mis à recueillir des morceaux de sculptures des calvaires détruits dans la campagne. « Il voulait en faire un musée lapidaire » qui n'a jamais vu le jour. Toutes ces pièces ont été déposées, en garde, au château de Trohanet. Sous l'Occupation, « en 1940, les Allemands ont voulu réquisitionner La Boissière, dévoile Laurent Hallier. Mon grand-père s'y est opposé, il a fait valoir qu'il avait cinq étoiles alors que celui qui se proposait de prendre sa place n'en avait que deux. Selon le règlement militaire allemand, ce n'était pas possible et ils sont partis s'installer à Trévarez. En 1955, au décès de mon grand-père, nous n'avions plus les moyens de faire vivre la propriété. Il y avait une cuisinière, des domestiques et mon père s'est peu à peu désengagé. »

De beaux projets...

Jean-Edern Hallier, le frère de Laurent Hallier, prend alors en charge la bâtisse où il organise des rencontres très parisiennes et tout aussi privées. Mais au fil du temps, il ne peut plus l'entretenir, le laisse à sa fille qui décide de le vendre à un homme d'affaires qui avait de beaux projets... qui n'ont jamais vu le jour. Aujourd'hui, La Boissière se meurt dans l'indifférence générale.

Note :

Érigée au XIIIe siècle, La Boissière a été à plusieurs reprises remaniée. En particulier au XIVe, au XVIIe et au XIXe siècles. Dotée de jardins classés comme « remarquables », cette demeure « historique certes mais sans luxe ni architecture exceptionnels » est aujourd'hui laissée à l'abandon et vouée à une ruine complète.

Jean-Edern Hallier y était attaché et n'avait pas manqué de l'évoquer lors de ses conversations avec l'auteur de cet ouvrage. Il l'avait fait connaître, en y invitant régulièrement des personnalités, dont André Breton et Pierre-Jakez Hélias.

Ariane Hallier, fille aînée de l'écrivain, en a hérité, mais a dû la vendre à un entrepreneur qui souhaitait la transformer en un centre culturel important voire en une résidence d'écriture dont le rayonnement devait dépasser les limites de la Bretagne. Malheureusement, après avoir acquis des terres près d'un fermier voisin dans cette perspective, l'homme d'affaires a de toute évidence changé d'avis. Contraint peut-être par les incidences de la crise financière de 2008, il s'est désintéressé du château.

---

(1) Article publié dans le quotidien *Le Télégramme de Brest*, le 18 avril 2016.

Sous le chapiteau géant
de la démocratie[1]

Par Philippe Bouvard

« Les titulaires du nouveau bac avec "option cirque", délivré par le lycée de Châtellerault, ont une bonne chance de réussir en politique. Qu'il s'agisse d'exercices aussi courants sur les pistes du suffrage universel que le jonglage (avec les deniers publics), la manipulation (des témoins et des preuves), l'illusionnisme (pour faire accoucher la montagne d'une souris), la gymnastique (pour retomber toujours sur ses pieds), le trapèze volant (qui prépare au parachutage électoral), le funambulisme (sur la corde raide des idéologies fluctuantes), le dressage de fauves (pour affronter les journalistes et adversaires) ou la haute école (afin d'enfourcher les dadas jamais rétifs de la démagogie), toutes les matières enseignées sont de nature à favoriser la maturation de ceux qui souhaitent faire carrière dans l'altruisme professionnel sous le chapiteau géant de la démocratie. La discipline la plus utile semble toutefois le métier de clown puisque, comme son homologue au nez vermillon et aux chaussures trop longues, l'amateur de palais nationaux a l'habitude de s'adresser aux adultes ainsi qu'on parle à des enfants. »

« Politique : lutte d'intérêts déguisée en débat de grands principes.
Conduite d'affaires publiques pour un avantage privé. »

Ambrose Bierce, *Le Dictionnaire du diable*

« Ils sont entrés dans les écuries d'Augias… Mais
c'est pour en remettre ! »

Jules Barbey d'Aurevilly, à propos de politiciens véreux des
débuts de la IIIᵉ République

« Politique : personnage qui fait carrière en promettant le
bonheur aux autres alors qu'il pense en priorité à l'amélioration
de sa situation personnelle. »

Philippe Bouvard, *Bouvard de A à Z*

---

(1) Extrait d'*Auto-psy d'un bon vivant,* Le Cherche midi éditeur.

Coronavirus : histoire à mourir debout

« La foule des aveugles ne vaut pas un seul voyant, non plus que la foule des sots ne peut égaler un sage. »

Giordano Bruno, *Le Banquet des cendres* (1584)

« Ne pas voir, regarder de côté, c'est plus facile que de vouloir s'informer à tout prix. Les fautes par omission, par précaution, sont bien plus nombreuses que les grands crimes. »

Attribué à Paul Ricœur (1913-2005)

C'était il y a près de vingt-cinq ans... C'était hier. Le 16 janvier 1997, à 9 heures, très précisément. La messe de funérailles de Jean-Edern Hallier avait lieu à Paris en l'église Saint-Ferdinand des Ternes. Bel accueil, beau grégorien, belle homélie et communion sur l'air du « combat de la mort et de la vie » d'Olivier Messiaen, avant absoute, encensement et bénédiction du corps. À la sortie, sur le parvis, l'auteur de ces lignes n'était pas seulement attristé. Il s'en voulait d'avoir songé quelques années auparavant à proposer à Hallier de faire paraître un livre d'entretiens consacrés à l'avenir et de n'avoir donné aucune suite... L'auteur du *Bréviaire pour une jeunesse déracinée* qui l'avait captivé lors de sa parution au début des années 1980 lui paraissait en effet détenir l'art de secréter l'illusion du futur... cet art de prophétiser par un « bon sens » supérieur à celui des savants et des sages de ce monde. Comme l'écrit si bien Alessandro Baricco dans *Cette histoire-là*, « on n'a pas idée du nombre de choses qui meurent, quand quelqu'un meurt ».

Plusieurs trimestres se sont écoulés… L'idée d'un ouvrage a ressurgi lors d'un bref séjour à Delphes en 1997. Bien sûr, la Pythie n'y rend plus ses oracles le 7 du mois. Mais il subsiste un site de sanctuaire peu ordinaire qui domine une vallée d'oliviers, plantés sur des milliers d'hectares, à perte de vue.

À cette époque, déjà très technicienne et riche en prouesses qui ne faisaient qu'augmenter les angoisses et les vertiges, il était beaucoup question du « basculement » dans le nouveau millénaire. Comme si le passage à l'an 2000 pouvait en soi coïncider avec un nouvel horizon… Les affairistes de l'informatique semblaient trouver beaucoup trop d'ardeur à faire coïncider leurs intérêts avec le changement de calendrier pour accréditer la sincérité d'une vraie démarche prospective. En fait, la seule difficulté résidait dans le « recrutement » d'une personnalité qui non seulement ait une bonne hauteur de vue et une aptitude certaine à la « transversalité » mais encore accepte de tenter l'expérience fort aventureuse de jouer les pythonisses.

Si les spécialistes sont nombreux – et les « experts » autoproclamés ou médiatisés davantage encore –, les personnages qui ont été amenés à intervenir dans des domaines très différents et en des contrées variées le sont moins, et ceux dont, en dépit d'une intégrité personnelle et d'une rigueur intellectuelle incontestable, l'avis n'est en rien conditionné par des liens d'intérêt et soumis à l'influence de puissances d'argent, sont très rares.

Ce sont des participations à des Universités fiscales d'été à Nice animées par Jean-Claude Martinez [1] à la fin des années 1990 et au tout début des années 2000 qui provoquèrent le « déclic ». Avec d'autant plus d'évidence que l'auteur de ces lignes se souvenait que peu avant sa mort, Jean-Edern Hallier avait croisé l'universitaire et parlementaire européen à proximité de

La Closerie des Lilas, sur un trottoir de la rue Notre-Dame-des-Champs et qu'il pouvait y avoir là comme un « passage de témoin ».

Jean-Claude Martinez se laissa tenter par l'initiative éditoriale. Si bien que vers la fin 2002, un contenu d'ouvrage put être élaboré.

Malheureusement, son caractère décapant et atypique sembla se conjuguer avec l'étiquette politique Front national attachée au nom du parlementaire pour vouer à l'échec tout projet de parution… Pourtant, un petit éditeur parisien d'origine libanaise accepta de publier le livre qui sortit en mars 2004 sous le titre *Demain 2021.* Avec, à l'intérieur, des paragraphes comme :

« Après 2015, "désagriculturée", de même que "désindustrialisée", l'Europe dépendante et asservie, sera à la merci des intempéries, des épidémies et des hystéries de ses lointains fournisseurs. »

ou :

« Et voilà pourquoi jusqu'à la fin des temps politiques on ne résoudra pas les problèmes graves des migrations, des pandémies, des délocalisations et autres calamités, si l'on ne hisse pas l'orbite de solution de ces problèmes au niveau de l'orbite où ils gravitent. Les hommes politiques en sont restés à Ptolémée et l'on attend le Kepler de la politique qui épargnera au monde la conflagration qui arrive. »

Durant le printemps 2004, eut lieu une séance de lancement de ce livre *Demain 2021* au siège de l'Union européenne, à l'angle du boulevard Saint-Germain et du quai Anatole-France. À une ou deux exceptions près – dont celle de Jean-Marc

Chardon, de France Culture –, les « journalistes » français du « système » médiatique de l'époque ne furent présents ni ne manifestèrent une quelconque curiosité. Jean-Claude Martinez parut définitivement classé, à l'extérieur comme à l'intérieur de sa « famille politique », comme un hurluberlu, au mieux un fantaisiste vraiment pas sérieux, au pire un iconoclaste infréquentable. Tandis que son « interviewer » était, lui aussi, relégué au rang de marginal atypique, aux initiatives singulières et regrettables. Il n'empêche que l'ouvrage figure aux catalogues de la Bibliothèque du Congrès aux États-Unis et de quelques autres prestigieux établissements et qu'il constitue une preuve irréfutable que tout ce qui a été vécu depuis la fin 2019 à l'occasion de la pandémie du coronavirus était prévisible et s'est hélas produit comme prévu.

En 2005, le chercheur, infectiologue et professeur de microbiologie Didier Raoult fit de son côté paraître un livre de vulgarisation intitulé *Les Nouveaux risques infectieux.* Avec, à l'intérieur, des phrases comme :

« L'inattendu doit être attendu avec beaucoup de vigilance. »

ou :

« Il est vraisemblable que dans le courant du XXIe siècle une nouvelle pandémie grippale se produira. »

Ce même Didier Raoult avait dès 2003 tiré la sonnette d'alarme auprès des instances dirigeantes mais n'avait été écouté par aucun politicien français au pouvoir. Dans un rapport de mission qu'il avait remis à M. Jean-François Mattei, alors ministre de la Santé, il écrivait que la France lui apparaissait comme « l'un des pays les moins bien préparés à un problème d'épidémie massive parce que l'époque ne se prête pas à la prévision d'événements catastrophiques ; les besoins sociaux relayés par la presse sont des besoins immédiats. » « Seule l'implantation durable de centres de recherche et de surveillance en pays tropical, préconisait-il, permettra la détection précoce des nouveaux agents infectieux. » Ce rapport connut le destin le plus souvent réservé à ce type de document, celui de s'insérer dans un empilement de rapports, d'avoir l'honneur de séjourner quelques mois dans les lambris dorés d'un hôtel ministériel, avant d'avoir la cote – la bonne de préférence – auprès des archivistes…

En novembre 2005, George W. Bush, alors président des États-Unis, présenta un plan de lutte contre une possible pandémie de grippe aviaire. « Si nous attendons qu'une pandémie apparaisse, ce sera trop tard pour se préparer, alertait-il. De nombreuses vies pourraient être perdues inutilement parce que nous avons manqué d'agir aujourd'hui. » « Une grippe pandémique arrive quand une nouvelle souche virale émerge et peut se transmettre facilement d'une personne à une autre et pour laquelle il y a peu ou pas d'immunité naturelle », rappelait-il, avant de souligner le danger en termes en mortalité : « Cette grippe peut tuer ceux qui sont jeunes et en bonne santé aussi bien que ceux qui sont fragiles et malades. » « Une pandémie, ce n'est pas comme les autres catastrophes naturelles, prévenait-il encore. Les épidémies peuvent se produire en même temps dans des centaines, voire des milliers d'endroits en même temps. Et contrairement aux tempêtes et aux inondations, qui frappent en un instant puis se rétractent, une pandémie peut continuer de se répandre à vagues répétées, qui peuvent durer un an, voire plus. Pour répondre à une pandémie, nous devons avoir un plan d'urgence en place dans les 50 États et dans chaque communauté locale. »

Ce beau discours fut prononcé par George W. Bush en personne aux Instituts nationaux de la santé aux États-Unis. Comme il incluait une demande au Congrès de 7,1 milliards de dollars, dont 2,8 milliards devaient servir au financement d'un développement rapide d'une capacité de production de vaccins, il resta, hélas, en grande partie, sans suite.

En 2008, George W. Bush dut affronter la crise des subprimes et en janvier 2009, Barack Obama lui succéda dans le fauteuil de président des États-Unis et se hâta de démanteler la petite partie du plan de lutte qui avait pu difficilement être initiée et mise en œuvre par son prédécesseur.

Ministre française de la Santé, de la Jeunesse et des Sports de 2007 à 2010, Roselyne Bachelot décida, dans le cadre de sa gestion de l'épidémie de grippe H1N1, la constitution d'un stock de plus de 1,7 milliard de masques, chirurgicaux et non chirurgicaux. Présentée par un député du Parti socialiste comme « un gaspillage des deniers publics », son initiative fut raillée par les humoristes, l'ensemble de la classe politique et de nombreux Français. Au centre d'une intense controverse, Roselyne Bachelot fut conspuée et même insultée. Auditionnée à l'Assemblée nationale à la demande des députés, elle défendit ainsi sa stratégie : « Les masques sont un stock de précaution – excusez-moi si ce mot devient un gros mot ici. Ils sont un stock de précaution qui est destiné à toute sorte de pandémie, et ce n'est pas évidemment au moment où une pandémie surviendra qu'il s'agira de constituer les stocks. Un stock, par définition, il est déjà constitué pour pouvoir protéger. » Aucun des successeurs de Roselyne Bachelot [2] ne souhaita veiller à la bonne conservation de ce stock de précaution et encore moins à son renouvellement. Si bien qu'au fil des ans, de péremption en péremption et de destruction en destruction, les réserves

de masques utilisables fondirent dans des proportions considérables. Début 2020, l'État français disposait de seulement
117 millions de masques chirurgicaux et d'aucun stock de
masques non chirurgicaux.

« La grande majorité des gens ne pensent jamais et s'en trouvent bien. »

Maurice Pirenne (1872-1968), *La Poubelle*

« Qui ne "meurt" pas de n'être qu'un homme ne sera
jamais qu'un homme. »

Georges Bataille, *L'expérience intérieure*

---

(1) Né en 1945, Jean-Claude Martinez est auteur d'ouvrages de référence, professeur émérite de l'université de Paris II – Panthéon-Assas,
ancien parlementaire européen et national, et ancien conseiller régional.
Lauréat du concours général en sciences naturelles et diplômé du Centre
d'études et de recherches internationales de l'académie de La Haye, cet
agrégé de droit public et de sciences politiques a voyagé et séjourné sur
les cinq continents. Il a été rapporteur de l'International Fiscal Association, cofondateur du Forum international de solidarité des civilisations
méditerranéennes, coordinateur du projet de Code marocain des impôts,
chargé de mission à l'Inspection générale des finances du Maroc. Il a en
outre créé une maison de disques, exercé quelques-uns de ses talents au
Petit Conservatoire de Mireille et écrit « Seulement voilà », l'un des tubes
de l'été 1969.

(2) Après avoir été ministre et députée européenne, cette personnalité,
née en 1946, s'était reconvertie avec succès dans l'animation d'émissions
de télévision et de radio. Le 6 juillet 2020, elle a été nommée ministre de
la Culture dans le gouvernement Castex, sous la présidence d'Emmanuel
Macron.

« Arrêtons d'avoir peur ! »

par Chantal de Senger [1]

« Avec quelques semaines de recul, on aperçoit que cette crise a fait paraître deux camps. Ceux qui alimentent la peur et qui s'y contentent. Et les autres qui relativisent la situation car ils ont compris qu'ils ne mourront pas de Covid-19, conscients que les probabilités de succomber un jour à une autre maladie ou à un accident sont infiniment plus élevées.

D'où vient alors cette peur généralisée et irrationnelle au sein d'une grande majorité de la population et des autorités ? De ce manque d'autosuggestion, de sens critique, de résilience individuelle, notamment de la très grande majorité de la population qui n'a pas été touchée directement par la maladie ? Certes, les médias sont en partie responsables de cette psychose en martelant quotidiennement pendant trois mois le nombre de malades et de morts liés au coronavirus. Il faut relever que jamais dans l'histoire, nos sociétés n'ont fait le décompte quotidien des morts dus au cancer, aux maladies cardiovasculaires, à la démence ou encore des femmes tuées sous les coups de leur conjoint. Rien non plus sur les dix millions de décès par an dus à la faim.

Comment comprendre alors ces mesures politiques devenues liberticides pendant trois mois ? La seule et véritable inquiétude que nous devons tous avoir, ce n'est pas de tomber malade, mais bien des conséquences qu'engendre cette peur entraînant des normes sanitaires délirantes : interdiction d'embrasser ses parents et ses proches. Défense de faire du sport. Éloignement social. Personnes âgées qui ne peuvent plus sortir sans craindre des remarques. Restaurateurs et autres commerçants pourvus de masques, visières et gants durant leur travail. Des conséquences économiques, sociales et politiques incommensurables que nous subirons durant des années à la suite du *shutdown.* De l'État de plus en plus interventionniste et de sa volonté de traçage des citoyens. Des délations, des insultes et des amendes infligées aux individus qui prennent l'air à plusieurs ou un peu trop loin de chez eux. Alors que pendant ce temps un pays comme l'Italie libère des criminels pour des raisons sanitaires. Des futures conséquences du confinement sur la santé physique et mentale. D'un monde de l'absurde qui se profile. Pire, d'un univers orwellien qui se concrétise.

Certes, beaucoup de nos comportements vont devoir changer. Pour sauver la planète en premier lieu. Consommer de manière plus sobre, plus solidaire, plus intelligente surtout. Développer le bon sens. Nos modes de vie, nos rapports sociaux doivent définitivement être remis en question. Il est cependant indispensable de garder nos libertés fondamentales et notre légèreté de vivre. Car pour la première fois, la Confédération prend des décisions qu'elle impose. C'est troublant dans une démocratie comme la Suisse qui fonctionne au rythme des consultations et des référendums. N'acceptons pas de politique liberticide, ni l'annihilation de nos droits, sous prétexte de la peur. Car même si l'obéissance à une autorité est l'un des fondements de toute société, elle devient dangereuse lorsqu'elle entre en conflit avec la conscience de l'individu. Ainsi, ce qui est dangereux est l'obéissance aveugle. C'est ce qu'a prouvé l'expérience de Stanley Milgram : ne tombons pas dans l'état agentique. L'homme est un être social mais cela ne l'empêche pas d'avoir besoin d'une certaine autonomie ! Résistons à la tentation autoritaire au nom de ce virus afin de préserver nos libertés si chèrement conquises ! Car personnellement, je n'ai pas envie d'un monde confiné à l'atmosphère pesante entouré de marionnettes cachées derrière des masques sous prétexte sanitaire ! Et vous ? »

---

(1) Rédactrice en chef adjointe du magazine suisse *Bilan* et auteure de cet article paru le 20 mai 2020.

In memoriam

Patrice Gelobter

« Te nommer, c'est faire briller la présence d'un être
antérieur à la disparition. »

Jacques Roubaud, *Quelque chose noir*

« Les hommes ne vivent pas ensemble uniquement lorsqu'ils
sont rapprochés : l'absent peut vivre aussi avec nous. »
(« Die Menschen sind nicht nur zusammen, wenn sie beisammen
sind, auch der Entfernte, der Abgeschiedene lebt in uns. »)

Johann Wolfgang von Goethe, *Egmont*

« Si la vie est éphémère, le fait d'avoir vécu une vie éphémère
est un fait éternel. »

Vladimir Jankélévitch, *La Mort,
Le Je-ne-sais-quoi et le Presque-rien*

S'il n'y a pas eu de publicité autour de la disparition fin novembre 2019 de Patrice Gelobter, nul ne saurait en être surpris. Certains publicitaires ont ceci de commun avec les meilleurs cordonniers qu'ils ont l'élégance de tirer leur ultime révérence sur la pointe des pieds, dans la plus grande discrétion.

Pendant plusieurs décennies, Patrice Gelobter n'en avait pas moins arpenté les coulisses françaises de l'économie, de la politique et des médias. En mode 7 jours et nuits sur 7. Au point de faire partie du Tout-Paris microcosmique de la presse et du spectacle vivant dont il était un adorateur fervent.

Né peu après la fin de la Seconde Guerre mondiale, en 1949, ce « titi parisien » aurait pu avoir un parcours, somme toute, banal d'un diplômé d'école de commerce devenu, après un service militaire effectué en Allemagne, chef de publicité à la radio RTL puis au quotidien *L'Aurore*. Mais il fut repéré par Philippe Tesson qui avait l'impérieux besoin de « commercialiser » la seconde et nouvelle formule de son *Quotidien de Paris,* un journal réputé invendable – à juste titre en raison de la haute tenue et des caractéristiques parfois très imprévisibles de son contenu… Philippe Tesson avait vu juste. Avec son allure de gitan play-boy, sa chemise blanche, sa cravate griffée, son costume ajusté, très rentre-dedans, et ses mocassins noirs passepartout, Patrice Gelobter, dit Gelo ou Patounet, était un vendeur hors norme, capable de convaincre l'émir d'un immense désert de sable de l'urgente nécessité de s'offrir quelques millions de tonnes de grains supplémentaires, arguments en béton à l'appui, et, comble du comble, au travers des méandres des accointances et des rebondissements inhérents au sablier du temps, de lui faire faire une bonne affaire !

Pour tous ceux et celles qui l'ont connu, son obstination extrême à atteindre l'objectif qu'il s'était fixé n'avait rien de légendaire… Elle contribua à lui valoir le surnom de « Django Reinhardt de la réclame », ce mot de « réclame » dont il assumait haut et fort et sans complexe le caractère kitsch de la résonance sémantique.

Durant près de quinze ans, il fit donc « des pieds et des mains » pour assurer, avec une petite équipe, les « fins de mois » d'un quotidien atypique qui finit par tourner ses ultimes pages, en partie pour raisons politiques, peu avant le milieu des années 1990.

En 1995, avec l'éditeur Jean-Cyrille Godefroy et l'auteur de ces lignes, il initia un projet de « quotidien du dimanche ». Entreprise qui tourna vite court et dont il reconnut *a posteriori* qu'elle était plus qu'aventureuse… Ne se laissant pas le moins du monde désarçonner, il trouva tout naturel de se remettre en selle en devenant le directeur de la communication de *Paris Turf*, le quotidien spécialisé dans les courses hippiques, dont il organisa le sponsoring au niveau national et développa les recettes publicitaires. Puis, au milieu des années 2000, il se prit de passion pour *France-Soir*. Peut-être parce que ce titre avait eu ses heures de gloire à l'époque de Pierre Lazareff, le célèbre homme de presse aux origines russes, allez savoir ? Ce qui est sûr en tout cas, c'est qu'il se démena durant près de deux ans comme un forcené pour monter un dossier de reprise de l'entreprise, multipliant les rendez-vous pour intéresser des interlocuteurs, nouer des conventions, lever des fonds… Un très sérieux « business plan », qui permettait de sauvegarder de nombreux emplois, put ainsi être mis au point et présenté devant le tribunal de commerce. Malheureusement, à la dernière minute, décisive, un partenaire clé, qui avait été présenté par Gilbert Collard, alors avocat à Marseille, fit faux bond. « Mon client a disparu ! » se contenta de déplorer l'homme de robe, une dizaine de jours avant que l'homme d'affaires en question, surnommé le « roi de la sardine », soit retrouvé incarcéré en Suisse pour filouteries en tout genre !

Qu'importe. La reprise de *France-Soir* sera finalement assurée par l'entrepreneur Jean-Pierre Brunois… avec le concours de Patrice Gelobter qui se prolongera jusqu'à ce que le titre se retrouve entre les mains d'un fils de moujik déguisé en oligarque sibérien [1], rejeton si insignifiant et si bête que même les plantigrades des steppes qui lui servaient de garde du corps s'en aperçurent… L'épisode *France-Soir* aura cependant pour vertu de se solder par plusieurs liens amicaux, en particulier avec les journalistes François Mattei [2] et François Roboth.

Dans les années 2010, Patrice Gelobter sera le directeur marketing publicité de l'hebdomadaire *Bakchich* qui avait pour directeur de la rédaction Nicolas Beau et pour chroniqueurs Jean-François Probst, Patrice Lestrohan et Paul Wermus. Enfin, avec tout ce que le rôle pouvait impliquer de difficultés, en termes d'image et de préjugés, il assurera aussi la communication de la Foire du Trône et des entreprises foraines.

Ami d'enfance d'Hervé Novelli [3], l'inlassable « franc-tireur » avait, il est vrai, de qui tenir.

Du côté paternel, il était issu d'une famille juive aisée de Crimée. Aussitôt après l'arrivée au pouvoir d'Adolf Hitler en Allemagne, son grand-père, en patriarche lucide, décida de transmettre ses biens à ses deux enfants et les incita à prendre leur destin en main. L'un crut préférable de rester sur place. Un choix qui se révélera tragique. L'autre, prénommé Joseph, n'eut pas la mauvaise idée d'attendre la chanson de Joe Dassin pour rêver d'Amérique... Avec dans ses bagages sa part d'héritage en or bon poids, il fit donc la traversée du continent européen avec pour objectif de s'embarquer pour New York. Mais une fois arrivé à Paris, le voilà comme ébloui. Par la beauté de la ville, l'art de vivre qui s'y cultive, le bon accueil qui est réservé à son travail de fourreur... Il s'y trouve tellement bien qu'avec son or, il achète un spacieux appartement rue de Turenne. Mais patatras, survient une drôle de trouble-fête : la guerre. Aussitôt, Joseph se déclare prêt au combat. Comme l'armée française dite « régulière » ne veut pas de lui, il se tourne vers la Légion étrangère qui l'intègre à bras ouverts dans ses rangs. Hélas, la supériorité militaire allemande se révèle vite écrasante et, comme bon nombre de ses camarades de combat, il se retrouve dans un camp de prisonniers de guerre outre-Rhin, qui ne saurait être confondu avec un club de vacances reconverti pour séjour en quarantaine, avec piscine, jacuzzi et spa... Dans ce genre de circonstances, Joseph n'est pas du tout du genre à se faire remarquer. Mais il a un gros défaut : il comprend parfaitement l'allemand et peut le parler. Alors, un jour, comme un soldat de garde se montre des plus odieux et a une fâcheuse tendance à « fouetter la mule qui tire », il ne peut s'empêcher de lui faire connaître sa manière de voir les choses... Mal lui en prend évidemment puisqu'il trouve place – et quelle place ! – dans un convoi qui l'emmène dans le plus grand complexe concentrationnaire et exterminateur du Troisième Reich : Auschwitz. Un voyage programmé sans retour. En 1945, Joseph Gelobter, grâce à sa ténacité d'acier et sans doute à la solidarité de certains compagnons d'horreur, fait cependant partie des survivants. En piteux état, il rentre à Paris où... nul ne l'attend. Il n'a pas de famille et ses quelques relations ont disparu. Autour de lui, l'indifférence est générale. Revient-il sonner à sa porte rue de Turenne qu'il est éconduit. Poliment quoique fermement. Il n'existe pas, et surtout, n'a pas lieu d'être là. L'appartement a été vendu et ses occupants se déclarent en règle et de bonne foi... À Joseph, qui n'a ni argent ni papiers (à l'exception de son « bon de sortie » d'Auschwitz), il ne reste plus qu'à survivre. Une nouvelle fois. Il reprend des forces et peu à peu son activité de fourreur, grâce à son savoir-faire doublé d'un réel sens du commerce, avant de rencontrer celle qui deviendra la mère de son unique descendant. Pour autant, il restera traumatisé. Jusqu'à sa dernière heure. « Quand il entendait frapper à sa porte, se souvenait son fils, il devenait livide : il était pétrifié puis prêt à tenter de fuir par la fenêtre... Cela paraissait irrationnel, mais c'était irrépressible chez lui. »

Edernel jeune homme

Pour qui eut à côtoyer Patrice Gelobter au siècle dernier, l'existence de la branche maternelle ne pouvait être ignorée, tant certains jours, la « mamma » devenue veuve interférait dans la vie professionnelle de son rejeton, il est vrai unique… Et à coup sûr plus singulier qu'il n'y paraissait, en raison d'un agglomérat de qualités et de défauts extrêmes. Foncièrement, il était libéral, humaniste, pluraliste, ouvert. Mais il vivait le plus souvent en esclave de l'urgence, du court terme, de surcroît sur un territoire à la fiscalité la plus torride au monde. Du coup, les délices de Capoue avaient plus que tendance à se mêler aux affres de l'enfer… N'empêche. Durant ses dernières années, préoccupé par ses soucis de santé et affecté par la mort de Paul Wermus, il refusa toujours de lâcher prise. Y compris lorsqu'il eut le choc de découvrir l'existence des tweets antisémites d'un ancien et éphémère collaborateur du *Quotidien de Paris* devenu producteur de télévision… Cette forme d'indifférence qui consiste à « poursuivre son propre chemin » sut vite prendre la place de la déception.

Fin novembre 2019, lors de sa « mise au trou » – pour reprendre sa propre expression –, les cinq femmes essentielles de son parcours terrestre étaient présentes. Sa fille Sarah [4], Marianne Daudré, Yolande Capoue-Nyoko, Marie-Noëlle Paduani et Tatiana Smolenskaïa. Plusieurs de ses amis également : Patrice Carquin, le directeur de la société Badiet, son épouse Safia, Cyril Grégoire, le directeur artistique du Balajo, l'agent artistique Denis Sublet, Sébastien Darras, l'expert hippique [5]… Nul doute qu'il en a été heureux. Alors au diable la tristesse et l'amertume d'être submergé par les souvenirs : le Duke's Bar de l'hôtel Westminster, avec les chansons de Véronique Soufflet accompagnée par Jean-Luc Kandyoti, les notes de Rachmaninov par Victor Eresko, les récitals Chopin de Pascal Amoyel au théâtre du Ranelagh qui l'avaient subjugué, le Renoma Café Gallery, le 79 en version Mimi Pinson, avenue des Champs-Élysées, La Cavetière (Chez Brigitte Menini) à La Bastille, le Dada, dans le quartier des Ternes, la Péniche Marcounet, quai de l'Hôtel de Ville...

Patrice Gelobter. Né et mort à Paris. Entre 1949 et 2019, soixante-dix ans de vie. Seulement s'étonneront peut-être certains ? À tort. De même, qui aurait lieu d'être surpris que Patrice Gelobter ait pu devenir l'un des membres fondateurs du Cercle InterHallier ? Ce séducteur et fumeur impénitent, qui roulait carrosse en Alfa Romeo, Mercedes, Jaguar ou Honda et avait connu tous les plus beaux lieux du monde ou presque, fut jusqu'à son dernier souffle un edernel jeune homme. L'chaïm ! Patrice... L'chaïm [6] !

> « Il n'existe que deux choses infinies, l'univers et la bêtise humaine mais pour l'univers, je n'ai pas de certitude absolue. »
> Attribué à Albert Einstein (1879-1955)

> « Ils s'appelaient Jean-Pierre, Natacha ou Samuel
> Certains priaient Jésus, Jéhovah ou Vishnou
> D'autres ne priaient pas, mais qu'importe le ciel
> Ils voulaient simplement ne plus vivre à genoux. »
> Jean Ferrat (Jean Tenenbaum, dit, 1930-2010), « Nuit et brouillard »

> « La mort devrait être un service public gratuit pour tout le monde, [...] comme la naissance. »
> Pierre Desproges, « Dernières volontés », album *En scène* au Théâtre Fontaine (1984) sorti en 2001 chez Tôt ou Tard

(1) Aujourd'hui déchu et recherché par Interpol pour escroquerie et détournement de fonds à grande échelle, cet oligarque fut l'éphémère propriétaire d'Hédiard, l'entreprise d'épicerie de luxe. Il déclarait également posséder chantiers navals et gisements de charbon, d'autant plus fabuleux qu'inexploitables....

(2) Mort le 19 avril 2020. Cf. *In memoriam,* p. 279.

(3) Cet homme politique, qui fut parlementaire européen et national, est maire de Richelieu, en Indre-et-Loire. Il a été, à la fin des années 2000, secrétaire d'État chargé du Commerce, de l'Artisanat, des Petites et moyennes entreprises, du Tourisme, des Services et de la Consommation. Son nom est, comme chacun sait, associé à deux statuts au caractère novateur et à la portée historique, dont il a été l'initiateur et qui lui vaudront sans doute la postérité : celui de l'autoentrepreneur, d'une part, et celui de l'EIRL, l'entreprise individuelle à responsabilité limitée, d'autre part.

(4) Mère de ses deux petits-enfants, Sacha et Léa.

(5) Certains – comme le producteur Jean-Pierre Agnellet, ou des anciens du *Quotidien de Paris,* Alain Vincenot, Franck Dimey ou Patrice Baziet... – ne purent être avisés à temps et durent se joindre à l'assistance par la pensée.

(6) Toast traditionnel en yiddish : « à la vie ! »

François Mattei

« Ce Mort a connu les hasards de l'orage,
Le tourment des flots, les monstres de la mer,
La faim qui déchire et la soif qui ravage
Et le pain amer. »

Renée Vivien, *Sapho*

« Or qu'est-ce que la vie entière perdue dans l'océan de l'éternité,
sinon "un grand instant"? »

Vladimir Jankélévitch, *La Mort*

« Une vérité, une foi,
Une génération d'hommes passe,
Est oubliée, ne compte plus.
Excepté pour ceux, peu nombreux,
Qui ont pu croire à cette vérité,
Professer cette foi,
Ou aimer ces hommes. »

Joseph Conrad (1857-1924), *Le Nègre du « Narcisse »*

Contrairement à ce que l'on pourrait peut-être croire, les êtres passionnés, viscéralement passionnés s'entend, ne sont pas légion. Il faut même s'armer de beaucoup de patience pour en trouver sur son chemin... François Mattei en était un. Au point que même son nom ne suffisait pas à donner le ton et encore moins la mesure de l'implication. Il était, en quelque sorte, un Corse plus qu'insulaire, un Corse à part devenu corsaire d'un journalisme qui eut ses heures de gloire mais n'existe presque plus que pour mémoire : le journalisme d'investigation.

Né en 1948, il a fait partie dès la fin des années 1970 du microcosme de la presse écrite, repéré, non seulement pour ses articles dans le *Journal du dimanche* où il est grand reporter, mais encore parce qu'il paraît éprouver une passion intense pour le Liban et l'Afrique. Au début des années 1990, son parcours journalistique bifurque puisqu'il devient manager des Gipsy Kings, le groupe gitan de musique andalouse auquel il vient de consacrer un livre préfacé par Joan Baez et publié chez Filipacchi. Notes séductrices et enchanteresses, trompeuses paillettes et sombres coulisses... Les fêtes auront, hélas, leurs lendemains qui déchantent. Mais qu'importe. Il n'est pas Corse à se laisser abattre pour si peu. Repartant à l'abordage des titres de presse, il enchaîne les collaborations au *Nouvel Obs,* au *Point* et à *VSD* (où il s'illustre avec une exceptionnelle interview de Youssouf Fofana, le criminel « cerveau » du « gang des barbares », dans sa cellule à Abidjan). Au passage, il tombe passionnément amoureux de Myriam qu'il épouse et qui bientôt lui donnera deux enfants, Maya et Adam... En 2003, le voilà rédacteur en chef à *France-Soir* [1] qu'il quitte avant d'en devenir en 2006 le directeur de la rédaction, aussitôt après le sauvetage de ce quotidien à la barre du tribunal de commerce de Lille par l'entrepreneur Jean-Pierre Brunois. S'ensuivent de folles heures, tourbillonnantes, stressantes, harassantes, dans un environnement tourmenté où, chaque jour, à force d'être une vie, relève de la survie... Patrice Gelobter, comme rabatteur en chef de publicité et de partenariats, est de la partie. François Roboth, comme chroniqueur gastronomique, aussi. Mais au bout de quelques mois, se refusant à accepter tout accommodement dans ses relations avec la direction de la publication et Christiane Vulvert, une secrétaire générale qu'il exècre, François Mattei s'en va. Épuisé mais fier. Il n'a cédé en rien. Plus corse que lui tu meurs, on vous l'a dit... Or, justement, un vrai Corse ne saurait être homme de compromis.

Éperdu d'amour pour son épouse et émerveillé par ses deux très jeunes enfants, il rebondit, renoue avec le journalisme indépendant, histoire de « faire des coups » pour toujours dénoncer les hypocrisies, les scandales, les impostures… En 2009, il publie chez Balland *Le Code Biya,* un livre consacré à Paul Biya, le président de la République du Cameroun. Puis c'est le sort réservé à Laurent Gbagbo, l'homme d'État ivoirien incarcéré auprès de la Cour pénale internationale à La Haye, qui le choque profondément. Il prend position en faveur du prisonnier et, fin connaisseur de l'Afrique en général, et de la Côte d'Ivoire en particulier, ne rate pas une occasion de dire à tous ceux et celles qu'il rencontre : « Personne ne pouvait acheter Laurent Gbagbo et ni le tenir, ni le faire chanter. C'est pourquoi on a tout fait pour l'éliminer. »

De ce combat est né un précieux livre-document, intitulé *Pour la vérité et la justice* et paru en 2014 aux éditions du Moment, qui, riche en révélations sur ce qu'il faut bien appeler un « scandale français », a sans doute beaucoup contribué à ébranler les esprits. En tout cas, ce qui est certain, c'est qu'en janvier 2019, Laurent Gbagbo a été acquitté et que ce fut pour François Mattei une grande satisfaction morale.

En sa qualité de Corse, il était bien placé pour ne nourrir aucune illusion sur l'existence de prisonniers politiques sous tous les régimes et pour pressentir ce que les États sont capables de faire quand il s'agit de défendre leurs intérêts réels ou supposés au détriment des peuples… Mais il lui restait, malgré tout, une forme d'ingénuité candide, une bienveillance et une foi dans l'impérieuse nécessité de la lutte à mener contre l'injustice.

En 2019, François Mattei aurait dû – c'était convenu – rejoindre le Cercle InterHallier, mais il en a été empêché, en raison de la maladie qui a fini par l'emporter.

Si sa mort le 19 avril 2020, dans le silence de la quasi-totalité des « professionnels » parisiens de la plume, ne fut en vérité qu'un ultime et navrant scandale, il n'était plus là pour le dénoncer.

Peut-être, après tout, se serait-il contenté d'inviter ses amis, lui qui savait comme le poète Jean Cassou que « la mort ne se conjugue pas à la première personne », à lire en son hommage ce texte que Jean Debruynne [2] rédigea à l'occasion de la commémoration des 7 000 ans de la ville de Byblos, au Liban :

Quand vous saurez que je suis mort
Ce sera un jour ordinaire
Peut-être il fera beau dehors
Les moineaux ne vont pas se taire
Rien ne sera vraiment changé
Les passants seront de passage
Le pain sera bon à manger
Le vin versé pour le partage
La rue ira dans l'autre rue
Les affaires iront aux affaires
Les journaux frais seront parus
Et la télé sous somnifères
Suite à l'incident du métro
Vous prendrez les correspondances
En courant les couloirs au trot
Chacun ira tenter sa chance
Pour moi le spectacle est fini

La pièce était fort bien écrite
Le paradis fort bien garni
Des exclus de la réussite
Pour moi je sortirai de scène
Passant par le côté jardin
Côté Prévert et rue de Seine
Côté poète et baladin
Merci des applaudissements
Mon rôle m'allait à merveille
Moi, je m'en vais, tout simplement
Un jour nouveau pour moi s'éveille
Vous croirez tous que je suis mort
Quand mes vieux poumons rendront l'âme
Moi je vous dis : vous avez tort
C'est du bois mort que naît la flamme
N'allez donc pas dorénavant
Me rechercher au cimetière
Je suis déjà passé devant
Je viens de passer la frontière
Le soleil a son beau chapeau
La Paix a mis sa belle robe
La Justice a changé de peau
Et Dieu est là dans ses vignobles
Je suis passé dans l'avenir
Ne restez pas dans vos tristesses
Enfermés dans vos souvenirs
Souriez plutôt de tendresse
Si l'on vous dit que je suis mort
Surtout n'allez donc pas le croire
Cherchez un vin qui ait du corps
Et avec vous j'irai le boire… »

« Le sommeil est le frère de la mort. »

Proverbe marocain

« La beauté de la mort, c'est la présence. Présence inexprimable
des âmes aimées, souriant à nos yeux en larmes. L'être pleuré
est disparu, non parti. (…) Les morts sont les invisibles,
mais ils ne sont pas les absents. »

Victor Hugo, dans son discours sur la tombe
d'Émilie de Putron, le 19 janvier 1865

« Un homme qui tombe
C'est la création qui s'écroule
Mais nous continuons à tourner
Avec le poids de ceux qui s'en vont. »

Armand Gatti, *Comme battements d'ailes.*
Poésie 1961-1999, Gallimard, collection « Poésie », 2019

---

(1) Créé sous le nom de Défense de la France durant la Seconde Guerre mondiale par les résistants Robert Salmon et Philippe Viannay, rejoints en septembre 1944 par Pierre Lazareff et Paul Gordeaux, *France-Soir* fut, après la Libération et durant les années 1950, le premier quotidien français, avec une vente de 1,5 million d'exemplaires par jour, et l'un des très rares titres français à avoir réussi à acquérir une véritable aura planétaire. À l'issue d'un long déclin émaillé de rebondissements et autres péripéties, son dernier numéro est paru le 13 décembre 2011. Parmi les nombreuses signatures qui ont contribué à son rayonnement figurent celles de Lucien Bodard, Jacqueline Cartier, Jean Dutourd, Joseph Kessel, Jean-Paul Sartre et Jacques Sternberg.

(2) Né à Lille en 1925 et mort à Byblos, au Liban, en 2006, Jean Debruynne est un poète et un prêtre de la Mission de France qui fut également éditorialiste, rédacteur en chef de la revue *Vermeil,* et auteur de nombreux ouvrages pour enfants.

Patrice de Vogüé

« Quo non ascendet ? » (Jusqu'où ne montera-t-il pas ?)

Devise familiale de Nicolas Fouquet (1615-1680), marquis de
Belle-Île et célèbre surintendant des Finances,
qui fit bâtir le château de Vaux-le-Vicomte

« Ne perds pas l'occasion de voir quelque chose de beau.
La beauté, c'est la signature de Dieu. »

Charles Kingsley (1819-1875), *Un homme de cœur*

« Il faut s'être ruiné durant des générations à réparer le vieux château
qui croule, pour apprendre à l'aimer. »

Antoine de Saint-Exupéry (1900-1944), *Lettre à un otage*

La « vie de château » n'est pas toujours de tout repos. Elle peut
même réserver de sérieux désagréments. Patrice de Vogüé et
son épouse en ont fait, hélas, l'expérience en septembre 2019
quand des voleurs, après être parvenus à s'introduire dans leur
propriété de Vaux-le-Vicomte, les avaient agressés et ligotés.
Un tel « fait divers » peut sans doute paraître banal sur le territoire français, mais il a au moins le mérite d'expliquer l'existence *a priori* insolite de pages destinées à rendre un hommage
particulier. L'auteur de ce livre tint en effet à adresser un message de compassion et de soutien aux deux victimes et à leur
envoyer un exemplaire de *Hallier, l'Edernel jeune homme*.
Patrice de Vogüé se montra sensible à cette marque d'« affec-
tueuse solidarité » : « Cristina et moi avons tourné la page allè-
grement et seuls demeurent vos témoignages très

réconfortants, confia-t-il dans un petit mot manuscrit. De tout cœur merci, et merci aussi pour l'ouvrage sur Jean-Edern Hallier, très divertissant et souvent d'une pertinence enrichissante. » Quelques mois plus tard, fin décembre 2019, le même Patrice de Vogüé prit l'initiative de renouveler ses remerciements au téléphone. Ce fut l'occasion d'un échange où il expliqua combien il avait été heureux de découvrir un Hallier qu'il ne connaissait pas... « À mon âge, confia-t-il en substance, les joies de la curiosité ne sont pas si fréquentes. Il a fallu que j'attende aujourd'hui pour pénétrer l'univers de cet écrivain, mais je n'aurais pas été pardonnable de disparaître avant d'avoir pris connaissance de quelques-uns de ses singuliers traits d'esprit. »

Le 19 mars 2020, il tirait, à 91 ans, entouré de sa famille, son ultime révérence. Même le contexte particulier d'un confinement national instauré quelques jours plus tôt ne pouvait faire oublier ce qui fut, à proprement parler, « l'œuvre » de sa vie : la préservation, l'embellissement et le rayonnement du domaine de Vaux-le-Vicomte qu'il avait reçu en cadeau de mariage avec l'aristocrate italienne Cristina Colonna di Paliano en 1967.

Drôle de « cadeau » en vérité. Certes, 500 hectares de terres – dont 33 de jardins à la française, sertissant un joyau de l'histoire de France, un château d'exception construit par le grand architecte Louis Le Vau, avec des contributions du peintre Charles Le Brun, du paysagiste André Le Nôtre et du maître-maçon Michel Villedo.

Le tout situé près de Paris, en Seine-et-Marne. Mais Vaux-le-Vicomte, c'est aussi et surtout à l'époque des bâtiments principaux, communs et dépendances qui nécessitent de gros travaux de restauration, 2,5 hectares de toitures sinon à refaire du moins à entretenir, des frais vertigineux d'une année sur l'autre pour simplement assurer la « maintenance » de l'ensemble...

Petit-neveu d'Alfred Sommier, le richissime industriel qui joua un rôle de mécène en rachetant en 1875 le château [1], Patrice de Vogüé a beau savoir de qui tenir : il a conscience de devoir faire face à un « cadeau » trop encombrant pour ne pas devenir inexorablement ruineux. Sans attendre, il réfléchit et réagit : il ouvre le domaine au public. L'initiative fera de lui, pour reprendre les termes de l'animateur de télévision Stéphane Bern, « l'un des premiers à avoir compris que les grandes familles françaises ne pouvaient plus continuer comme avant, et qu'elles devaient trouver les moyens de partager leur patrimoine ». Alors inédite en France parmi les propriétaires privés, elle n'en relèvera pas moins d'un pari, loin d'être gagné d'avance.

Avec son épouse Cristina, Patrice de Vogüé saura faire fi d'un démarrage à la résonance très confidentielle et peu encourageante, aménagera un petit restaurant (de quelques couverts seulement), se lancera dans la création de « dîners aux chandelles », organisera des visites de nuit... Le bouche-à-oreille finira par fonctionner. Au début des années 1980, l'association des Amis de Vaux-le-Vicomte est créée. Vaux vit. Ou plutôt revit. Une véritable renaissance. Comme cela se dit, il faut que cela s'écrive aussi et la presse en est ravie.

Pourtant, ce ne sont ni les « retombées médiatiques » positives ni les recettes liées à des tournages de films qui peuvent assurer la préservation d'un chef-d'œuvre de l'art français du Grand Siècle et la parfaite viabilité de ce qui est devenu une véritable entreprise, dotée d'un budget annuel de près de 10 millions d'euros, employant 75 salariés à temps plein et accueillant bon an mal an plusieurs centaines de milliers de visiteurs... En 2005, confronté à l'impérieuse nécessité de la réfection de diverses toitures – soit un chantier de plus de 3,5 millions d'euros, représentant 120 000 ardoises et 250 000 clous de cuivre... –, Patrice de Vogüé devra se résoudre à se séparer de précieux volumes de sa bibliothèque, provenant du Cabinet du roi. Mais Vaux le vaut bien et après plusieurs décennies de combat inlassable comme régisseur en chef et... homme à tout faire, ce passionné reconnu de la beauté aura la satisfaction de la mission de sauvegarde accomplie et la lucidité de passer le témoin à la cinquième génération familiale, ses fils, Alexandre, Jean-Charles et Ascanio. Si, comme tous les lecteurs de Hallier le savent, « chaque matin qui se lève est une leçon de courage », ils sont heureusement trois « mousquetaires » à veiller au devenir du domaine, à sa défense et à son prestige.

« Penser à la mort raccourcit la vie. »

Proverbe russe

« Vivre, c'est naître sans cesse. La mort n'est qu'une ultime naissance, le linceul notre dernier lange. »

Marcel Jouhandeau (1888-1979), *Réflexions sur la vieillesse et la mort*

« La Foi voit ce qui est.
La Charité aime ce qui est.
L'Espérance voit ce qui n'est pas encore et qui sera.
Elle aime ce qui n'est pas encore et qui sera. »

Charles Péguy (1873-1914),
Le Porche du mystère de la deuxième vertu

(1) Alfred Sommier (1835-1908) ne se contenta pas de se porter acqué-
reur du château d'une centaine de pièces qui, inhabité, en partie démeu-
blé et en voie de délabrement, était vendu aux enchères et risquait d'être
démoli. Il consentit des efforts financiers considérables pour mener à
bien des travaux de restauration d'exceptionnelle envergure. De manière
judicieuse, il s'attacha aussi à remeubler et à réaménager les jardins.

Bibliographie

« On ne lit plus…, on n'en a plus le temps. L'esprit est appelé à la
fois de trop de côtés. (…) Mais il y a des choses qui ne peuvent être dites,
ni comprises si vite, et ce sont les plus importantes pour l'homme (…)
Cette accélération de mouvement qui ne permet de rien enchaîner,
de rien méditer, suffirait seule pour affaiblir, et, à la longue,
pour détruire entièrement la raison humaine. »

Lamennais (Félicité Robert de Lamennais, 1782-1854),
Mélanges religieux et philosophiques, 1825

« Il est bon de regagner de temps en temps sa bibliothèque […] :
cela repose de la vie. »

Roger Peyrefitte (1907-2000), *L'Oracle*

« Puis nous montions l'escalier de granit à spirale pour nous installer
dans la bibliothèque. Mon grand-père s'asseyait dans un profond
fauteuil de cuir et restait immobile, statue pétrifiée de marbre blanc,
sous les reliures dorées des livres. »

Jean-Edern Hallier, *Chagrin d'amour*

Depuis 2020 et la crise du coronavirus, les bibliophiles et
autres arpenteurs des rayonnages de bibliothèques se sentent
tout ragaillardis… Les livres n'ont en effet jamais été si bien
vus. Ils ont fait fond d'écran pour d'innombrables visio-
confinements. Politiciens de premier, second et troisième
ordres, porte-parole en veux-tu en voilà, médecins de toute
provenance, experts en toute circonstance, grands et petits
imams, prêcheurs de la bonne ou mauvaise aventure,

commerçants de tout acabit, coiffeurs virtuoses du ciseau ou maîtres ès brushing, cuisiniers étoilés ou pas en souffrance, « psychopâtes » en ébullition... tout le monde s'est converti. Avant, on ne savait plus, on avait perdu de vue, l'objet avait disparu. Victime de l'appli, placé sous intelligence artificielle et réputé mort. Désormais on sait. À la télé, on a vu. Le livre est une valeur sûre qui rassure. La vedette antistress. Corona au plus haut des étagères ! Alleluia corona ! Parfois, ce ne furent que reliures pour faire joli ou ouvrages jamais ouverts et encore moins lus. Mais qu'importe, le livre – et le piano – ont été les stars du confinement.

Soudain, comme il a paru loin le temps – c'était en novembre 2013 – où la chaîne YouTube diffusait « Marche », la chanson d'un collectif de 12 rappeurs qui, en marge de la sortie du film *La Marche* réalisé par Nabil Ben Yadir, claironnait : « Pourquoi vouloir une bibliothèque dans vos favelas ? – Tenez : un terrain d'foot, vous deviendrez tous des Benzema. »

Brusque – et durable, espérons-le ! – révision du schéma... Place, plus que jamais, aux livres, et aux chances qu'ils offrent à tout un chacun, comme en témoigne cette confidence d'un... treizième rappeur, Abd Al Malik : « Quand mon père est parti de la maison, il a laissé un meuble rempli de livres, aime à se souvenir ce slameur qui a grandi dans une cité HLM du quartier du Neuhof à Strasbourg. Des essais politiques, de la philosophie, de la psychanalyse, de la sociologie. J'avais neuf ans, j'étais un enfant dyslexique, mais, une fois que j'en suis sorti, mon premier geste a été de tout lire. Mon père n'était plus là, mais il avait laissé cette bibliothèque. Bien sûr, je n'en ai compris que la moitié. Mais cela m'a introduit à la complexité du monde [1]. » Devenu par la suite un admirateur de Charles Baudelaire et d'Édouard Glissant, Abd Al Malik est aujourd'hui un auteur et metteur en scène reconnu.

« Un livre qui ne fournit pas de citation n'est, *me judice,*
nullement un livre : c'est un jouet. »

Thomas Love Peacock (1785-1866), *Crotchet Castle*

Peacock mourut à Lower Halliford, près de Shepperton, à
l'époque dans le Middlesex et aujourd'hui dans le Surrey, le
23 janvier 1866, de la suite des blessures dues à un incendie
au cours duquel il avait voulu sauver sa bibliothèque

« L'imaginaire se loge entre les livres et la lampe... On le puise à
l'exactitude du savoir ; sa richesse est en attente dans le document.
Pour rêver, il ne faut pas fermer les yeux, il faut lire. La vraie image est
connaissance. Ce sont des mots déjà dits, des recensions exactes,
des masses d'informations minuscules, d'infimes parcelles de
monuments et des reproductions de reproductions qui portent
dans l'expérience moderne les pouvoirs de l'impossible. Il n'y a plus
que la rumeur assidue de la répétition qui puisse nous transmettre ce
qui n'a lieu qu'une fois. L'imaginaire ne se constitue pas contre le réel
pour le nier ou le compenser ; il s'étend entre les signes, de livre à livre,
dans l'interstice des redites et des commentaires ; il naît et se forme
dans l'entre-deux des textes. C'est un phénomène de bibliothèque. »

Michel Foucault (1926-1984), *La Bibliothèque fantastique*

« La meilleure décoration, c'est une pièce remplie de livres. »
(« The best decoration in the world is a room full of books. »)

Billy Baldwin (William Baldwin, Jr, surnommé Billy B. et dit,
1903-1983), dans *Billy Baldwin: The Great American Decorator*
(Adam Lewis, préface d'Albert Hadley, Rizzoli, 2010)

---

(1) *Le Monde*, 24-25 mars 2019.

Autoportrait par Jean-Edern Hallier.

Œuvres de Jean-Edern Hallier

> « Les livres : la sève vivante des esprits immortels. »
>
> Virginia Woolf (1882-1941), *Entre les actes,*
> traduction de Max-Pol Fouchet

Les Aventures d'une jeune fille, Seuil, Paris, 1963

Un rapt de l'imaginaire, contenu dans *Livres des pirates,* de Michel Robic, Union générale d'éditions, Paris, 1964

Que peut la littérature ? avec Simone de Beauvoir, Yves Berger, Jean-Pierre Faye et Jean Ricardou, présentation d'Yves Buin, Union générale d'éditions, Paris, 1965

Le Grand Écrivain, Seuil, Paris, 1967

Du rôle de l'intellectuel dans le mouvement révolutionnaire – selon Jean-Paul Sartre, Bernard Pinguaud et Dionys Mascolo, entretiens réalisés par Jean-Edern Hallier et Thomas Savignat, collection « Le Désordre », Éric Losfeld, Paris, 1971
Cet opuscule de 50 pages réunit trois textes extraits de *L'Idiot international* (septembre 1970) et de *La Quinzaine littéraire* (octobre et décembre 1970). Le premier est celui d'un entretien avec Jean-Paul Sartre par Jean-Edern Hallier et Thomas Savignat.

La Cause des peuples, Seuil, Paris, 1972

Chagrin d'amour, Éditions Libres-Hallier, Paris, 1974

Le Premier qui dort réveille l'autre, Éditions Le Sagittaire, Paris, 1977 (*Der zuerst schläft, weckt den aderen,* traduit en allemand par Eva Rechel-Mertens, Suhrkamp, Francfort, 1980)

Chaque matin qui se lève est une leçon de courage, Éditions Libres-Hallier, Paris, 1978

Lettre ouverte au colin froid, Albin Michel, Paris, 1979

Un barbare en Asie du Sud-Est, NéO – Nouvelles éditions Oswald, Paris, 1980

Fin de siècle, Albin Michel, Paris, 1980 (*Fin de siglo,* traduction de Francisco Perea, Edivision, Mexico, 1987)

Bréviaire pour une jeunesse déracinée, Albin Michel, Paris, 1982

Romans, Albin Michel, Paris, 1982 (réédition en un volume de *La Cause des peuples, Chagrin d'amour* et *Le Premier qui dort réveille l'autre*)

L'Enlèvement, Jean-Jacques Pauvert, Paris, 1983

Le Mauvais esprit, avec Jean Dutourd, Éditions Olivier Orban, Paris, 1985

L'Évangile du fou : Charles de Foucauld, le manuscrit de ma mère morte, Albin Michel, Paris, 1986 (*El Evangelio del loco,* traduction de Basilio Losada, Planeta, Barcelone, 1987)

Carnets impudiques : journal intime, 1986-1987, Michel Lafon, Paris, 1988

Conversation au clair de lune, Messidor, Paris, 1990 (*Fidel Castro Ruiz ile Küba Devriminin 32. yilinda 5 Temmuz 1990 ayişiğinda söyleşi,* Dönem, Ankara, 1991)

Le Dandy de grand chemin (propos recueillis par Jean-Louis Remilleux), Michel Lafon, Paris, 1991

La Force d'âme, suivi de *L'Honneur perdu de François Mitterrand,* Éditions Les Belles Lettres, Paris, 1992

Je rends heureux, Albin Michel, Paris, 1992

Les Français – Dessins, collection « Visions », Ramsay, Paris, 1993

Le Refus ou la Leçon des ténèbres : 1992-1994, Hallier/Ramsay, Paris, 1994

Fulgurances, « Aphorismes », Michel Lafon, Paris, 1996

L'Honneur perdu de François Mitterrand, Éditions du Rocher, Monaco ; Éditions Les Belles Lettres, Paris, 1996

Les Puissances du mal, Éditions du Rocher, Monaco ; Éditions Les Belles Lettres, Paris, 1996

Parutions à titre posthume

Journal d'outre-tombe : journal intime, 1992-1997, Michalon, Paris, 1998

Fax d'outre-tombe : Voltaire tous les jours, 1992-1996, Michalon, Paris, 2007

Préfaces

Mille pattes sans tête, de François Coupry (Éditions Hallier, Paris, 1976)

Je rêve petit-bourgeois, de Michel Cejtlin (Oswald, Paris, 1979)

Le Droit de parler, de Louis Pauwels (Albin Michel, Paris, 1981)

Les Sentiers de la trahison, de Mikhaïl-Kyril Platov (Albin Michel, Paris, 1985)

Les Icônes de l'instant, de Patrick Bachellerie (Centre de création littéraire de Grenoble, Grenoble, 1987)

Je défends Barbie, de Jacques Vergès (Jean Picollec, Paris, 1988)

Poèmes de sans avoir, de Jean-Claude Balland (Jean-Claude Balland, Paris, 1990) [1]

Petites blagues entre amis, de Paul Wermus (Éditions First, Paris, 1996)

Préface (posthume)

Pour des États-Unis francophones ! Entrons tous ensemble dans le Nouveau Monde, de Gabriel Enkiri (Éditions du Phare-Ouest, Lorient, 2013), préface intitulée « L'honneur de la gauche » et écrite en 1985

Postface (posthume)

Kidnapping entre l'Élysée et Saint-Caradec – « roman », de Gabriel Enkiri (Éditions du Phare-Ouest, Paris, 1999)

Jean-Edern Hallier est également l'auteur d'une pièce de théâtre intitulée *Le Genre humain* qu'il a écrite en 1975. Cette pièce fut à l'affiche du théâtre Cardin en 1976. Mais elle ne fut pas présentée au public. Hallier prit en effet la décision de la retirer de l'affiche avant la première. *Le Genre humain* fut donc joué « derrière le rideau » et en catimini durant 28 « représentations » (mise en scène d'Henri Ronse). Avec, notamment, Michel Vitold, José-Maria Flotats, Catherine Lachens, Marie-Ange Dutheil, Daniel Emilfork et Jean-Pierre Coffe dans la distribution.

L'écrivain a de surcroît laissé plus de 600 dessins, aquarelles ou gouaches : des croquis de voyages, des silhouettes et portraits de personnages, connus ou non, souvent tracés à l'encre de Chine, sous des titres parfois étonnants comme « Gobeuse de balivernes » ou « Arroseur d'idées reçues ». Une première exposition eut lieu du 9 septembre au 2 octobre 1993 à la galerie Gerald Piltzer, 78, avenue des Champs-Élysées, à Paris.

Durant l'été 2019, l'une de ses œuvres a fait partie de l'exposition « Nues et nus », organisée à Bourbon-Lancy, en Bourgogne-Franche-Comté, au musée Saint-Nazaire et à l'espace Robert-Cochet.

> « On peut apprendre qui était un tel… On peut finalement comprendre pourquoi il a fait telle ou telle œuvre. Car on ne comprend pas une œuvre… On comprend l'homme qui l'a faite, et il faut d'abord, je le crains, aimer l'œuvre, ce qui vous donne le goût de connaître l'homme [2]. »
>
> Boris Vian (1920-1959)

---

(1) Hallier est bel et bien l'auteur d'une « préface invisible » de *Poèmes de sans avoir,* de Jean-Claude Balland, paru chez Jean-Claude Balland, en 1990. Cette « préface invisible » est annoncée comme telle en couverture…

(2) Citation rapportée dans *Histoire de la littérature française du XXe siècle,* publiée sous la direction de Jean Dumont, en quatre volumes, tome IV, Éditions Famot, Genève.

Le géant de la route.

Dessin d'Albert Dubout (1905-1976), extrait de *Tour de France,*
Éditions du Livre (Monte-Carlo).

Ouvrages consacrés
à Jean-Edern Hallier

« Quand les livres se liront-ils d'eux-mêmes sans le secours de lecteurs ? »
Robert Desnos (1900-1945), *Cahier de L'Herne Desnos*

François Bousquet, *Jean-Edern Hallier ou le Narcissique parfait*, Albin Michel, Paris, 2005

Petit ouvrage au titre prometteur mais au contenu décevant, publié par une maison d'édition qui, plus grosse que grande, ne paraît plus justifier son prestige d'antan...

Dominique Lacout, *Jean-Edern Hallier, le dernier des Mohicans*, Michel Lafon, Paris, 1997 ; avec Christian Lançon, *La Mise à mort de Jean-Edern Hallier*, Presses de la Renaissance, Paris, 2006

Pièces à l'appui, le second livre montre combien Hallier fut persécuté par M. Mitterrand et soulève plus d'une interrogation au sujet des circonstances de son décès, et surtout des heures et des jours qui ont suivi sa mort à Deauville, à 7 heures du matin le 12 janvier 1997, d'une chute de bicyclette sans témoin. Dans les minutes qui suivirent son décès, sa chambre d'hôtel aurait été fouillée et sa dépouille rapatriée à Paris par un ambulancier qui aurait mis sept heures pour effectuer 200 kilomètres. Entre-temps, son appartement parisien aurait également été pillé... Né en 1949, l'auteur est un ancien professeur de philosophie qui a publié plusieurs biographies. Il fut un ami de Léo Ferré.

Jean-Claude Lamy, Hallier, *L'Idiot insaisissable*, Albin Michel, Paris, 2017

Cette volumineuse biographie a bien sûr le mérite notable d'exister, même si elle ne fait sans doute que relever, pour l'essentiel, de la part de la société d'édition, d'une opération de marketing de basse étagère... Dans son indigeste fourre-tout, l'auteur a beau jeu de multiplier les preuves de la haine mesquine des ennemis de Hallier. Mais son encombrant pavé de 600 pages est mal ficelé et son entreprise se révèle au bout du compte décevante car désordonnée, inutilement touffue, ce qui ne fait que ressortir combien elle est dépourvue d'éclaircissements, en particulier au sujet de l'enlèvement controversé de 1982 et de l'argent destiné aux opposants chiliens. Enfin, et surtout, la démarche reflète une incohérence majeure, à proprement parler rédhibitoire. Sitôt la parution, Sébastien Bataille, auteur de plusieurs biographies de musiciens pop rock n'a pas manqué de la signaler dans son blog, en assortissant son constat précis et irréfutable d'une remarque lapidaire : « Au dos de la couverture, Lamy dit que Hallier est de la race des grands écrivains. Mais en page 197, il dit que Hallier a failli être un grand écrivain. Faudrait savoir... »

Arnaud Le Guern, *Stèle pour Edern,* Jean Picollec, Paris, 2001

Premier ouvrage, au ton suggestif, d'un auteur breton, né en 1976, à l'époque où il se présentait comme « profondément bâtardé de langue française » et n'aimait « que le Beau, la Femme, l'outrance et l'écume brûlante. En un mot : l'art. »

Aristide Nerrière, *Chambre 215 : hommage à Jean-Edern Hallier en Corse,* collection « San Benedetto », La Marge-édition, Ajaccio, 2003

Poète, dramaturge, essayiste et romancier, l'auteur, né en 1951, a publié de nombreux autres ouvrages.

Anthony Palou, *Allô, c'est Jean-Edern... Hallier sur écoutes*, Michel Lafon, Neuilly-sur-Seine, 2007

Né en 1965 en Bretagne, l'auteur a été, dans les années 1990, un secrétaire particulier de Hallier.

Béatrice Szapiro, *La Fille naturelle,* Flammarion, Paris, 1997 ; *Les Morts debout dans le roc,* Arléa, Paris, 2007

Styliste en prêt-à-porter féminin, diplômée de l'École nationale supérieure des Arts décoratifs de Paris, Béatrice Szapiro est la fille de Jean-Edern Hallier et de Bernadette Szapiro, la petite-fille de Béatrix Beck, qui obtint le prix Goncourt en 1952, et l'arrière-petite-fille du poète belge Christian Beck (1879-1916). Après sa lecture, sitôt la parution du livre *La Fille naturelle : pour Jean-Edern Hallier, mon père,* Sébastien Bataille a eu sur son blog, avec l'exemple édifiant d'une double page à l'appui, ce commentaire sans appel : « une daube sans nom, au "style" égocentrique, suffisant (voire débile), juste digne de la rubrique psy de n'importe quel titre de la presse féminine ».

Peut-être cette centaine de pages bien légères aurait-elle beaucoup gagné à ne pas être publiée dès septembre 1997 et à faire l'objet d'une heureuse « décantation ». L'urgence de répondre à l'objectif commercial d'un label a ses écueils vite perceptibles. Malgré tout, plus de vingt ans après sa sortie en librairie, le document-témoignage a, par-delà ses faiblesses, le mérite d'exister et comporte, dans un ensemble plutôt décousu de confidences, quelques émouvantes notations. *A fortiori* pour qui a connu l'homme qu'était Jean-Edern Hallier.

Dans *Les Morts debout dans le roc,* l'auteure évoque sa mère, morte de la maladie de Parkinson, et sa grand-mère. Un récit-puzzle plutôt réussi d'une centaine de pages, qui, à force de témoigner d'une ardente sensibilité et d'une méditation touchante sur le deuil, incite le lecteur à s'intéresser à un environnement familial très féminin et singulier, que Hallier et quelques autres hommes sont venus traverser.

Jean-Pierre Thiollet, *Carré d'art : Jules Barbey d'Aurevilly, lord Byron, Salvador Dalí, Jean-Edern Hallier,* avec des contributions de Anne-Élisabeth Blateau et de François Roboth, Anagramme éditions, Paris, 2008 ; *Hallier, l'Edernel jeune homme,* avec des contributions de Gabriel Enkiri et de François Roboth, Neva éditions, Magland, 2016 ; *Hallier ou l'Edernité en marche,* avec une contribution de François Roboth, Neva éditions, Magland, 2018 ; *Hallier, Edernellement vôtre,* avec le témoignage d'Isabelle Coutant-Peyre et des contributions de François Roboth, Neva éditions, Magland, 2019

Sarah Vajda, *Jean-Edern Hallier : l'impossible biographie,* Flammarion, Paris, 2003

Intéressant ouvrage par l'auteure d'une thèse en trois volumes consacrée à Henry de Montherlant et soutenue à l'EHESS (École des hautes études en sciences sociales) et à l'université Sorbonne-Nouvelle – Paris-III, d'un essai sur Romain Gary paru en 2008 et du livre plutôt réussi, *Claire Chazal, derrière l'écran,* paru en 2006 aux Éditions Pharos-Jacques-Marie Laffont au sujet de cette présentatrice de journaux télévisés et de « l'imposture TF1 », la chaîne française de télévision.

Autres publications

Yann Penn, *Le Testament politique de Jean-Edern Hallier en Bretagne,* Bannalec (Finistère), 2000

Plaquette de 35 pages publiée par un agent immobilier qui fut candidat du Front national aux élections législatives et est également l'auteur de deux ouvrages intitulés *Bretagne province d'Europe* et *Lettre d'Iroise.*

Hugues Poujade, *Jean-Edern Hallier, cet écrivain qui a raté l'Académie française,* Edilivre, Paris, 2018

Opuscule de 88 pages publié par un auteur né à Rennes qui fut pigiste pour des journaux parisiens et a rédigé une thèse sur l'idéologie du régime militaire chilien. C'est en 1981 qu'il croisa, sans avoir « rien fait pour », Hallier, alors directeur de collection chez Albin Michel, au moment où, se souvient-il, « nous abordions les années quatre-vingt, les plus intéressantes et les plus historiques de sa courte vie ».

Thèses

Karim Djaït, « Littérature, contemporanéité et médias, étude d'un écrivain face à son siècle : Jean-Edern Hallier », thèse sous la direction d'Arlette Lafay, université Paris-XII – Paris Val-de-Marne, 1994 (thèse non autorisée à la publication, qui a fait suite à un mémoire de DEA – diplôme d'études approfondies – sous le titre « Étude d'un écrivain face à son siècle », sous la direction de Robert Jouanny, 1988).

Articles

Dans la fort volumineuse revue de presse consacrée, de son vivant comme de manière posthume, à Hallier :

André Pieyre de Mandiargues, « À propos de *Chagrin d'amour*. Des analogies avec André Breton », *Les Nouvelles littéraires,* n° 2464, 16-22 décembre 1974

« Jean d'Ormesson, Jean-Edern Hallier et Dieu » (entretien), *Paris Match*, n° 1651, 16 janvier 1981

Philippe Sollers, « Vies et légendes de Jean-Edern Hallier », *Le Nouvel Observateur,* 26 septembre 1986

« Polémique : Cioran, Hallier et la morale », *Le Nouvel Observateur,* 14 novembre 1986, p. 50

Roger de Weck, « Le bonheur mensonger : les rebelles de France et leurs enfants », *Die Zeit,* 5 décembre 1986 (reproduit dans un numéro thématique (« Mobilisations étudiantes, automne 1986 ») de *Politix, Revue des sciences sociales du politique,* 1988, traduction de Udo

Philipp et Jean-Philippe Heurtin). L'auteur de l'article y relève que « le génial et lunatique pamphlétaire, Jean-Edern Hallier, rêve d'un siège dans une Académie française ossifiée »

Margereta Melen, « Den upproriske idioten i Paris » (article en suédois), *Moderna Tider,* n° 97, novembre 1998, p. 46-47

Jean-Pierre Pitoni, « Adieu l'ami ! : Jean-Edern Hallier », *CinémAction,* avril 1998, p. 54

Jean-Jacques Brochier, « Jean-Edern Hallier », *Magazine littéraire,* n° 420, mai 2003

Bruno Daniel-Laurent, « Sur Jean-Edern Hallier », *La Revue Littéraire,* Éditions Léo Scheer, Paris, 19 octobre 2005

« Jean-Edern Hallier : l'écrivain derrière l'histoire », *Le Journal de la Culture,* n° 17, novembre-décembre 2005, p. 12-42

Stéphane Arpin, « "Pourquoi les médias n'en parlent pas ?" – L'occurrence à l'épreuve du sens commun journalistique et des processus de médiatisation », *Réseaux,* Éditions La Découverte, n° 159, janvier 2010, p. 219-247

Histoire de frapper au plus juste les esprits, l'auteur de l'article évoque d'emblée le silence complet des médias au sujet de l'existence de Mazarine Pingeot, fille naturelle de M. Mitterrand, alors président de la République française, l'affaire dite « des écoutes de l'Élysée », où, de manière gravement illégale, « 3 000 conversations concernant plus de 150 personnalités seront enregistrées entre 1983 et 1986 », et bien sûr le rôle déterminant joué, en dépit de l'« intense surveillance » d'une cellule élyséenne, par un homme volontiers stigmatisé comme « instable » et « mythomane », un certain Jean-Edern Hallier...

Renaud d'Elbée, « Artistes, génies et bipolarité ou la tache indélébile du deuil », *L'Information psychiatrique,* mars 2013 (vol. 89), p. 253 à 256

Après s'être demandé « de quelle farine étaient faits Winston Churchill, Cervantes ou Jean-Edern Hallier », l'auteur de l'article, docteur en psychiatrie et praticien français, avance des « soupçons de piste incongrue » à partir de « trois constatations » : « les génies naissent souvent au printemps » ; « ils sont orphelins (au sens large) » et « ils sont quand même peut-être un peu bipolaires ».

Emmanuel Fansten, « Mitterrand, Hallier et moi », *Charles* n° 7 (Journalisme & Politique), Paris, octobre 2013

Article qui évoque la rencontre à Paris, début 1984, de Jean-Edern Hallier avec Joseph d'Aragon, alors étudiant en droit âgé de vingt-six ans.

« Edern. Le château de Jean-Edern Hallier à l'abandon », *Le Télégramme de Brest,* 18 avril 2016

Présenté comme « chronique d'une mort annoncée », l'article est consacré non seulement à La Boissière, la demeure « historique certes mais sans luxe ni architecture exceptionnels » qui a appartenu à la famille Hallier et est aujourd'hui abandonnée, mais encore aux soirées qui y furent organisées par Jean-Edern.

« Jean-Edern Hallier mord encore ! », entretien avec Jean-Pierre Thiollet, propos recueillis par Sébastien Bataille, *Causeur,* 8 octobre 2016

Alain Delannoy, Laboratoire Pôle U de l'université d'Orléans, « Jean-Edern Hallier, le "grand écrivain" face au pouvoir. La dialectique de l'engagement politique et de la composition d'une œuvre littéraire au travers de l'exemple de l'écrivain Jean-Edern Hallier », hal.archives-ouvertes.fr, 15 décembre 2017 ; « *La Méditation d'un passant aux bois sacrés d'Isé,* de Louis Massignon, *L'Évangile du fou*, de Jean-Edern Hallier, une perspective écocritique ». Perspective écocritique à partir des textes de Jean-Edern Hallier et de Louis Massignon au travers de réflexions de William Cronon, Philippe Descola, Lynn White Jr et Pascal Bruckner, hal.archives-ouvertes.fr, 3 janvier 2018

Visant à « l'archive ouverte pluridisciplinaire », HAL se consacre au dépôt et à la diffusion de documents scientifiques de niveau recherche, publiés ou non, émanant des établissements d'enseignement et de recherche français ou étrangers, de laboratoires publics ou privés.

« Que certains êtres aient deux naissances, ce n'est pas nouveau : la naissance de sang n'est pas la naissance de gloire. (…) il faut à peu près cent ans pour qu'une œuvre soit pleinement critiquée. »

Jean Guitton, *Journal*

Autres ouvrages

« [...] ce sont les fausses pistes qui font les grands savants.
C'est rarement – dans la biographie comme dans les autres
sciences – en cherchant une chose qu'on la trouve ; c'est presque
toujours en en cherchant une autre. N'appelez pas cela hasard.
Il n'y a pas de hasard en bibliographie. On trouve parce que l'on
cherche et quand on cherche avec flair, instinct et intelligence,
on prend des notes. Ces notes précieuses se rapprochent à un
certain jour d'autres notes et forment un tout lumineux. »

Jules Richard, *L'Art de former une bibliothèque*

Alors ça marche ? le président Macron vu par les dessinateurs de presse du monde entier, préface de Régis Debray, collection « Cartooning for Peace », Gallimard Loisirs, Paris, 2017
Une sélection de 120 dessins de presse internationaux.

Anne-Claude Ambroise-Rendu et Christian Delplace (sous la direction de), *L'indignation : histoire d'une émotion politique et morale, xix*e-*xx*e siècles, collection « Histoire culturelle », Paris, Nouveau Monde Éditions, Paris, 2006
Hallier y est à juste titre mentionné pour avoir fait partie du public de l'émission « À armes égales », diffusée en direct le 13 décembre 1971 où, devant débattre avec Jean Royer, député et maire de Tours, Maurice Clavel lança son célèbre « Messieurs les censeurs, bonsoir ! » pour protester contre une coupure effectuée par la chaîne de télévision dans son film qui mettait en cause le comportement de Georges Pompidou, alors président de la République, pendant la Seconde Guerre mondiale.
Universitaires réputés pour leurs nombreux travaux de recherche, les auteurs sont tous deux membres du Centre d'histoire culturelle des sociétés contemporaines de l'université de Versailles – Saint-Quentin-en-Yvelines.

Anne Applebaum, *La Famine rouge,* traduction d'Aude de Saint-Loup et de Pierre-Emmanuel Dauzat, collection « Documents étrangers », Grasset, Paris, 2019
Un ouvrage remarquable que Hallier se garderait sans doute de jeter par-dessus son épaule... Très documenté, il se penche de manière salutaire sur

des pans particulièrement sombres et fort peu explorés de l'histoire soviétique : la famine meurtrière qui frappa l'Ukraine au début des années 1930 et l'extermination d'un peuple organisée par le régime stalinien qui fit près de 4 millions de victimes ukrainiennes.

Formée à Yale, puis à la London School of Economics et au Saint Anthony's College de l'université d'Oxford, l'auteure, née en 1964 à Washington, a été correspondante de *The Economist* à Varsovie où elle est installée. Reconnue comme une historienne spécialiste de l'ex-URSS, elle a obtenu le prix Pulitzer de l'essai en 2004 pour son livre *Goulag : une histoire.*

Arnaud Ardoin, *« Président, la nuit vient de tomber » : le mystère Jacques Chirac,* collection « Documents », Le Cherche midi éditeur, Paris, 2017

Biographie, plutôt bien documentée, de cet ancien président de la République française, qui s'appuie notamment sur les confidences de Daniel Le Conte, fidèle compagnon de route, mort d'une crise cardiaque à l'âge de soixante-cinq ans en juillet 2017, quelques mois avant la parution du livre. Elle évoque les frasques libertines de celui qui fut surnommé « Monsieur cinq minutes douche comprise » avec des femmes « chevauchées sans plus de préliminaires, parce que le temps presse, parce que la quantité a pris l'ascendant sur la qualité »... Hallier a apporté son soutien à la candidature de Jacques Chirac dont il appréciait la « qualité humaine » et en témoignait, lors de l'élection présidentielle de 1995.

Né en 1969, l'auteur est journaliste-reporter politique et animateur sur La Chaîne Parlementaire-Assemblée nationale (LCP-AN).

« Peut-être les livres possèdent-ils un instinct de préservation secret qui les guide jusqu'à leur lecteur idéal. »

Annie Barrows, *Le Cercle littéraire des amateurs d'épluchures de patates*

Antoine de Baecque, *La France gastronome. Comment le restaurant est entré dans notre histoire,* Éditions Payot & Rivages, Paris, 2019

C'est grâce à l'invention du restaurant en 1765, puis à son formidable essor à la Révolution et au XIXe siècle que plus personne n'ignore désormais que les Français aiment manger, qu'ils mangent plutôt bien et que certains d'entre eux savent en parler... Ce livre rend un hommage justifié à Mathurin Roze de Chantoiseau, le premier restaurateur de l'histoire, mais aussi à Grimod de La Reynière, premier grand critique gastronomique, à Antoine Carême, premier cuisinier vedette, à Brillat-Savarin, premier intellectuel de la table, et à Escoffier, qui propulsa la cuisine française dans la modernité. Il montre également combien se sont révélées cruciales l'apparition de la sauce poulette, qui permit aux restaurateurs de s'imposer face aux traiteurs et aux aubergistes, et celle des centaines de milliers de clients que les cuisiniers ont ensuite dû apprendre à séduire jour après jour. Une publication tout à fait bienvenue quand, au vrai sens du terme s'entend, la cuisine, ce trait spécifique de l'identité française auquel Hallier était loin de se montrer insensible, ne paraît pas à l'abri des périls...

Né en 1962, l'auteur est un historien spécialisé dans le XVIIIᵉ siècle et le cinéma. Il a été rédacteur en chef des pages culture du quotidien français *Libération,* avant de devenir professeur d'histoire du cinéma à l'École normale supérieure (Ulm).

Bernard Bajolet, *Le Soleil ne se lève plus à l'Est : mémoires d'Orient d'un ambassadeur peu diplomate,* Plon, Paris, 2018
Chronique d'un serviteur de l'État qui a le mérite de faire accéder un large public à des sphères méconnues et à une certaine approche de la géopolitique. Né en 1949, l'auteur est un ambassadeur qui a échappé à plusieurs tentatives d'assassinat en Irak puis en Afghanistan. Il fut à la tête de la DGSE (Direction générale de la sécurité extérieure, les services secrets français) de 2013 à 2017.

Jean-Luc Barré, *Dominique de Roux : le provocateur (1935-1977),* Fayard, Paris, 2005 ; *Dominique de Roux : l'homme des extrêmes,* collection « Tempus », Éditions Perrin, Paris, 2013
Deux volumineux et intéressants ouvrages consacrés au créateur des éditions de l'Herne, esprit franc-tireur et personnalité inclassable qui peut être considérée comme l'une des figures de l'histoire littéraire des années 1960. Hallier ne manque pas d'y être mentionné à bon escient. Né en 1957, l'auteur est historien et journaliste.

Olivier Beaumont, *Les Péchés capitaux de la politique : sexe, argent, pouvoir, vanité, colère, paresse...,* collection « Documents », Flammarion, Paris, 2019
L'auteur est un journaliste politique au *Parisien.*

Alexandre Benalla, *Ce qu'ils ne veulent pas que je dise,* Plon, Paris, 2019
Né en 1991, l'ancien chargé de mission au sein du cabinet du président de la République, qui fut le responsable de la sécurité d'En marche durant la campagne présidentielle en 2017, raconte pourquoi et comment il devint un « homme à abattre », une sorte d'« ennemi public numéro un ». Une immer-

sion dans un milieu politique et médiatique français où la bienveillance ne semble pas être la caractéristique première...

Aurélien Bernier, *Les Voleurs d'énergie,* collection « Ruptures », Éditions Utopia, Paris, 2018

À partir d'une vision de l'histoire de la propriété des énergies et des systèmes mis en place pour les exploiter, une réflexion qui appelle de ses vœux la reconstruction d'un grand service public destiné à faire face aux enjeux sociaux et environnementaux contemporains.

Né en 1974, l'auteur, un ancien dirigeant de l'association Attac France, a travaillé pour l'Agence de l'environnement et de la maîtrise de l'énergie (Ademe) et publié d'autres essais.

Jean-Michel Blanquer et Edgar Morin, *Quelle école voulons-nous ? La passion du savoir,* Éditions Sciences Humaines, Auxerre, 2020

En dépit d'un nombre de pages qui excède de peu la centaine, un échange de vues souvent stimulant, autour de l'école et de son avenir, entre un homme politique, ministre de l'Éducation nationale depuis mai 2017, également en charge de la Jeunesse et de la Vie associative, qui fut recteur d'académie, directeur général de l'enseignement scolaire et directeur général du groupe Essec, après avoir été agrégé de droit, et un éminent sociologue, directeur de recherche émérite au CNRS (Centre national de la recherche scientifique).

Jean Bothorel, *Nous avons fait l'amour, vous allez faire la guerre,* Albin Michel, Paris, 2017

Journal intime, de mai 1981 à mai 2012, d'un ancien collaborateur du *Figaro* qui, à plusieurs reprises, mentionne Hallier avec lequel il avait des relations cordiales. Il rappelle au passage que durant l'été 1981, l'auteur du *Premier qui dort réveille l'autre* avait voulu évoquer dans son « Bloc-notes » du *Matin de Paris,* les liens de Mitterrand avec la Cagoule ainsi que son comportement ambigu pendant l'Occupation, et que face au refus du directeur du journal, Claude Perdriel, de faire paraître son papier, il avait fait un esclandre, organisé une conférence de presse à l'Hôtel des Grands-Hommes, place du Panthéon... avant d'être déclaré *persona non grata* au *Matin.*

Né en 1940 dans le Finistère, Jean Bothorel a été journaliste à *L'Expansion,* au *Matin de Paris* et pendant une quinzaine d'années éditorialiste – volontiers franc-tireur – au *Figaro,* avant que cette publication ne perde beaucoup de son aura et de son lectorat. Il fut également directeur de *La Revue des deux mondes.*

Christophe Boutin, Olivier Dard et Frédéric Rouvillois (sous la direction de), *Le Dictionnaire des populismes,* Éditions du Cerf, Paris, 2019
Une vision panoramique de réalités politiques complexes, en 1 200 pages et grâce à plus de 250 notices, mises au point par une centaine de rédacteurs d'une dizaine de nationalités différentes, sous la direction d'un historien, d'un politologue et d'un juriste, tous trois professeurs d'université.

Rémi Brague, *Des vérités devenues folles,* collection « Forum », Salvator éditions, Paris, 2019
Dans ce recueil de textes de conférences données ici et là dans le monde, l'auteur, né en 1947, membre de l'Institut de France et philosophe reconnu, s'appuie sur sa connaissance très étendue et approfondie des auteurs médiévaux pour faire valoir combien l'humain et la civilisation sont des notions et des valeurs essentielles à préserver et à promouvoir. Loin d'appeler de ses vœux un retour à un Moyen Âge effrayant d'obscurantisme, il se prononce pour un Moyen Âge grand style haute époque, humaniste et éclairé. Un point de vue plus que bienvenu en ces années 2020...

« Écrire, c'est souvent gaspiller. À compter les pages que j'ai déchirées, de combien de volumes suis-je l'auteur ? »

Colette, *L'Étoile Vesper : souvenirs* (Lausanne, La Guilde du Livre)

« Il était bien connu que le mari de Roxane comédienne ne faisait rien dans la vie. Un maquereau... non, que diable, quel vilain mot pour un si beau milieu... non, il ne travaillait pas, mais il pensait sûrement beaucoup.
Un jour, Prudence comédienne qui connaissait le couple poussa méchamment Roxane dans ses retranchements pour s'amuser à voir sa tête :
– Qu'est-ce qu'il fait ton mari ?
L'autre dit :
– Il écrit.
– Ah ! et à qui ? »

Jacques Chazot, *À nous deux les femmes*

Antoine Cabusolo et Jean Depussé, *Coluche : l'accident. Contre-enquête*, Éditions Privé, Paris, 2006.
Une tentative de reconstitution peu convaincante des circonstances de la mort de l'humoriste et comédien Coluche (Michel Colucci, dit, 1944-1986). Après avoir fait valoir que de nombreux médias ont véhiculé une série d'informations erronées, orientées, partielles ou tronquées, les auteurs de l'ouvrage estiment que l'artiste a fait l'objet d'un assassinat mis au point par des « services spéciaux », mais sans fournir le moindre début de preuve. Jean Depussé est mort d'un cancer peu avant la parution. Né en 1957, Antoine Cabusolo (Antoine Cabusolo Ferro, dit) est un avocat et producteur de documentaires audiovisuels, après avoir été enseignant et journaliste.

Louis-Jean Calvet, *La Méditerranée : mer de nos langues,* collection « Biblis », CNRS Éditions, Paris, 2020
Hiéroglyphes, alphabet phénicien, *lingua franca* et échelles du Levant sont en bonne place dans la nouvelle édition de cet essai d'un expert réputé en sociolinguistique paru en 2016 qui initie avec habileté à l'histoire et au présent des langues en Méditerranée.

Jean-Pol Caput, *La Langue française : histoire d'une institution,* tome I, 842-1715, tome II, 1715-1974, collection « L », Larousse, Paris, 1972, 1975
Ouvrage de valeur par un spécialiste de langue et de littérature française, mort en 2001, qui enseigna à l'université de Paris-III.

Paul Cassia, *Conflits d'intérêts : les liaisons dangereuses de la République,* collection « Corpus », Éditions Odile Jacob, Paris, 2014 ; *La République en miettes : l'échec de la start-up nation,* Libre et Solidaire, Paris, 2019 ; *La République du futur : tisser un monde meilleur,* Éditions Libre et Solidaire, Paris, 2019
Né en 1972, l'auteur de ces remarquables essais est professeur agrégé de droit à l'université de Paris-I – Panthéon-Sorbonne.

Manuel Cervera-Marzal, *Post-vérité : pourquoi il faut s'en réjouir,* collection « Bibliothèque du Mauss » (Mouvement anti-utilitariste dans les sciences sociales), Éditions Le Bord de l'eau, Lormont, 2019
Pour expliquer la montée des forces populistes est souvent invoqué l'avènement de la « post-vérité », ce concept défini ainsi par le Dictionnaire d'Oxford : « Des circonstances dans lesquelles les faits objectifs ont moins d'influence pour modeler l'opinion publique que les appels à l'émotion et aux opinions personnelles. » La vérité est-elle en train de s'éroder face à la multiplication des *fake news,* ces contre-vérités outrancières, à l'extrémisme

et au complotisme ? Philosophe et sociologue, chargé de recherches au Fonds de la recherche scientifique en Belgique et post-doctorant à l'université d'Aix-Marseille, l'auteur de l'ouvrage ne le croit pas. À ses yeux, loin de constituer les preuves irréfutables que la vérité est en train de s'éroder et une menace pour la démocratie, la post-vérité – et son frère-jumeau : le populisme – représentent l'opportunité d'une régénération.

Johann Chapoutot, *Comprendre le nazisme,* Tallandier, Paris, 2018

À partir d'un assemblage d'articles, d'entretiens et de textes de conférences, un exposé édifiant pour une compréhension en profondeur d'une période très sombre de l'Histoire, où un antijudaïsme ancien s'est mué en un anti-sémitisme exterminateur. C'est, hélas, souvent dans ce qu'il commet de pire que l'être humain est le meilleur et qu'il fait honte...

Professeur d'histoire contemporaine à la Sorbonne, Johann Chapoutot est également l'auteur de *Le National-socialisme et l'Antiquité,* paru en 2008, et d'une dizaine d'autres ouvrages.

René Chiche, *Enquête sur les mandarins de la médecine – Le Conseil de l'ordre : protections, affaires et gaspillages,* Éditions du Moment, Paris, 2013

Des pages éclairantes au sujet d'une caste censée régner sur un secteur vital pour les Français : la santé... Souvent dénoncé pour ses méthodes indignes et à ce jour non réformé, le Conseil de l'ordre des médecins est une instance disciplinaire mise en place au service de l'abjection en octobre 1940. Avec le Conseil supérieur du notariat, sans doute l'une des traces les plus honteuses et toujours bien présentes du régime de Vichy sur le territoire français.

L'auteur est un directeur d'agence de presse.

Jean-Loup Chiflet, *Dictionnaire amoureux de la langue française,* dessins d'Alain Bouldouyre, collection « Dictionnaire amoureux », Plon, Paris, 2014 ; coffret « Trois hommages à la langue française » : *Ces Mots perdus au fond de nos dictionnaires ; Balade littéraire parmi les figures de style ; Les Nuances de la langue française,* 3 vol., collection « Mots & Caetera », Le Figaro littéraire, Paris, 2018

Né en 1942, l'auteur est un éditeur qui a créé sa propre maison en 2004.

Mona Chollet, *Beauté fatale : les nouveaux visages d'une aliénation féminine,* Éditions Zones, Paris, 2012 (La Découverte, 2015)

Une dénonciation talentueuse et bien sourcée de la « tyrannie du look », des injonctions du marketing et de la mascarade sociale. Riche en informations, elle inclut notamment une évocation de l'entourage français particulièrement sulfureux de Jeffrey Epstein, cet homme d'affaires américain suspecté par le FBI d'avoir abusé des dizaines de jeunes filles mineures et mort en 2019.

Née en 1977, Mona Chollet est journaliste au *Monde diplomatique* après avoir collaboré à *Charlie-Hebdo*.

Benoît Coquard, *Ceux qui restent. Faire sa vie dans les campagnes en déclin,* La Découverte, Paris, 2019

Un sociologue enquête et plonge le lecteur dans la vie quotidienne de « ceux qui restent » en région Grand-Est.

> « Si moi aussi je suis un autre, c'est parce que les livres,
> plus que les années et les voyages, changent les hommes. »
>
> Erri De Luca, *Trois Chevaux*

Régis Debray, *Du génie français,* collection « Blanche », Gallimard/L'Infini, Paris, 2019

Né en 1940, l'auteur propose un petit « essai comparatif » entre Stendhal et Hugo pour le titre honorifique d'écrivain emblématique de la littérature française.

Maurice Delamain (1883-1974), *Plaidoyer pour les mots : essai de phonétique expressive,* Stock, Paris, 1968

Ouvrage qui rend hommage à la langue française. Originaire de Jarnac, en Charente, l'auteur fut propriétaire avec Jacques Chardonne des Éditions Stock, puis de la Librairie Delamain et Boutelleau.

Jean-Philippe Delsol, *Éloge de l'inégalité,* Éditions Manitoba, Paris, 2019

Né en 1950, l'auteur, avocat fiscaliste et essayiste, revendique le droit de ne pas se soumettre au dogme de l'égalitarisme consensuel et si médiatiquement correct.

Alain Deneault, *La Médiocratie,* collection « Lettres libres », Lux éditeur, Montréal, 2015

Comme le précise l'auteur québécois né en 1970, docteur en philosophie de l'université Paris-VIII et directeur de programme au Collège international de philosophie à Paris, « il ne s'agit pas d'un livre sur la médiocrité, ni d'un essai moraliste ou moralisant, mais d'une tentative de comprendre une tendance, une dynamique sociale qui contraignent à une production moyenne ». La « médiocratie » se révèle ainsi comme « le stade moyen hissé au rang d'autorité », quand le médiocre devient le référent de tout un système, quand les prestations sont « moyennes » et les personnes qui les assurent, parfaitement interchangeables… Un intéressant éclairage sur les mécanismes qui amènent et maintiennent très souvent au pouvoir les « médiocres », mais cette analyse sans concession à laquelle Hallier aurait sans doute souscrit, peut paraître quelque peu déprimante et guère constructive.

Raphaël Doridant et François Graner, *L'État français et le génocide des Tutsis au Rwanda,* collection « Dossiers noirs », Éditions Agone, Marseille, 2020

Un ouvrage en forme d'autopsie de l'effroyable responsabilité de M. Mitterrand et de divers membres de son entourage dans la politique secrète de soutien à un régime génocidaire au Rwanda, avant, pendant et après le génocide des Tutsis… Y sont au passage rappelés les propos tenus par M. Jean-Christophe Mitterrand, fils de l'ancien dirigeant français, conseiller à la présidence de la République française de 1986 à 1992, et aujourd'hui en bonne place sur la liste des personnalités accusées de complicité de crime contre l'humanité : « Nous allons lui envoyer quelques bidasses au petit frère Habyarimana. Nous allons le tirer d'affaire… » En 2020, le nom Mitterrand est encore attribué – toute honte bue – à une station de métro à Paris et à l'un des sites de la Bibliothèque nationale de France… Toutefois, l'indignation face à une ignominie qui a fait 1 million de morts a pris une dimension mondiale et, comme Hallier l'avait annoncé sur la couverture de son livre, l'honneur de M. Mitterrand est aujourd'hui irrémédiablement perdu.

Raphaël Doridant est membre de l'association Survie et contribue depuis une dizaine d'années à faire reconnaître la responsabilité de l'État français dans les crimes commis au Rwanda. Également membre de l'association Survie, François Graner est l'auteur d'un autre livre consacré à l'armée française au Rwanda et intitulé *Le Sabre et la Machette : officiers français et génocide tutsi* (Tribord, 2014).

« Pour rêver, il ne faut pas fermer les yeux. Il faut lire. »

Michel Foucault, *La Bibliothèque fantastique*

Peter Frankopan, *Les Nouvelles routes de la soie : l'émergence d'un nouveau monde,* Éditions Nevicata, Bruxelles, 2018

Un récit en forme de tableau du monde qui invite à mieux comprendre les défis auxquels l'Occident est confronté et les bouleversements en cours.

Historien spécialisé en géopolitique et conférencier réputé, l'auteur, né en 1971, est professeur au Worcester College d'Oxford, où il dirige le Centre de recherches byzantines.

« Paul Valéry avait lu tous les livres, et quand il mourut, il désigna du regard sa vaste bibliothèque et murmura :
– Décidément, tout cela ne vaut pas un beau cul. »

Anecdote rapportée par Michel Galabru et publiée dans
Rire, c'est vivre (Sélection du *Reader's Digest*)

« Le jour où le Livre aura cessé d'être le principal véhicule du Savoir, la littérature n'aura-t-elle pas encore changé de sens ? Peut-être aussi vivons-nous simplement les derniers jours du Livre. Cette aventure en cours devrait nous rendre plus attentifs aux épisodes passés : nous ne pouvons pas indéfiniment parler de la littérature comme si son existence allait de soi, comme si son rapport au monde et aux hommes n'avait jamais varié. » [publié en 1966 !]

Gérard Genette, *Figures,* tome I

« Il est d'innombrables gens de lettres, mais il n'est que peu de véritables écrivains. »

Jean Guéhenno, *Carnets du vieil écrivain*

David Gaillardon, *La Beauté et la Grâce : itinéraire d'un aristocrate européen, Alex Rzewuski,* Éditions Lacurne, Paris, 2019

En près de 500 pages, l'étonnante et riche biographie d'un aristocrate russo-polonais, témoin privilégié des fastes des derniers Romanov puis de la vie parisienne au temps des Années Folles puis de la Seconde Guerre mondiale. Hallier n'est évidemment pas de la partie, mais Chanel, Diaghilev et Cocteau, eux, en sont !

Né en 1968, l'auteur, diplômé de l'Institut d'études politiques de Bordeaux et titulaire d'un DEA (Diplôme d'études approfondies) en histoire, a publié une dizaine d'autres ouvrages.

François Gall, *Paris, la famille, la nature,* Artrust, Melano (près de Lugano, Suisse), 2015

Avec des textes de Nicole Lamothe, de Michel Cointat, du Comité François Gall et de Matteo Cappelletti, et une iconographie captivante, l'ouvrage constitue un très bel hommage rendu à François Gall (Gáll Ferenc, dit), cet artiste originaire du royaume de Hongrie né en 1912, poète de l'amour, de la famille, universellement classé comme l'un des meilleurs représentants du post-impressionnisme parisien et disparu dix ans avant Jean-Edern Hallier. Sa fille, Marie-Lize Gall, est elle-même artiste et membre du Cercle InterHallier.

Vincent de Gaulejac, avec la collaboration de Frédéric Blondel et Isabel Taboada-Leonetti, *La Lutte des places,* collection « L'époque en débat », Desclée de Brouwer, Paris, 2014 (nouvelle édition revue et augmentée)

Une analyse, amorcée dès le début des années 1990 et parue pour la première fois en 1994, de la désinsertion sociale qui affecte un nombre de personnes de plus en plus important et se distingue de la lutte entre classes sociales. Il s'agit de la lutte d'individus solitaires contre la société pour trouver ou retrouver une « place », c'est-à-dire une identité, un statut, une reconnaissance, une existence sociale. Avec à la clé le constat que les réponses politiques et institutionnelles se sont longtemps avérées – en raison de l'égoïsme forcené d'une génération au pouvoir – inappropriées et impuissantes pour enrayer le processus. L'auteur principal, Vincent de Gaulejac, né en 1946, est directeur du Laboratoire de changement social. Frédéric Blondel enseigne à l'université Paris-Diderot. Isabel Taboada-Leonetti est une chercheuse au CNRS, disparue en 2005.

Laurent Gbagbo et François Mattei, *Libre : pour la vérité et la justice,* Max Milo Éditions, Paris, 2018

Écrit à partir de 2012, grâce à de nombreux entretiens en prison, ce livre est le seul à avoir été réalisé avec la participation de Laurent Gbagbo pendant son incarcération et son procès. Il s'impose comme un précieux document de référence, qui met en lumière les manipulations du scrutin de 2010, les connivences entre la France de Nicolas Sarkozy et la Cour pénale internationale pour se débarrasser du président ivoirien, jusqu'aux montages et manœuvres dilatoires qui ont entaché « le Gbagbogate ».

Chassé du pouvoir *manu militari* par l'armée française le 11 avril 2011, à l'issue de l'élection présidentielle contestée de novembre 2010 en

Côte d'Ivoire, Laurent Gbagbo a été accusé de crimes contre l'humanité devant la Cour pénale internationale de La Haye, le 5 décembre 2011. À l'issue de sept ans de procès et d'emprisonnement, il a été reconnu non coupable et par conséquent acquitté en janvier 2019 par les juges de première instance. Il vit en liberté conditionnelle en Belgique, dans l'attente de son retour en Côte d'Ivoire.

Réputé pour ses enquêtes, François Mattei a été notamment directeur de la rédaction du quotidien *France-Soir* au milieu des années 2000 et est l'auteur de plusieurs autres ouvrages au contenu résolument décapant au regard des discours officiels et médiatiques dominants.

Florence Godeau et Sylvie Humbert-Mougin (sous la direction de), *Vivre comme on lit : hommages à Philippe Chardin,* collection « Perspectives littéraires », Presses universitaires François-Rabelais, Tours, 2018

Professeur de littérature comparée, critique et écrivain, Philippe Chardin (1948-2017) avait fait sienne la formule de Robert Musil, « Vivre comme on lit ». Ce florilège de textes savants salue la mémoire d'un universitaire dont les livres témoignaient d'une confiance passionnée – Hallier aurait sans doute apprécié – dans les pouvoirs de la Littérature. Il a également le mérite de se pencher sur ce processus mystérieux qui « transforme, de manière diffuse, dans un inconscient littéraire d'écrivain, la lecture en écriture ».

Kenneth Goldsmith, *Uncreative writing: managing language in the digital age,* Columbia University Press, New York, 2011 (*L'Écriture sans écriture : du langage à l'âge numérique,* traduction de François Bon, Jean Boîte Éditions, Paris, 2018)

Partant du postulat en forme de constat que le traitement de texte, les courriels, les messages courts et la pratique des réseaux sociaux bouleversent en profondeur la littérature et le rapport du lecteur au texte, l'auteur, un artiste et littérateur américain né en 1961, invite à tirer parti de la révolution numérique pour inventer de nouvelles formes créatives.

Georges Gorrée (1908-1977), *Sur les traces de Charles de Foucauld,* Éditions de la plus grande France, Paris, Lyon, 1936 (collection « Foucauld l'Africain », préface de Jacques Ladreit de Lacharrière, B. Arthaud, Grenoble, Paris, 1947 ; Éditions du Vieux Colombier, Paris, 1953) ; *Charles de Foucauld : au service du Maroc,* préface du général Antoine Huré, Bernard Grasset éditeur, Paris, 1939 ; *Les Amitiés sahariennes du Père de Foucauld,* préfaces de l'amiral Abrial et de Léon Lheureux, illustrations de Jean Hainaut, deux volumes, Éditions Félix Moncho, Rabat, 1940-1941 (collection « Foucauld l'Africain », Arthaud, Grenoble et Paris, 1946)

David Graeber, *The Utopia of Rules: On Technology, Stupidity, and the Secret Joys of Bureaucracy,* Melville House Publishing, Brooklyn (New York), 2015 (*Bureaucratie, l'utopie des règles,* traduction de Françoise et Paul Chemla, Les Liens qui libèrent, Paris, 2015 ; collection « Babel / Essai », Actes Sud, Arles, 2017)

L'auteur montre comment – et pourquoi – une société dite « libérale » réussit le tour de force de produire plus de procédures, de formulaires et de règlements que n'importe quelle société socialiste !

Né en 1961, l'auteur est un anthropologue, professeur à la London School of Economics. Il est souvent « catalogué » comme militant anarchiste et théoricien de la pensée libertaire nord-américaine.

Catherine Grenier, *Alberto Giacometti,* collection « Grandes biographies », Flammarion, Paris, 2017

Remarquable biographie, très documentée et sourcée, d'un des artistes majeurs du XXᵉ siècle, grand maître de la représentation de l'humain et personnalité originale.

Née en 1960, l'auteure est une historienne d'art, directrice de la Fondation Giacometti depuis 2017, après avoir été notamment conservatrice au Musée d'art moderne de Paris, conservatrice en chef puis directrice adjointe au Musée national d'art moderne Georges-Pompidou.

> « J'adore les livres d'occasion qui s'ouvrent d'eux-mêmes à la page que leur précédent propriétaire lisait le plus souvent. Le jour où le Hazlitt est arrivé, il s'est ouvert à "Je déteste les livres nouveaux" et je me suis exclamée "Salut, camarade !" à l'adresse de son précédent propriétaire, quel qu'il soit. »
>
> Helene Hanff, *84, Charing Cross Road*

Claude Hagège, *L'Homme de paroles : contribution linguistique aux sciences humaines,* collection « Le temps des sciences », Fayard, Paris, 1985

Né en 1936, l'auteur est un linguiste, ancien professeur d'université et directeur d'études à l'École pratique des hautes études.

Françoise Hamel, *Magnéto,* Presses de la Cité, Paris, 2011

Dans ce récit romanesque, Hallier est évoqué et cité à plusieurs reprises. Née en 1945, l'auteure, journaliste et romancière, a travaillé à RTL puis à la télévision.

Eric Hobsbawm (1917-2012), *L'Âge des extrêmes : le court xxᵉ siècle, 1914-1991,* Le Monde diplomatique-André Versaille éditeur, 2008 (collection « Bibliothèque Complexe », Bruxelles, Le Monde diplomatique-Éditions Complexe, Paris, 1999 ; *The Age of Extremes,* Penguin Group-Vintage Group, Londres, 1994)

Ouvrage de plus de 800 pages, au contenu très érudit, de haute tenue mais parfois discutable, d'un grand historien marxiste. D'emblée, le parti pris de l'auteur de considérer que le xxᵉ siècle a pris fin en 1991 paraît pour le moins surprenant, dans la mesure où, dans certains pays et en particulier en France, il peut être soutenu qu'il s'est en réalité prolongé bien après la mort de Hallier, jusqu'au milieu des années 2010.

Jean-René Huguenin, *Journal,* édition intégrale, préface de François Mauriac, Éditions du Seuil, Paris, 1964, 1993

Disparu, hélas, très prématurément, Huguenin, que Hallier désignait comme son « jumeau stellaire » et fit découvrir à l'auteur de cet ouvrage au tout début des années 1980, a également laissé un unique roman, *La Côte sauvage.*

> « Quand on a fait un ouvrage, il reste une chose bien difficile à faire encore, c'est de mettre à la surface un vernis de facilité, un air de plaisir qui cachent et épargnent au lecteur toute la peine que l'auteur a prise. »
>
> Joseph Joubert, *Pensées*

Vincent Jauvert, *Les Voraces : les élites et l'argent sous Macron,* Éditions Robert Laffont, Paris, 2020

Une dénonciation dérangeante et hélas, nullement fantaisiste, de courses à l'argent et de dérives ploutocratiques au sein des castes dirigeantes françaises, qui passent par de graves conflits d'intérêts et de consternants « renvois d'ascenseurs ». À l'évidence, de sérieuses « mises au point » au sommet de l'État – et un grand ménage au sein du « nouveau monde » – semblent s'imposer d'urgence... L'auteur est grand reporter à *L'Obs.*

Jean-Pierre Jumez, *Passeport guitare : tribulations musicales sur six continents,* préface de Pierre Schaeffer, Books on Demand, Paris, 2010

Un récit de voyage initiatique, musical et rocambolesque, où l'humour se marie avec un sens prononcé de l'autodérision...

Le parcours couvre 170 pays dans un chapelet d'aventures, en des endroits parfois insolites et dangereux, dans des boîtes new-yorkaises comme sur les scènes prestigieuses des grandes capitales.

Guitariste classique et de jazz réputé, slameur, poète, l'auteur, qui fut également journaliste et a rencontré à plusieurs reprises Jean-Edern Hallier, est membre du Cercle InterHallier.

> « Je suis fou de livres – les livres sont la tragédie et le bonheur de ma vie. »
>
> Karl Lagerfeld, *Le Monde selon Karl*

Justine Lacroix et Jean-Yves Pranchère, *Les Droits de l'homme rendent-ils idiot ?,* collection « Seuil-La république des idées », Éditions du Seuil, Paris, 2019

Une centaine de pages seulement, mais un contenu très pertinent. Justine Lacroix est professeur de sciences politiques à l'Université libre de Bruxelles.

Ancien élève de l'École normale supérieure, Jean-Yves Pranchère est également professeur à l'Université libre de Bruxelles.

Quentin Lafay, *L'Intrusion,* collection « Blanche », Gallimard, Paris, 2020

Second roman de cet auteur, né en 1989, ancien membre de l'équipe de campagne d'Emmanuel Macron en 2017, qui avait vu toutes ses correspondances privées dévoilées lors des « Macronleaks », affaire qui désigne le « piratage » de plus de 20 000 courriers électroniques lors de l'élection présidentielle française de 2017. L'affaire Benjamin Griveaux, ancien candidat à la mairie de Paris, et les audiences dans le procès sur la demande américaine d'extradition de Julian Assange, fondateur de WikiLeaks, sont venues renforcer la résonance de cette fiction bien ancrée dans la réalité contemporaine... et très « Gallimarket ».

Bruno Lafourcade, *Une jeunesse les dents serrées,* Éditions Pierre-Guillaume de Roux, Paris, 2019

Une mise en cause lucide et bien documentée des principales figures des « années Mitterrand », qui ont conduit, selon l'auteur, un essayiste et romancier né en 1966, à la désagrégation d'une société et d'un pays.

Bernard Lahire (sous la direction de), *Enfances de classe,* Éditions du Seuil, Paris, 2019

Un ouvrage bien volumineux – plus de 1 500 pages – pour enfoncer bon nombre de portes déjà ouvertes du vivant de Hallier – mais peut-être avec quelque objectif d'ordre politique – au sujet de l'inégalité parmi les enfants qui vivent au même moment dans la même société, mais pas dans le même monde... Sous la direction de Bernard Lahire, professeur de sociologie à l'École normale supérieure de Lyon (Centre Max Weber) et membre senior de l'Institut universitaire de France, une quinzaine de valeureux chercheurs – Julien Bertrand, Géraldine Bois, Martine Court, Sophie Denave, Frédérique Giraud, Gaële Henri-Panabière, Joël Laillier, Christine Mennesson, Charlotte Moquet, Sarah Nicaise, Claire Piluso, Aurélien Raynaud, Fanny Renard, Olivier Vanhée, Marianne Woollven et Emmanuelle Zolesio – se sont prêtés à l'exercice.

Alain Laurent, *Responsabilité : réactiver la responsabilité individuelle,* Les Belles Lettres, Paris, 2020

Par un ancien enseignant de philosophie et de sociologie né en 1939, un essai qui ne se contente pas de montrer combien nous sommes souvent responsables de notre irresponsabilité : il promeut une philosophie authentiquement libérale de la responsabilité individuelle et appelle à l'émergence d'une nouvelle éthique sociale face à une société à irresponsabilité illimitée.

Armelle Lavalou, *Le Voyage en Bretagne : de Nantes à Brest, de Brest à Saint-Malo,* collection « Bouquins », Éditions Robert Laffont, Paris, 2012

Une géographie littéraire de la Bretagne à travers les textes de 190 auteurs – dont Hallier bien sûr, sous le titre « Dolce vita en Finistère » – réunis par une journaliste née en 1949, historienne de l'architecture et commissaire d'exposition.

Michel Lussault, *De la lutte des classes à la lutte des places,* Grasset, Paris, 2009

L'auteur est un universitaire né en 1960.

Judith Lyon-Caen, *La Griffe du temps : ce que l'histoire peut dire de la littérature,* collection « NRF Essais », Gallimard, Paris, 2019

À partir de *La Vengeance d'une femme,* une nouvelle de Barbey d'Aurevilly, et d'une définition de la littérature comme une expérience d'être au monde, l'auteure cherche à mesurer quel peut être l'éclairage apporté par l'histoire à la mise en écriture romanesque. Loin de réduire cette écriture romanesque à un ancrage dans une époque, elle s'efforce de montrer comment une époque nourrit le sens d'une écriture. Sa belle incitation à apprendre à lire, ou plus exactement à mieux lire, ne peut qu'être saluée, d'autant qu'elle vaut également pour les pages laissées par Jean-Edern Hallier.

Née en 1972, Judith Lyon-Caen est une historienne, directrice d'études depuis 2018 au Centre de recherches historiques (GRIHL – Groupe de recherches interdisciplinaires sur l'histoire du littéraire), au sein de l'EHESS (École des hautes études en sciences sociales).

> « Sans tomber dans une nostalgie romantique, je crois à la littérature comme acte de pure résistance, peut-être le plus salutaire. Hubert Nyssen[1] disait : "Il faut sortir les vieux fusils." Et il sortait ses livres. »
>
> Alberto Manguel, *Le Monde*, 28 décembre 2018

> « On pense sûrement que je suis une nymphomane dévergondée alors que la vérité, c'est que je préfère largement lire un livre. »
>
> Madonna, *US Magazine* n° 156

Jean-Claude Martinez, *Demain 2021 : la France, entre la région, l'Europe et le monde – Entretiens avec Jean-Pierre Thiollet*, Godefroy de Bouillon, Paris, 2004

« Dans sept cents ans, refleurira le laurier... ». Cette petite phrase en forme de prédiction de Guillaume Bellibaste, le dernier Cathare, quelques instants avant de mourir sur le bûcher en 1321, sert de point de départ à une vaste réflexion, politique, économique et sociale, qui met en relief les vrais enjeux des grands problèmes, se situe hors des sentiers ordinaires d'une « information » cadenassée et annonce avec une quinzaine d'années d'avance la crise planétaire du coronavirus. Tout ce qui est arrivé était écrit. Et publié en mars 2004. Il suffisait de lire...

Né en 1945, ancien parlementaire européen et national, et professeur agrégé de droit à l'université de Paris-II – Panthéon-Assas, Jean-Claude Martinez est essayiste et membre du Cercle InterHallier.

---

(1) Hubert Nyssen (1925-2011), fondateur des éditions Actes Sud.

Jean-Marc Moura, *L'Image du tiers-monde dans le roman français contemporain*, Presses universitaires de France, Paris, 1992

Texte d'une thèse de doctorat en littérature comparée sous la direction de Daniel-Henri Pageaux, soutenue en 1987 à l'université de la Sorbonne-Nouvelle – Paris-III. Hallier et son roman *Fin de siècle* ne manquent pas d'y être mentionnés.

« La librairie est une parfumerie, une rôtisserie, une pâtisserie : un atelier de vents et de goûts à travers lesquels se laisse deviner, supposer, pressentir quelque chose comme une fragrance ou comme un fumet du livre. On s'y donne ou on y trouve une idée de son Idée, une esquisse, une allusion, une suggestion. »

Jean-Luc Nancy, *Sur le commerce des pensées : du livre et de la librairie*

Zvonimir Novak, *Le Grand Cirque électoral : une histoire visuelle des élections et de leurs contestations*, Éditions L'échappée, Paris, 2019

Grâce au bel effort de recherche iconographique d'un professeur d'arts appliqués spécialiste de l'image politique, un rappel qu'élections et démocratie ne font pas toujours – tant s'en faut – bon ménage. Instructif, drôle et fort bienvenu au regard de la mascarade des municipales françaises de 2020 et des « coronamaires » qui en ont été issus...

« Un livre est comme un jardin que l'on porte dans sa poche. »

Proverbe arabe

Nwaocha Ogechukwu, *The Devil: What does he look like?*, American Book Publishing Company, Salt Lake City, 2012

Titulaire d'un diplôme d'études religieuses, l'auteur est membre de l'Institut royal de philosophie à Londres. Il a utilisé l'ouvrage *Carré d'art : Jules Barbey d'Aurevilly, lord Byron, Salvador Dalí, Jean-Edern Hallier,* paru en 2008 chez Anagramme éditions, et le fait figurer en bonne place dans la bibliographie de son livre.

Susan Orlean, *L.A. Bibliothèque,* traduction de Sylvie Schneiter, Éditions du sous-sol, Paris, 2020 (The Library Book, Atlantic books, Londres, 2019)

Un hommage aux livres et à ceux qui les préservent sous la forme d'une enquête policière autour du mystérieux incendie qui dévasta pendant plus de sept heures le 29 avril 1986 la bibliothèque centrale de Los Angeles, réduisit en fumée 500 000 ouvrages et en endommagea 700 000 autres… L'auteure est une journaliste américaine née en 1955 qui considère qu'une bibliothèque n'est pas seulement l'expression d'un « acte de foi dans la persistance de la mémoire », mais aussi un lieu où « l'ordre et l'harmonie se révèlent » et où le lecteur se découvre « élément d'une histoire qui a une continuité et du sens ». Hallier, qui fut bouleversé par l'incendie de sa propre bibliothèque dans l'appartement où il résidait place des Vosges, aurait sans doute renchéri.

Jean d'Ormesson, *Au plaisir de Dieu,* Éditions Gallimard, Paris, 1974 ; *Je dirai malgré tout que cette vie fut belle,* collection « Blanche », Gallimard, Paris, 2016.

Le premier livre est sans doute celui qui devrait peut-être donner à son auteur quelques chances de passer à la postérité. Le second est un ouvrage délicieux mais où le vieil académicien semble avoir une mémoire… de plus en plus sélective. Outre qu'il ne mentionne pas Hallier dont il fut une relation amicale, il se garde bien de rappeler le contenu honteux des articles consacrés au Rwanda que ce drôle d'« envoyé spécial », spécialiste des « massacres grandioses dans des paysages sublimes », a signés les 19, 20 et 21 juillet 1994 dans *Le Figaro…* C'est pourtant le même Jean d'Ormesson qui écrit en 2016 : « Personne ne se souviendra dans trois ou quatre cents ans de la suite des présidents et des gouvernements, de leurs minces ambitions et de leurs vastes intrigues, de leurs contradictions et de leur continuité, d'une sorte d'endormissement à la limite du déclin. Comme pour la guerre du Péloponnèse, pour la guerre de Cent Ans ou pour la guerre de Trente Ans, les trois guerres franco-allemandes qui nous ont tant bouleversés apparaîtront comme une seule guerre entrecoupée de fausses paix. Ne flottera dans la mémoire que le souvenir atroce des grands massacres de masse en Russie, en Allemagne, en Chine, au Cambodge, au Rwanda et ailleurs. »

> « Un Nègre en matière de littérature, c'est un Blanc qui travaille au noir pour le compte d'un écrivain marron. »
>
> Popeck (Judka Herpstu, dit), *On n'est pas des sauvages*

Paul-François Paoli, *Confessions d'un enfant du demi-siècle,* Éditions du Cerf, Paris, 2018

Une traversée des événements intellectuels et politiques des années 1970 à nos jours, avec son lot d'exaltations, de résignations et de désillusions. Né en 1959, l'auteur est un journaliste au *Figaro* « qui a cru au communisme avant de devenir conservateur ». Il a rencontré Jean-Edern Hallier en 1984 et le mentionne dans son ouvrage. Dans un article paru dans *Le Figaro* le 26 juillet 2019, il confie avoir été « impressionné par sa fulgurance et sa méchanceté ».

Michel Pastoureau, *Une couleur ne vient jamais seule,* Éditions du Seuil, Paris, 2017 ; *Jaune : histoire d'une couleur,* Éditions du Seuil, Paris, 2019

Deux des remarquables ouvrages, lumineux et enrichissants, de cet historien, archiviste-paléographe et directeur d'études à l'École pratique des hautes études, né en 1947. De retour de Lourdes, Hallier qui, aveugle d'un œil depuis sa naissance, ne voyait presque plus depuis plusieurs années, jurait mordicus, à en croire le numéro de *Paris Match* daté du 7 novembre 1996, que Dieu lui avait rendu « le bleu, le vert, le jaune, le violet, le rouge et le rose ».

Patrick Pelloux, *Mieux vaut mourir debout que vivre à genoux,* Robert Laffont, Paris, 2019

Né en 1963, l'auteur est un médecin urgentiste et syndicaliste, très promu dans les médias de masse.

Gabriel Périès et David Servenay, *Une guerre noire : enquête sur les origines du génocide rwandais,* collection « Cahiers libres », Éditions de La Découverte, Paris, 2007

L'un des livres qui met en lumière l'effroyable responsabilité de M. Mitterrand et de plusieurs autres dirigeants français dans le génocide rwandais. Né en 1961, Gabriel Périès est un politologue. Ancien membre du Conseil scientifique du laboratoire « Lexicométrie et textes politiques » de l'École normale supérieure de Fontenay-Saint-Cloud, il est notamment professeur à l'Institut Mines-Télécom Business School et auteur de nombreux travaux sur les doctrines militaires contre-insurrectionnelles. David Servenay est un journaliste chevronné qui a collaboré à RFI (Radio France internationale) et a publié plusieurs ouvrages d'enquête.

Joseph Ponthus, *À la ligne : feuillets d'usine,* collection « Vermillon », Éditions de La Table Ronde, Paris, 2019

Sans virgules ni points, à mi-chemin entre prose et poésie, le premier livre de cet auteur né en 1978 prend la forme du témoignage d'un intérimaire et évoque la disparition saisissante mais souvent passée sous silence de toute une culture ouvrière sur le territoire français à laquelle Hallier fut sensible.

Jean Pruvost, *L'Histoire de la langue française : un vrai roman,* collection « Mots & Caetera », Le Figaro éditions, Paris, 2020
Estimable initiative de vulgarisation. Né en 1949, l'auteur, docteur en linguistique, a été professeur des sciences du langage à l'université de Cergy-Pontoise.

> « Un livre ne vaut quelque chose que s'il vaut beaucoup et n'est profitable qu'une fois qu'il a été lu, et relu, et aimé, et aimé encore, et marqué de telle façon que vous puissiez vous référer au passage dont vous avez besoin comme un soldat peut prendre l'arme qu'il lui faut dans son arsenal ou comme une maîtresse de maison sort de sa réserve l'épice dont elle a besoin. »
>
> John Ruskin, *Sésame et les Lys*

Jeremy Rifkin, *Le New Deal vert mondial : pourquoi la civilisation fossile va s'effondrer d'ici 2028,* collection « Les liens qui libèrent », Actes Sud, Arles, 2019
Un projet économique et sociétal pour sauver la vie sur la planète Terre… Né en 1945, l'auteur, conseiller de collectivités et de personnalités, a publié plusieurs best-sellers et est volontiers considéré comme un spécialiste de prospective économique et scientifique. Outre qu'elles semblent ne pas s'encombrer de données chiffrées, ses analyses s'appuient parfois sur des postulats discutables et n'attachent souvent qu'une faible importance à la notion de complexité.

Bruno Riondel, *L'Effroyable vérité : communisme, un siècle de tragédies et de complicités,* L'Artilleur éditeur (Éditions du Toucan), Paris, 2020
Salué notamment par le chroniqueur et ancien ambassadeur de France Christian Lambert, un remarquable essai qui, en 800 pages au contenu rigoureux et éclairant, s'efforce de dire la vérité au sujet de l'élimination préméditée de plus d'une centaine de millions d'êtres humains partout à travers le monde, en URSS, en Chine, en Europe de l'Est et en d'autres pays. Il est des personnalités politiques françaises qui feraient peut-être bien de prendre connaissance de cette dénonciation de la lamentable imposture du socialisme « populaire »… Docteur en histoire des relations internationales, l'auteur est professeur agrégé au lycée Louis-Le Grand à Paris.

Ivan Rioufol, *Les Traîtres,* Pierre-Guillaume de Roux éditions, Paris, 2020

Selon l'auteur, il y a bel et bien des traîtres français qui portent des prénoms français et qui depuis quarante ans sont à la source du malheur français à force d'abuser de la confiance des électeurs, de piller et de saccager la nation... À ses yeux, l'heure des comptes a sonné pour ces maltraitants de la France millénaire, et le temps de la révolution démocratique sur fond de conservatisme national est venu... Né en 1952, Ivan Rioufol est éditorialiste au *Figaro* et essayiste. Il a également publié *La Fracture identitaire, De l'urgence d'être réactionnaire* et *La Guerre civile qui vient.*

Olivier Roellinger, *Pour une révolution délicieuse,* collection « Documents », Fayard, Paris, 2019

« Puisque les hommes politiques ne veulent pas se battre, nous, citoyens, pouvons nous lever pour une révolution délicieuse », assure l'auteur, l'un des plus grands chefs cuisiniers français, avant de préciser : « Aujourd'hui, j'aimerais mener avec vous, tous unis, ce soulèvement alimentaire pacifiste et joyeux. Nous battre pour qu'enfin nous reprenions en main notre destin et arrachions des griffes des industriels ce trésor de l'humanité qu'est la nourriture. » De fait, comment ne pas considérer avec lui que « la nourriture est tout à la fois notre premier médicament, notre héritage et notre culture » et qu'il est, à coup sûr, « essentiel de transmettre le goût d'une cuisine écologiquement saine à nos enfants, comme nous leur apprenons à marcher, lire et compter » et que « face à l'état de la planète, la cuisine est une des clés de la transition écologique qui s'impose à notre société ». Hallier aurait sans doute applaudi... en mettant les pieds dans le plat !

« Que lisez-vous, Monseigneur ?
– Des mots, des mots, des mots. »

William Shakespeare, *Hamlet* (Polonius et Hamlet)

Valérie de Saint-Pierre et Frédérique Veysset, *Ze French Do It Better,* Flammarion, Paris, 2019

Par une journaliste née en 1961, qui a travaillé à *Elle* et *Vogue Hommes,* et une photographe de mode, née en 1959, une amusante anthropologie des Français, tous tendrement épinglés, qu'ils soient du genre « Bourgeois Vintage », « Bourgeois Moderne », « Aristo Chic », « Intello », « Gourmetisto » ou « Filgoud »... Avec leurs gros défauts et leurs paradoxes échevelés, ces « Frenchies » semblent s'ingénier – par-delà d'effroyables pesanteurs politiques et administratives – à incarner avec légèreté un *lifestyle* sans équivalent et à entretenir le mythe d'un art de vivre, souvent considéré comme l'un des plus exquis de la planète terrestre.

Jérôme Sainte-Marie, *Bloc contre bloc : la dynamique du macronisme,* Éditions du Cerf, Paris, 2019
Né en 1966, l'auteur est un analyste politique. Président-fondateur de la société d'études et de conseil Polling Vox, il enseigne à l'université de Paris-Dauphine.

Pascal Salin, *Le Vrai Libéralisme : droite et gauche unies dans l'erreur,* Paris, Éditions Odile Jacob, Paris, 2020
Un essai à partir d'un constat implacable et irréfutable au sujet des partis dits « de droite » et « de gauche » – UMP, LR, UDI, Nouveau Centre, PS – qui ont du début des années 1980 jusqu'en 2017 sévi sur le territoire français en menant peu ou prou la même politique et portent une très lourde responsabilité dans la situation actuelle du territoire français... Pour l'auteur, qui a soutenu la candidature de M. Fillon à l'élection présidentielle de 2017, l'arrivée d'Emmanuel Macron au pouvoir ne se traduit toujours pas par les réformes en profondeur dont la France a un besoin crucial. Aimant à rappeler que « la situation des individus évolue dans le temps en ce qui concerne leur capital, mais aussi leurs revenus », il estime également que « ce qui devrait être considéré comme important, c'est la diminution de la pauvreté et non la réduction des prétendues inégalités ». Né en 1939, Pascal Salin est professeur honoraire de l'université Paris-Dauphine.

Barbara Stiegler, *Il faut s'adapter : sur un nouvel impératif politique,* collection « NRF Essais », Gallimard, Paris, 2019
Née en 1971, l'auteure, agrégée de philosophie, est directrice de recherche à l'université de Bordeaux-Montaigne.

Ève Szeftel, *Le Maire et les Barbares,* Albin Michel, Paris, 2020
Ce remarquable livre d'enquête plonge le lecteur au cœur de la corruption et du clientélisme politique qui minent la République française au risque de la détruire. Il décrit comment à Bobigny, ville de 53 000 habitants dirigée depuis 2014 par l'élu UDI (Union des démocrates et indépendants) Jean-Christophe Lagarde, l'accaparement des ressources municipales par le clan au pouvoir va de pair avec la collusion entre politiciens et caïds locaux. Au moment de la parution de l'ouvrage, Jean-Christophe Lagarde, également président du groupe UDI, Le centre droit, Agir et indépendants à l'Assemblée nationale, était visé par une enquête du Parquet national financier pour « détournement de fonds publics ».
L'auteure est journaliste à l'Agence France-Presse.

Alex Taylor, *Brexit : l'autopsie d'une illusion,* collection « Essais et documents », Jean-Claude Lattès, Paris, 2019
Né en 1957, l'auteur est un animateur de radio et de télévision naturalisé français depuis novembre 2017.

Sophie de Thalès, *Le Petit Macron de la langue française : décryptage savoureux des bons mots et formules prononcés (ou pas) par notre président,* Éditions Tut-tut (Les éditions Leduc.s), Paris, 2017
Amusant petit voyage linguistique en macronie par une auteure diplômée de lettres modernes et de philosophie.

Anne-Marie Thiesse, *La Fabrique de l'écrivain national : entre littérature et politique,* collection « Bibliothèque des histoires », Gallimard, Paris, 2019
S'appuyant sur une importante bibliographie et de sérieuses sources documentaires, l'auteure, directrice de recherches au CNRS, se penche sur les liens noués entre nation et littérature depuis le milieu du XVIIIe siècle jusqu'à nos jours. L'ouvrage, tout à fait remarquable, relève que « la plupart des écrivains nationaux le sont devenus à titre posthume » et que c'est la publication du patrimoine oral (chansons, épopées, contes...) à partir de la seconde moitié du XVIIIe siècle qui a rendu possible une littérature nationale représentée par les œuvres de grands écrivains. Il fait également valoir que « toute littérature, si et seulement si elle est authentiquement nationale, participe de l'universel ».

> « Les livres, je les aimais tout entière chaque fois qu'il m'en arrivait un. (...) Lire un livre, c'était vivre quelque chose dont on était l'acteur – sujet et objet. Je n'imaginais pas quelqu'un d'autre, quelqu'un d'extérieur à ce qui se passait quand on lisait le livre, puisse en être l'auteur. »
>
> Christiane Veschambre, *Basse langue*

Raoul Vaneigem, *Contribution à l'émergence de territoires libérés de l'emprise étatique et marchande : réflexions sur l'autogestion de la vie quotidienne,* collection « Bibliothèque Rivages », Payot et Rivages, Paris, 2018
Par un ancien chantre de l'Internationale situationniste né en 1935 en Belgique, une piquante et lyrique dénonciation des méfaits de la société mar-

chande sur fond de rêve libertaire, à destination des générations désabusées.

Jean Varret, *Général, j'en ai pris pour mon grade,* Sydney Laurent, Paris, 2018

Né en 1935 dans une famille de longue lignée militaire, l'auteur, dont le parcours de formation est passé par Saint-Cyr, Saumur et la Sorbonne, a débuté sa carrière par une participation au putsch des généraux en Algérie. Il l'a terminée, néanmoins, avec les quatre étoiles d'un général de corps d'armée. C'est au travers d'anecdotes que ce représentant de la Grande Muette décrit son parcours auquel il met fin prématurément, en 1993, à cause de l'intervention française au Rwanda. Il était alors directeur de la Coopération militaire. Son initiative l'exonère bien évidemment de toute responsabilité dans le dossier du génocide auquel les noms de M. Mitterrand et de divers autres responsables politiques et militaires français sont associés comme complices de crime contre l'humanité.

Bruno Viard, *Enseigner la littérature par temps mauvais,* Le Bord de l'eau, Lormont (Aquitaine), 2019

Par un professeur émérite de l'université de Provence, né en 1947, un essai qui vise à remettre à l'honneur l'histoire littéraire, à rappeler que « la littérature est un discours continu sur l'homme » et à souligner l'urgence d'une réconciliation de l'enseignement de la littérature avec « l'historicité de l'aventure humaine ». Hallier aurait sans doute apprécié l'initiative.

Jean Viard, *Un nouvel âge jeune ? Devenir adulte en société mobile,* Éditions de l'Aube, La Tour-d'Aigues, 2019

En une soixantaine de pages, une lumineuse analyse au sujet de la jeunesse de notre époque et des défis qu'elle doit affronter dans une société souffrant de sévères difficultés « respiratoires » sur un territoire qui n'a plus rien à voir – n'en déplaise aux médiocres apparatchiks des vieux partis – avec celui que gouvernent les 35 000 communes et autres collectivités locales... L'auteur du *Bréviaire pour une jeunesse déracinée* aurait peut-être approuvé.

Né en 1949, Jean Viard est un sociologue et prospectiviste réputé, directeur de recherche associé au CNRS (Centre national de la recherche scientifique).

Joaquim Vital (1948-2010), *Adieu à quelques personnages,* Éditions de la Différence, Paris, 2004

Une quarantaine d'évocations d'artistes forme cette modeste « académie du souvenir », où les personnages ont pour particularité commune de parier « sur la chance supplémentaire de durer que la chose imprimée procure, misant de cette façon-là aussi, sur l'improbable postérité ». Malheureusement, l'auteur, qui fut cofondateur des Éditions de la Différence et traducteur, est de faible envergure et n'a pas le talent de sa méchanceté. Le livre ne justifie-rait guère l'attention sans les quelques lignes plutôt bien inspirées au sujet de l'éditeur Frédéric Birr (1949-1991) et de son épouse Sophie Degrémont, et surtout le chapitre consacré à Hallier où un florilège d'observations banales, gratuites et malveillantes, n'en aboutit pas moins à ce constat : la disparition de l'auteur du *Premier qui dort réveille l'autre* a beaucoup « ampli-fié l'étendue du vide » et constitué un grand manque dans le paysage litté-raire et intellectuel.

Renée Vivien, *Treize poèmes,* ErosOnyx, Paris, 2019

Comme Hallier, cette poète savait que « l'éclat et la beauté du soleil, c'est l'amour » (Sapho)... À partir de trois de ses recueils, *Études et préludes, Cendres et poussières* et *À l'heure des mains jointes,* une brève anthologie lui rend un hommage fort bienvenu, mis en musique et chanté par Pauline Paris. Le petit volume d'une cinquantaine de pages est accompagné d'un disque compact.

Willem de Vries, *Commando Musik : comment les nazis ont spolié l'Europe musicale,* Buchet Chastel, Paris, 2019

Fruit de nombreuses années de recherches, ce livre est le premier à s'inté-resser à un sujet resté dans l'ombre – Hallier n'en aurait sans doute pas été outre mesure surpris – et à en faire un tour édifiant. Créé en 1940 par les dirigeants nazis afin d'éliminer toute trace de la vie culturelle juive dans toute l'Europe, ce « Sonderstab Musik » (« commando musique ») fut à l'origine de spoliations massives jusqu'en 1944 : il permit le transfert vers l'Allemagne – et la perte souvent irréparable – de dizaines de milliers d'instruments pré-cieux et de partitions rares. Né à Amsterdam en 1939, l'auteur est docteur en musicologie.

« Dire qu'un livre est moral ou immoral n'a pas de sens. Un livre est bien écrit ou mal écrit. Et c'est tout. (...) L'artiste peut tout exprimer. »
Oscar Wilde (1854-1900), *Le Portrait de Dorian Gray* (préface)

Laurent Wetzel, *Vingt intellectuels sous l'Occupation : des Résistants aux collabos*, Éditions du Rocher, Monaco, 2020

À partir de documents d'archives et de recherches approfondies, une évoca-tion d'aspects insolites et fort peu connus au sujet de figures françaises qui, tiraillées entre compromission et compromis dans une période sombre de l'Histoire, se montrèrent parfois très ambivalentes... Dans les conversations comme dans ses écrits, Hallier ne se privait pas pour sa part de dénoncer l'hypocrisie bienséante, à base de petites omissions ou de gros mensonges, des présentations officielles de certaines personnalités réputées au-dessus de tout soupçon.

Essayiste et historien, l'auteur est l'un des membres fondateurs du Cercle InterHallier.

> « Il n'y a jamais trop de livres ! Il en faut, et encore,
> et toujours ! C'est par le livre, et non par l'épée, que
> l'humanité vaincra le mensonge et l'injustice, conquerra la
> paix finale de la fraternité entre les peuples... »
>
> Émile Zola, *Rome*

Michel Zink (sous la direction de), *L'Œuvre et son ombre : que peut la littérature secondaire ?*, Éditions de Fallois, Paris, 2002

Les Français se distinguent volontiers des Allemands ou des Américains par la très faible considération, voire le mépris, qu'ils attachent à la « littérature secondaire », cette expression qui désigne l'ensemble des œuvres consacrées à d'autres œuvres qu'elles étudient, commentent ou présentent. Pourtant, cette « littéraire secondaire » a une importance déterminante – le cas de Jean-Edern Hallier ne déroge évidemment pas à la règle – et peut parfois franchir les frontières que sa nature lui assigne, en accédant elle-même au statut d'œuvre primaire ou en jouant un rôle dans la genèse d'une œuvre d'art. C'est ce qui ressort de la lecture de ce précieux ouvrage auquel ont contribué d'éminents spécialistes de la littérature et des personnalités comme Yves Bonnefoy, Pierre Bourdieu ou Marc Fumaroli.

Thèses, mémoires et communications

Annick Gendre, « Le néocolonialisme en question dans le roman français et francophone ou le décentrement comme promesse ? », Paris, 2004

Communication pour la Journée d'études sur le thème « Littératures francophones : enjeux et limites » qui eut lieu le 29 mai 2004 à la Sorbonne (Paris-IV), hal.archives-ouvertes.fr, 3 janvier 2018. Le roman de Hallier, *Fin de siècle,* y est à plusieurs reprises évoqué.

Visant à « l'archive ouverte pluridisciplinaire », HAL (Hyper articles en ligne) se consacre au dépôt et à la diffusion de documents scientifiques de niveau recherche, publiés ou non, émanant des établissements d'enseignement et de recherche français ou étrangers, de laboratoires publics ou privés.

Romane Coutanson, « Quant à ce féroce Desproges... Les Chroniques de la haine ordinaire, une émission radiophonique quotidiennement hargneuse ? », Lyon, 2014

Préparé au sein de l'École nationale supérieure des sciences de l'information et des bibliothèques Université Lumière – Lyon-2, sous la direction d'Évelyne Cohen, professeure d'histoire et d'anthropologie culturelles, ce mémoire de master évoque une émission de radio où l'humoriste Pierre Desproges revisite l'histoire du Petit Poucet et fait allusion à l'un de ses deux frères, Jean-Edern Poucet (alias Jean-Edern Hallier) « mort d'une pétomanie buccopharyngée lors du fameux siège d'Apostrophe ».

Qingya Meng, « Le voyage en Chine de *Tel Quel* et de Roland Barthes (1974). Enjeux, embûches, enseignements », Montpellier, 2017

Conduite sous la direction de Renée Ventresque, cette thèse préparée au sein de l'École doctorale 58 et de l'unité de recherche Rirra 21 a été soutenue le 8 décembre 2017 par Qingya Meng à l'université Paul-Valéry – Montpellier-III. Elle évoque à plusieurs reprises Jean-Edern Hallier, le cofondateur de la revue *Tel Quel* en 1960.

Natalia Mikhaïlovna Khatchatryan, « Le néoromantisme dans la prose française de la seconde moitié du XIXe siècle », Erevan, 2018

Cette thèse de doctorat d'État soutenue en Arménie à l'Institut de littérature Manuk Abeghian (Académie nationale des sciences) cite le livre *Carré d'Art : Jules Barbey d'Aurevilly, lord Byron, Salvador Dalí, Jean-Edern Hallier* paru en 2008.

« Il y en a qui croient, il y en a qui doutent, il y en a qui pensent.
Je suis de ceux qui pensent : je crois que je doute. »

Louis Scutenaire, *Mes inscriptions* (1943-1944)

« La vie enseigne qu'on n'est jamais heureux qu'au
prix de quelque ignorance. »

Anatole France, *La Vie littéraire* (1888-1892)

Vidéo et audio

Parmi les films

Lire, de Daniel Costelle, Bernard Cwagenbaum et Jean-Pierre Lajournade (1937-1976), avec le concours de Roger Grenier (1919-2017) et Jacques Taroni, 47 minutes, Office national de radiodiffusion télévision française, 1966

Ce magazine littéraire comporte un entretien de quelques minutes avec Jean-Edern Hallier, filmé dans un appartement où il résidait alors près du bois de Boulogne. Des images précieuses, qui furent diffusées le 4 février 1966.

« Que reste-t-il de la noblesse ? », émission « Apostrophes » réalisée par Roger Kahane et animée par Bernard Pivot, 64 minutes, Antenne 2, 1975

À l'occasion de la parution de son livre *La Cause des peuples,* Hallier fait partie, avec Fernand de Saint-Simon, Ghislain de Diesbach, François de Negroni et Willy de Spens, des invités de cette émission-débat, diffusée le 10 octobre 1975 sur Antenne 2.

Jean-Edern Hallier, de Jean-Daniel Verhaeghe et Jean Baronnet, 22 minutes, France 3 (distrib. INA), 1978

Diffusé dans le cadre de l'émission « L'homme en question. Jean-Edern Hallier » de Pierre-Marie Boutang, d'une durée de 65 minutes, sur France 3, le 9 juillet 1978, cet autoportrait se présente comme une balade quelque peu lyrique à travers des lieux et des fantasmes familiers : le téléspectateur suit ainsi l'écrivain dans la Bretagne de son enfance (posté sur un rocher, ou cheminant devant le manoir paternel, évoquant ses souvenirs avec deux vieillards) ; en Autriche, devant le château de Schonbrunn ou dans une église baroque ; à Paris, marchant avec sa fille Ariane et son amie sous les arcades de la place des Vosges... Et par la pensée, en Amérique latine où il séjourna un an. Un document particulièrement intéressant, réalisé par des professionnels réputés.

« Questionnaire : Jean-Louis Servan-Schreiber reçoit Jean-Edern Hallier », 52 minutes, TF1, 1981 (diffusée le 4 novembre 1981)

Trois jours avec Fidel Castro, de Jacques Mény et Pierre-André Boutang, interview de Fidel Castro par Jean-Edern Hallier, 97 minutes, Rennes, Tribauthèque, 1990

Jean-Edern, le fou Hallier, de Frédéric Biamonti, 2006
Coproduit par la Générale de Production/INA/France 5/CNC et incluant des documents de l'Institut national de l'audiovisuel, un documentaire de 52 minutes qui a le mérite d'exister mais qui, manifestement destiné à un public aussi large que possible, se révèle malheureusement riche en poncifs, en images « people » plutôt convenues et en regrettables facilités (ne serait-ce que, d'emblée, dans son titre).

L'Idiot international, un journal politiquement incorrect, de Nils Andersen, documentaire de 52 minutes réalisé par Bertrand Delais et diffusé sur France 5, le 22 janvier 2017 à 22 h 35 puis sur LCP (La Chaîne Parlementaire), le 3 novembre 2017 à 20 h 30
Réalisé autour d'images d'archives de l'époque et de témoignages de ceux qui ont collaboré à ce journal d'opposition, ce documentaire évoque de manière quelque peu réductrice et orientée cette atypique aventure éditoriale du début des années 1990. La personnalité de Hallier n'est heureusement pas absente du propos.

La Story : Jean-Edern Hallier, de Raphaëlle Baillot, documentaire de 17 minutes, diffusé dans le cadre du magazine « Stupéfiant ! » présenté par Léa Salamé sur France 2, le 9 janvier 2017 à 23 h 10
Petit document à vocation commémorative, au contenu sans surprise et sans réel intérêt, mais avec toutefois des images un peu émouvantes d'une visite au domicile de Laurent Hallier, qui, physiquement, ressemble beaucoup à son frère Jean-Edern.

1974, l'alternance Giscard, de Pierre Bonte-Joseph, documentaire de 58 minutes, diffusé sur Public Sénat les 27 septembre 2019 à 22 heures, le 29 septembre à 8 heures, puis les 1er et 5 octobre 2019
Documentaire de très bonne tenue, sérieux et éclairant au sujet des « années Giscard », grâce à une immersion dans l'univers des Archives nationales et des « pépites » que, sous haute protection, elles détiennent pour une meilleure compréhension de l'Histoire. On y voit une preuve que les connivences entre « bords » politiques a priori opposés, à l'époque des Michel Poniatowski et Gaston Defferre, ne relevaient pas d'affabulations journalistiques. On peut également y voir (sans qu'il soit mentionné) Jean-Edern Hallier soutenir le mouvement social des Lip et participer le 29 septembre 1973, en tête de défilé, à la grande « marche sur Besançon » des grévistes. Initiative d'autant plus notable qu'elle marquera sa « journée d'adieu » à cette forme d'activisme.

Mitterrand et les écoutes de l'Élysée, de Mélanie Dalsace, documentaire de 52 minutes, diffusé dans le cadre du magazine « Les mensonges de l'Histoire », présenté par Fabrice d'Almeida sur TMC Story, le 17 mars 2020 à 20 h 55

Un documentaire de qualité, bien conçu, qui rappelle avec clarté comment un gangster de haut vol costumé en président de la République française a transgressé les lois à des fins personnelles et utilisé des voyous déguisés en grands serviteurs de l'État pour empêcher Jean-Edern Hallier de dévoiler ses graves mensonges. Un scandale dont les incidences majeures sur les fondements de la démocratie et sur l'image de la politique en France se font toujours ressentir plusieurs décennies plus tard... Même s'il comporte une affirmation discutable au sujet de l'auteur de *L'Honneur perdu de François Mitterrand,* le film a, entre autres mérites, celui de comporter un utile « coup de projecteur » sur l'« affaire des Irlandais de Vincennes », ô combien révélatrice de l'ignominie de M. Mitterrand et de ses valets-barbouzes.

Parmi les émissions de radio

« Deux heures pour comprendre : les rapports éditeurs-auteurs », émission proposée et animée par Jean Montalbetti, Claude Hudelot et Yves Loiseau, réalisée par Bernard Saxel, avec Gérard Guégan, Jean Guenot, Jean-Edern Hallier, Jean-Claude Lattès, Georges Léon, Jean Rousselot et Philippe Sollers, diffusée sur France Culture, le 11 décembre 1975 (rediffusée le 26 février 2019 dans les « Nuits de France Culture »)

« Démarches », trois émissions d'entretiens de 15 minutes chacune, animées par Gérard-Julien Salvy et diffusées sur France Culture, les 17 septembre, 24 septembre et 1er octobre 1977

« Radioscopie », émission de 56 minutes animée par Jacques Chancel et diffusée sur France Inter, le 22 septembre 1980

« Tribunal des flagrants délires : Jean-Edern Hallier », émission de 56 minutes présentée par Claude Villers, assisté de Pierre Desproges et de Luis Rego, et diffusée sur France Inter, le 9 février 1981

« Radioscopie », émission de 56 minutes animée par Jacques Chancel et diffusée sur France Inter, mi-avril 1988

Panorama – Littérature et poésie : Jean-Edern Hallier, documentaire de 50 minutes par Jacques Duchâteau, réalisé par Annie Woïchekovska, avec Jean-Edern Hallier, Roger Dadoun, Antoine Spire,

Gilles Gourdon, Carmen Bernard, Max Zins. Première diffusion sur France Culture, le 25 octobre 1990 (seconde diffusion le 24 janvier 2017)

« Je me contente ce matin de la radio, admirant certes ce pouvoir illimité qui a été donné aux hommes, mais songeant qu'il ne sert de rien à l'homme de gagner la Lune s'il vient à perdre la Terre. »

François Mauriac (1885-1970), *Le Dernier bloc-notes*

« Le fait qu'on se confesse de plus en plus à la radio et de moins en moins dans les églises semble indiquer que la publicité est plus précieuse que le pardon... »

Philippe Bouvard, *Maximes au minimum*

L'auteur de cet ouvrage « croqué » par Pinatel deux ans après
la mort de Jean-Edern Hallier.

Jean-Pierre Thiollet

« La vie est un livre, dit-on, de souvenirs sur chaque page.
J'ai tourné ma première feuille quand je suis monté sur scène. »

« Life is a book, so they say, of records on each page.
I turned my first leaf when I went upon the stage. »

Sophie Tucker (Sofia « Sonya » Kalish, dite, 1887-1966), en
préambule de « Some of these days », la chanson de
Shelton Brooks (1886-1975) dont elle fut l'interprète et
qui a été reprise notamment par Louis Armstrong,
Ella Fitzgerald et Judy Garland

« Cher ami,
Lui parler semblait être un refuge.
La dernière chanson que j'ai entendue
– après les oiseaux –
Était : "Il me guide – me guide –
oui, même si je marche…" »

« Dear friend,
I felt it shelter to speak to you.
(…) The last song that I heard
– that was since the birds –
Was "He leadeth me – he leadeth me –
Yea, though I walk…" »

Emily Dickinson (1830-1886), dans une lettre

« J'ai décidé de vivre éternellement.
Pour l'instant, tout se passe comme prévu. »

Attribué à Alphonse Allais (1854-1905)

Auteur et coauteur de nombreux ouvrages, parus chez divers éditeurs (Vuibert, Nathan, Neva éditions, Europa-America, Jean-Cyrille Godefroy, Economica, Dunod, Anagramme éditions, H & D, Frédéric Birr...) et dans différents domaines, Jean-Pierre Thiollet est originaire du Haut-Poitou (France, Europe). Né en 1956, il a reçu sa formation au sein des lycées René-Descartes et Marcelin-Berthelot de Châtellerault, des classes préparatoires aux grandes écoles du lycée Camille-Guérin à Poitiers, puis des universités de Paris-I – Panthéon-Sorbonne, Paris-III – Sorbonne-Nouvelle et Paris-IV – Sorbonne. Il a passé avec succès le concours de Saint-Cyr-Coëtquidan (Corps technique et administratif des officiers des armées), mais, à la différence de Jean-Edern Hallier, n'avait ni grand-père ni père général et ne donna pas suite.

Diplômé en lettres, arts et droit (DES – Diplôme d'études supérieures –, maîtrise, licence...), détenteur de divers certificats en anglais et en histoire, il a depuis longtemps conscience, comme le souligne Picabia dans ses *Écrits,* qu'à gagner des parchemins, l'être humain prend tous les risques de perdre son instinct... Il est volontiers catalogué comme journaliste pour s'être vu délivrer une carte de presse dès le début des années 1980 et jusqu'à notre époque, comme écrivain pour avoir publié, sous son nom et sous divers pseudonymes, souvent féminins, des dizaines de livres, et comme conseiller en communication pour avoir été associé à quelques « faits d'armes » dans les coulisses de la politique et les sphères stratégiques de la finance et de l'économie... De 2009 à 2012, il a exercé des fonctions de rédaction en chef et de délégation du personnel à *France-Soir,* l'un des très rares titres de presse écrite française à aura planétaire. En des temps fort révolus, il fut journaliste puis rédacteur en chef au *Quotidien de Paris,* au sein du groupe de presse Quotidien présidé par Philippe Tesson, collaborateur de publications comme *L'Amateur d'Art, Paris Match, Vogue Hommes, Théâtre Magazine* ou *La Vie Française*. Il fut également l'un des responsables nationaux, de 1991 à 2017, de la Cedi (Confédération européenne des indépendants), organisation de défense des commerçants, artisans et travailleurs indépendants, vice-président d'une association mondiale pour l'investissement immobilier et la construction (Amiic), implantée à Genève, dotée de plus de 7 000 contacts dans 25 pays – dont Donald Trump, Susan James et Jennifer Tennant, membres de la Trump Organization –, animateur de colloques internationaux à Genève, Paris, Bruxelles et Marbella, conseiller auprès de personnalités ou d'entreprises, et membre de la Pavdec (Presse associée de la variété, de la danse et du cirque) présidée par Jacqueline Cartier, avec le soutien amical de Pierre Cardin.

Entre 1982 et 1986, ses communications téléphoniques avec Jean-Edern Hallier ont fait l'objet de nombreuses écoutes illégales. Ce qu'il n'a pas apprécié et encore moins oublié.

Signataire de l'introduction de *Willy, Colette et moi,* de Sylvain Bonmariage, réédité en 2004, il est sociétaire de la Sofia (Société française des intérêts des auteurs de l'écrit) depuis sa création et a été, avec Frédéric Beigbeder, Alain Decaux, Mohamed Kacimi et Richard Millet, l'un des invités en 2005 du Salon du livre de Beyrouth, à l'occasion de la parution de *Je m'appelle Byblos.* Depuis 2007, il est membre de la Grande famille mondiale du Liban (RJ Liban).

« Qu'il me soit donné de finir mes jours sur la terre de mes pères ou
que tu doives un jour être rendue à mes yeux, je vivrais heureux
et ma félicité passerait tous mes vœux, si tu daignais garder
toujours mon souvenir. »

Rutilius Namatianus (Claudius Rutilius Namatianus, dit, 370?-417?),
De Reditu suo (Retour en Gaule)

« Vers trois heures de l'après-midi, nous traversâmes Châtellerault.
Dieu vous garde de Châtellerault, Madame, si vous n'avez pas la passion
des petits couteaux ; il est vrai que si vous l'avez, en cinq minutes,
vous pouvez en faire la plus complète collection qui soit au monde.
Malheureusement, on s'arrête près d'un quart d'heure à Châtellerault. »

Alexandre Dumas (1802-1870), *De Paris à Cadix,*
Impressions de voyage (1847)

« Me sentant de plus en plus faire partie du vent, du ciel,
de l'herbe, j'évite encore la poussière mais elle viendra. »

Marie Laurencin (1883-1956), dans une lettre au docteur Arnault Tzanck

Remerciements

« Ne respirez pas sans avoir, au préalable, fait bouillir votre air…
Si vous voulez vivre longtemps, vivez vieux… »

Erik Satie (1866-1925), *Revue 391*

« Il faut cacher la profondeur. Où ça ? À la surface. »

Hugo von Hofmannsthal (1874-1929), *Le Livre des amis*

Nos chaleureux remerciements vont à toutes les personnes qui ont contribué, à leur manière, de près ou de loin, consciemment ou non, à la poursuite de ce projet éditorial et, en particulier, à Jean-Pierre Agnellet, Françoise Angel-Brunet, José Anido et Florence Anido-Fey, Roger et Christiane Anney, Françoise Arnaud, Annie Auger, Abdelhadi Bakri, Angélina Barillet, Étienne Bataille, Sébastien Bataille, Philippe et Michèle Bazin, René Beaupain, Rémy et Chantal Bédier, Bruno Belthoise, Jean Bibard, Lella du Boucher, Roland et Claude (†) Bourg, Yasmine Briki, Hélène Bruneau-Ostapowiez, Jean-Pierre Brunois, Laurence Buge, Jean-François (†) et Danielle (†) Cabrerisso, Jean de Calbiac, Florence Canet, Yolande Capoue-Nyoko, Pierre Cardin, Patrice Carquin, Gérard Carreyrou, Jacqueline Cartier (†), Jean Cassou (†), Jean-Claude Cathalan, Hamid Chabat, Audrey Chamballon, Paul (†) et Rachel Chambrillon, Jean-Marc Chardon, Laurence Charlot, Xavier du Chazaud, Pierre et Huguette Cheremetiev, Bénédicte Chesnelong, Daniel Chocron, Philippe Cohen-Grillet, Isabelle Coutant-Peyre, Marianne Daudré, Michèle Dautriat-Marre, Ahmeth Ndiaye,

Françoise Domages-Arnaud, Blandine Dumas, Claire Dupré La Tour, Bernard Dupret, Jean (†) et Camille (†) Dutourd, Philippe Dutertre, Régis et Eveline Duvaud, Thomas Duvigneau, Gabriel Enkiri, Suzy Evelyne, Jean Fabris (†), Armelle Fabry, Nassera Fadli, Jean-Pierre Faye, Francis Fehr et Virginie Garandeau, Joaquín et Christiane Ferrer, Alain Forget, Audrey Freysz, François Gabillas (†), Didier Gaillard, Marie-Lise Gall, Roland Gallais, Brigitte Garbagni, Claude et Claudine Garih, Guy (†) et Marie-Josée Gay-Para, Patrice Gelobter (†), Sarah Gelobter, Philippe Germanaz, Jean-Michel et Cécile Gevrey, Kenza El Ghali, Annick Gilles, Robert Giordana, Jean-François Giorgetti, Olivier Gluzman, Paula Gouveia-Pinheiro, Alain Gouverneur, Béatrix Grégoire, Cyril Grégoire, Ursula Grüber, Olivia Guilbert-Charlot, Anne Guillot, Patrice (†) et Marie-Hélène Guilloux, Ariane Hallier, Ramona Horvath, Patricia Jarnier, Dominique et Alexandra Joly, Jean-Claude Josquin, Paulette Jousselin, Jean-Pierre Jumez, Jean-Luc Kandyoti, Anna et Suzanne Kasyan, Chabou et Hopy Kibarian, Reine Kibarian, Bernard Kuchukian, Ingrid Kukulenz, Christian Lachaud, Frédérique Lagarde, Brigitte Lampin-Boucinha, Marie-France Larrouy-Perrot, Véronique Lecordier, Bernard Legrand, Jean-Louis Lemarchand, Denis Lensel, Albert Robert de Léon, Ghislaine Letessier-Dormeau, Lyne Lohéac, Didier et Pascale Lorgeoux, Christophe-Emmanuel Lucy, Patrick et Sophie Lussault, Fernand Lystig, Lucie Malval, Monique Marmatcheva (†), Bernard Marson, Odile Martin, Jean-Claude Martinez, François Mattei (†), Brigitte Menini, Laurent du Mesnil, François L. Meynot, Stéphanie Michineau, Bruno et Marie Moatti, Jean-Claude et Marie Mondon, Alain et Evelyne Mondon, Bernard Morrot (†), Fabrice Moysan, Gérard Mulliez, Abdallah Naaman, Madeleine et Brigitte Nazaruk, Ahmeth Ndiaye, Chloé Neveu, Duylinh Nguyen, Xuan Phuc et Thuan Nguyen, Jean-Loup Nitot, Jill Nizard, François Opter (†), Marie-

Noëlle Paduani, Jean-François et Corinne Pastout, Marie-Josée Pelletant, Nadia Plaud, France Poumirau (†), Martine Pujalte, Lise Qu-Knafo, Richard et Gabrielle Rau, Aurélie Renard, Jean-Côme Renard, Maurice Renoma, Ariel Ricaud, François Roboth, Christian Rossi, Caroline Roucayrol, Franck Sallet, André et Alice Schegerin, Élisabeth Schneider, Patrick Scicard, Arnaud Séité, Philippe Semblat, Sylvie Sierra-Markiewicz, David Simon, Jacques Sinard, Tatiana Smolenskaya, Véronique Soufflet, Béatrice Szapiro, Francis Terquem, Philippe Tesson, Alain Thelliez, Joël Thomas, Elisabeth, Francine, Hélène, Monique, Augustin, Jean et Pierre Thiollet, Richard et Joumana Timery, David et Genc Tukiçi, Franck Vedrenne, Evelyne Versepuy, Caroline Verret, Alain Vincenot, Patrice (†) et Cristina de Vogüé, André et Mauricette Vonner, Christiane Vulvert, Franz (†) et Judith Weber, Paul Wermus (†), Laurent et Marie-Henriette Wetzel, Ylva Wigh, Guillaume Wozniak.

« Notre Père qui êtes aux Cieux
Restez-y
Et nous resterons sur la terre
Qui est quelquefois si jolie. »

Jacques Prévert, *Paroles*

« Il peut se faire que l'on meure
– Même, ça peut être bien se faire,
Mais pourtant, ça n'y change rien :
La vie tient de diverses choses
Et par certains côtés, en outre,
Se rattache à d'autres phénomènes
Encore mal étudiés, mal connus,
Sur lesquels nous ne reviendrons pas. »

Boris Vian, « Précisions sur la vie », *Cantilènes en gelée*

Du même auteur

Hallier, l'Edernel retour, avec une contribution de François Roboth, à paraître

Hallier, Edernellement vôtre, avec le témoignage d'Isabelle Coutant-Peyre et des contributions de François Roboth, Neva Éditions, 2019

Hallier ou l'Edernité en marche, avec une contribution de François Roboth, Neva Éditions, 2018

Improvisation so *piano,* avec le témoignage de Bruno Belthoise et des contributions de Jean-Louis Lemarchand et de François Roboth, Neva Éditions, 2017

Hallier, l'Edernel jeune homme, avec des contributions de Gabriel Enkiri et de François Roboth, Neva Éditions, 2016

88 notes pour piano solo, avec des contributions d'Anne-Élisabeth Blateau, de Jean-Louis Lemarchand et de François Roboth, Neva Éditions, 2015

Immobilier : allégez votre fiscalité, avec Pierre Thiollet, Éditions Vuibert, 2014

Piano ma non solo, avec les témoignages de Jean-Marie Adrien, d'Adam Barro (alias Mourad Amirkhanian), de Florence Delaage, de Caroline Dumas, de l'Opéra de Paris, de Virginie Garandeau, de Jean-Luc Kandyoti, de Frédérique Lagarde et de Genc Tukiçi, et avec des contributions de Daniel Chocron, de Jean-Louis Lemarchand et de François Roboth, Anagramme éditions, 2012

Créer ou reprendre un commerce, avec une préface de Sophie de Menthon, Éditions Vuibert, 2011 (3ᵉ édition)

Bodream ou Rêve de Bodrum, avec des contributions de Francis Fehr et de François Roboth, Anagramme éditions, 2010

Carré d'Art : Jules Barbey d'Aurevilly, lord Byron, Salvador Dalí, Jean-Edern Hallier, avec des contributions d'Anne-Élisabeth Blateau et de François Roboth, Anagramme éditions, 2008

Les Risques du manager, avec Azad Kibarian, Éditions Vuibert, 2008

Barbey d'Aurevilly ou le Triomphe de l'écriture, avec des contributions de Bruno Bontempelli, de Jean-Louis Christ, d'Eugen Drewermann et de Denis Lensel, H & D, 2006

Le Droit au bonheur, collection « Poche », Anagramme éditions, 2006 (paru sous le titre *Savoir dire oui au bonheur* en 2003)

Savoir accompagner la puberté, Anagramme éditions, 2006

Je m'appelle Byblos, préface de Guy Gay-Para, illustrations de Marcel C. Desban, H & D, 2005

Sax, Mule & Co : Marcel Mule ou l'éloquence du son, H & D Éditions, 2004

Demain 2021 : la France, entre la région, l'Europe et le monde – Entretiens, Jean-Claude Martinez, Godefroy de Bouillon, 2004

Rêves de trains, Anagramme éditions, 2003

Les Dessous d'une présidence, Anagramme éditions, 2002

Bien préparer son départ à la retraite, Éditions Vuibert, 2002

Beau linge et argent sale : fraude fiscale internationale et blanchiment des capitaux, Anagramme éditions, 2002

Fisc-Immo : le grand duo, Axiome éditions, 1999

La Vie plurielle, Axiome éditions, 1999

Les Baux sans peine, Axiome éditions, 1999

Le Chevallier à découvert, Laurens, 1998

« Vers la fin de la pensée unique ? » in *La Pensée unique : le vrai procès*, ouvrage collectif, avec des contributions notamment de Jean Foyer, de Jacques Julliard, de Pierre-Patrick Kaltenbach, de Françoise Thom et de Thierry Wolton, Economica – Jean-Marc Chardon et Denis Lensel éditeurs, Paris, 1998

Histoire familiale des hommes politiques français, ouvrage collectif, avec une préface de Marcel Jullian, Archives et Culture, 1997

Euro-CV, Top éditions, 1997

L'Art de réussir ses premières semaines en entreprise, avec le dessinateur Helbé (Olivier Lorain-Broca, dit), Nathan, 1996

L'Anti-Crise, avec Marie-Françoise Guignard, témoignages de Jean-Claude Cathalan, de Chantal Cumunel, d'Ursula Grüber, d'Henri Lagarde, de Patrick Lenôtre, d'Alain Mosconi, de Philippe Rousselet et d'Eveline Duvaud-Schelnast, Dunod, 1994

Concilier vie privée et vie professionnelle, avec Laurence Del Chiaro, Nathan, 1993

Réussir ses trois premiers mois dans un nouveau poste, avec Marie-Françoise Guignard, Nathan, 1992 (*Os três primeiros meses num novo emprego,* traduit en portugais par Maria Melo, collection « Biblioteca do desenvolvimento pessoal », Publicações Europa-América, 1993)

Je réussis mon entretien d'embauche, avec Marie-Françoise Guignard, dessins de Hoviv (René Hovivian, dit, 1929-2005), Éditions Amarande, 1991, 1993 (Éditions Jean-Cyrille Godefroy, 1995 ; Éditions Altigraph, 2003)

CV : les lettres clés de ma carrière, avec Marie-Françoise Guignard, dessins de Hoviv, Éditions Amarande, 1991, 1993 (Éditions Jean-Cyrille Godefroy, 1995 ; Éditions Altigraph, 2003)

Le Guide du logement, Nathan, 1990

L'Aventure des vacances, avec Monique Thiollet, illustrations de Pascale Collange, Nathan, 1989

« La dérisoire fascination du faux » in *Utrillo, sa vie, son œuvre,* ouvrage collectif, Éditions Frédéric Birr, 1982

« On demandait à L.… "Vous n'écrivez plus ?
Qu'est-ce que vous faites ? Vous êtes très pris ?"
– Je m'amuse à vieillir, répondit-il. C'est une
occupation de tous les instants. »

Paul Léautaud, in *Passe-temps, Mots, Propos et Anecdotes*

« On n'écrit pas pour soi, mais pour les autres. Pour les morts
qui subsistent en nous, et pour les vivants qui nous lisent. Même
les manuscrits volontairement laissés sans lecteurs au fond des
tiroirs s'adressent à quelqu'un. À des parents perdus, à des passions
anciennes, parfois à des proches qui ne l'apprendront jamais.
Et c'est encore plus vrai quand on écrit en hommage à des défunts
aimés ou admirés. Les livres alors, comme le font les poèmes, dressent
des tombeaux. Ils ne recouvrent pas de marbre les morts, ils les revêtent
d'une douce ferveur. Ce sont des urnes à portée de main qu'il nous
suffit d'ouvrir, où nous plongeons nos souvenirs, et dont les cendres
sont les mots. »

Jean-Michel Delacomptée, *Écrire pour quelqu'un*

« Car nous nous en allons, comme s'en va cette onde…
Elle à la mer, nous au tombeau. »

Adaptation musicale par Claude Debussy (1862-1918),
composée vers 1890, du poème « Beau soir » de Paul Bourget
(1852-1935), chantée notamment par Maggie Teyte,
Barbra Streisand, Véronique Gens, Jessye Norman, Renée Fleming,
Anna Kasyan, Giuseppe De Luca, Dieter Fischer-Dieskau et Adam Barro